Zes dagen samen

Marc Levy bij Boekerij:

Was het maar waar
Net als toen
Waar jij bent
Londen, mon amour

www.boekerij.nl

Marc Levy

Zes dagen samen

ISBN 978-90-225-5407-4
NUR 302

Oorspronkelijke titel: *Toutes ces choses qu'on ne s'est pas dites* (Éditions Robert Laffont)
Vertaling: Saskia Taggenbrock
Omslagontwerp: marliesvisser.nl
Omslagbeeld: Betsie van der Meer/Corbis
Zetwerk: Mat-Zet bv, Soest

'Er zijn slechts twee manieren om je leven te leven: doen alsof niets een wonder is, en doen alsof alles een wonder is.'

ALBERT EINSTEIN

Voor Pauline en
voor Louis

I

'Nou, hoe zie ik eruit?'

'Draai je eens om, dan kan ik je bekijken.'

'Stanley, je bent me al een half uur van top tot teen aan het bekijken, ik heb het nu wel gezien op dit podium.'

'Ik zou hem wat korter maken, het zou heiligschennis zijn om zulke benen te verbergen.'

'Stanley!'

'Je wilde toch mijn mening, schat, of niet soms? Draai je nog eens om, zodat ik je van voren kan zien? Dat dacht ik al, ik zie geen enkel verschil tussen je decolleté en de uitsnede aan de achterkant. Als je een vlek maakt dan hoef je hem alleen maar om te draaien... Voor of achter, één pot nat.'

'Stanley!'

'Het idee om een bruidsjurk in de uitverkoop te kopen irriteert me. Dan kun je hem net zo goed via internet kopen. Je wilde mijn mening, nou, die heb je nu.'

'Sorry dat ik me niets beters kan veroorloven met mijn salaris als computeranimatrice.'

'Tekenares, prinsesje van me! God, wat heb ik een hekel aan dat eenentwintigste-eeuwse vocabulaire.'

'Ik werk op een computer, Stanley, niet met kleurpotloden.'

'Mijn beste vriendin tekent geweldige personages en brengt ze tot leven, dus, computer of niet, ze is tekenares, geen computeranimatrice. Waarom moet jij altijd overal tegenin gaan?'

'Inkorten of zo laten?'

'Vijf centimeter! En bij de schouder en de taille moet-ie worden ingenomen.'

'Oké, duidelijk, je vindt deze jurk afschuwelijk.'

'Dat heb ik niet gezegd!'

'Maar je denkt het wel.'

'Laat mij meebetalen en laten we naar Anna Maier gaan, alsjeblieft, luister voor deze ene keer nou eens naar mij.'

'Voor een jurk van tienduizend dollar? Ben je helemaal gek geworden, of zo? Dat kun jij ook helemaal niet betalen, bovendien, het is maar een huwelijk hoor.'

'Jouw huwelijk.'

'Ik weet het,' verzuchtte Julia.

'Met dat vermogen van hem had je vader best...'

'De laatste keer dat ik mijn vader zag, stond ik voor een rood stoplicht en reed hij voorbij over Fifth Avenue... dat is zes maanden geleden. Einde discussie.'

Julia haalde haar schouders op en stapte van de verhoging. Stanley hield haar tegen en sloeg zijn armen stevig om haar heen.

'Lieve schat, alle jurken van de wereld zouden je fantastisch staan, ik wil alleen dat die van jou helemaal perfect is. Waarom vraag je niet aan je aanstaande man of hij hem wil betalen?'

'Omdat Adams ouders al de hele ceremonie betalen, en ik zou het helemaal niet erg vinden als we voor zijn familie kunnen verzwijgen dat hij met een sloeber trouwt.'

Met lichte tred liep Stanley de winkel door, naar een kledingrek dat vlak bij de etalage stond. De verkopers en verkoopsters waren druk in gesprek bij de kassa en negeerden hem volkomen. Hij pakte een nauwsluitende jurk van wit satijn en maakte rechtsomkeert.

'Trek deze voor me aan en dan wil ik er niks meer over horen!'

'Dit is een 36, Stanley, daar kom ik nooit in!'

'Wat zei ik nou net?'

Julia sloeg haar ogen ten hemel en liep naar het pashokje dat Stanley haar aanwees.

'Het is een 36,' zei ze terwijl ze wegliep.

Een paar minuten later ging het gordijn net zo abrupt open als het gesloten was.

'Kijk, eindelijk iets wat op de trouwjurk van Julia lijkt,' riep Stanley uit. 'Klim maar meteen weer op het podium.'

'Heb je misschien een takel om me op te hijsen? Want als ik mijn knie buig...'

'Hij staat je beeldig.'

'En als ik een petitfourtje eet scheuren de naden open.'

'Op je huwelijksdag eet je niet. Iets uitleggen aan de bovenkant en je ziet eruit als een koningin. Denk je dat we in deze winkel nog aan een verkoper kunnen komen? Dit is toch niet te geloven!'

'Ik zou zenuwachtig moeten zijn, niet jij.'

'Ik ben niet zenuwachtig, ik ben ontsteld dat ik degene ben die jou, vier dagen voor de plechtigheid, mee moet slepen om een jurk te gaan kopen.'

'Ik heb alleen maar gewerkt de afgelopen tijd! En we gaan Adam hier nooit iets over vertellen, ik loop hem al een maand te verzekeren dat alles geregeld is.'

Stanley pakte een speldenkussen dat op de armleuning van een stoel was blijven liggen en knielde voor Julia neer.

'Je man heeft geen idee wat een mazzel hij heeft, je bent prachtig.'

'Hou toch eens op met dat gevit op Adam. Wat verwijt je hem nou eigenlijk?'

'Hij lijkt op je vader...'

'Je weet niet wat je zegt. Adam lijkt helemaal niet op hem, trouwens, hij heeft een hekel aan hem.'

'Adam heeft een hekel aan je vader? Dat pleit dan weer voor hem.'

'Nee, mijn vader heeft een hekel aan Adam.'

'Je vader heeft altijd iedereen die bij jou in de buurt kwam gehaat. Als je een hond had gehad zou hij die gebeten hebben.'

'Niet waar, als ik een hond had gehad zou die ongetwijfeld mijn vader gebeten hebben,' zei Julia lachend.

'Nee, je vader zou de hond gebeten hebben.'

Stanley kwam overeind en deed een paar stappen naar achteren om het resultaat te bekijken. Hij schudde zijn hoofd en slaakte een diepe zucht.

'Wat is er nou weer?' vroeg Julia.

'Hij is perfect, of nee, jij bent perfect. Ik speld nog even de taille af en dan mag je me eindelijk mee uit lunchen nemen.'

'In een restaurant naar jouw keuze, lieve Stanley.'

'Met dit zonnetje vind ik het eerste het beste terras prima. Mits er schaduw is en jij even stil blijft staan zodat ik eindelijk deze jurk af kan maken... deze bijna perfecte jurk.'

'Hoezo bijna?'

'Hij is in de uitverkoop, schatje.'

Op dat moment liep er een verkoopster voorbij die vroeg of ze hulp nodig hadden. Stanley wimpelde haar af.

'Denk je dat-ie komt?'

'Wie?' vroeg Julia.

'Je vader, suffie.'

'Hou toch op over hem. Ik heb je gezegd dat ik al maanden niks van hem gehoord heb.'

'Maar dat wil niet zeggen dat...'

'Hij komt niet.'

'Heb jij wel wat van je laten horen?'

'Ik vertel al heel lang niets meer over mezelf aan de privésecretaris van mijn vader, omdat papa op reis is, of in een vergadering zit en geen tijd heeft om zijn dochter te spreken.'

'Maar je hebt hem toch een uitnodiging gestuurd?'

'Ben je al bijna klaar?'

'Bijna! Jullie zijn net een oud stel. Hij is jaloers, alle vaders zijn jaloers. Dat gaat wel weer over.'

'Dat is ook voor het eerst, dat jij het voor hem opneemt. Bovendien, als wij een oud stel zijn dan zijn we al jaren uit elkaar.'

Uit Julia's tas klonk de melodie van 'I Will Survive'. Stanley keek haar vragend aan.

'Blijf staan, anders is al mijn werk voor niets geweest, ik geef hem je aan.'

Stanley stak zijn hand in de tas van zijn vriendin, viste de mobiele telefoon eruit en gaf hem aan haar. Gloria Gaynor werd meteen tot zwijgen gebracht.

'Te laat,' verzuchtte Julia terwijl ze naar het nummer op het display keek.

'En? Adam of kantoor?'

'Geen van beide,' antwoordde ze met een nors gezicht.

Stanley keek haar strak aan.

'Maken we er een raadseltje van?'

'Het was mijn vaders kantoor.'

'Bel hem terug!'

'Echt niet! Hij moet me gewoon zelf even bellen.'

'Maar dat deed hij toch daarnet?'

'Dat deed zijn secretaris, het was zijn nummer.'

'Je zit al op dit telefoontje te wachten sinds je de uitnodiging op de bus hebt gedaan, doe nou even niet zo kinderachtig. Vier dagen voor je huwelijk moet je overgaan op de stress-spaarstand. Wil je een enorme koortslip krijgen, vreselijke uitslag in je hals? Nou dan, bel hem nu meteen terug.'

'Zodat Wallace me kan uitleggen dat het mijn vader oprecht spijt, dat hij in het buitenland zit en het helaas onmogelijk is een reis te annuleren die al maanden geleden gepland is? Of dat hij die dag helaas bezet is vanwege een uiterst belangrijke aangelegenheid, of weet ik veel wat voor ander excuus?'

'Of dat hij ontzettend verheugd is naar het huwelijk van zijn dochter te komen en hoopt dat hij ondanks hun meningsverschillen mag rekenen op een plekje aan de eretafel met het bruidspaar!'

'Daar heeft mijn vader maling aan; als hij zou komen zou hij het liefst in de buurt van de garderobe zitten, mits de jongedame die daar over gaat een mooi exemplaar is.'

'Hou op met haten en bel hem, Julia. Anders moet je het zelf maar weten, dan zit je je hele huwelijksdag te wachten tot hij komt in plaats van te genieten van het moment.'

'Dan vergeet ik in ieder geval dat ik niet aan de petitfourtjes mag komen omdat ik dan het risico loop uit de jurk te barsten die jij hebt uitgezocht!'

'Die is raak, schat.' Stanley floot tussen zijn tanden terwijl hij naar de deur liep. 'We gaan wel een keer lunchen als je beter gehumeurd bent.'

Julia viel bijna van de verhoging toen ze eraf wilde stappen en rende achter hem aan. Ze greep hem bij zijn schouder en sloeg op haar beurt haar armen stevig om hem heen.

'Sorry, Stanley, dat wilde ik niet zeggen, het spijt me.'

'Dat over je vader of over die jurk die ik zo slecht voor je heb uitgekozen en afgespeld? Ik wil je er graag op attenderen dat het er vooralsnog op lijkt dat noch je rampzalige afstap, noch je geren door deze armzalige zaak, ook maar één enkel naadje heeft aangetast.'

'Jouw jurk is perfect, je bent mijn beste vriend, zonder jou zou ik niet eens weten hoe ik naar het altaar moest komen.'

Stanley keek Julia aan, haalde een zijden zakdoek uit zijn zak en droogde de tranen van zijn vriendin.

'Wil je echt aan de arm van een grote gek door de kerk lopen, of wordt je laatste rotstreek dat je doet alsof ik die lul van een vader van je ben?'

'Haal je maar niks in je hoofd, je hebt niet genoeg rimpels om geloofwaardig te zijn in die rol.'

'Ik complimenteer je juist, suffie, door je veel jonger te maken.'

'Stanley, ik wil aan jouw arm naar mijn man begeleid worden! Wie anders dan jij?'

Hij glimlachte, wees naar de telefoon van Julia en zei liefdevol: 'Bel je vader. Ik ga die onnozele verkoopster instrueren, die geen idee lijkt te hebben hoe een klant eruitziet, zodat je jurk overmorgen klaar is. En dan gaan we eindelijk lunchen. Doe het nu, Julia, ik sterf van de honger.'

Stanley draaide zich om en liep naar de toonbank. Op weg daarheen wierp hij een blik op zijn vriendin, zag hoe ze aarzelde en uiteindelijk ging bellen. Hij maakte van de gelegenheid gebruik om onopvallend zijn chequeboekje tevoorschijn te halen, betaalde de jurk, de verstelkosten, en deed er wat extra's bij zodat alles binnen achtenveertig uur klaar zou zijn. Hij stak het bonnetje in zijn zak en liep terug naar Julia, die net had opgehangen.

'En?' vroeg hij ongeduldig, 'komt-ie?'

Julia schudde haar hoofd.

'Wat voor excuus heeft hij nu weer bedacht om zijn afwezigheid te rechtvaardigen?'

Julia haalde diep adem en keek Stanley strak aan.

'Hij is dood.'

Ze staarden elkaar zwijgend aan.

'Nou, op dat excuus valt niks af te dingen, moet ik bekennen,' fluisterde Stanley.

'Je bent echt een eikel, weet je dat.'

'Het spijt me, dat wilde ik niet zeggen, ik weet ook niet wat me bezielde. Het spijt me voor je, schat.'

'Ik voel helemaal niks, Stanley, geen greintje verdriet, ik voel geen enkele traan opkomen.'

'Dat komt wel, maak je geen zorgen, het dringt nog niet door.'

'Jawel, juist wel.'

'Wil je Adam bellen?'

'Nee, niet nu, later.'

Stanley keek zijn vriendin bezorgd aan.

'Je wilt je toekomstige echtgenoot niet vertellen dat je vader zojuist overleden is?'

'Hij is gisteravond overleden, in Parijs. Zijn lichaam wordt per vliegtuig teruggebracht, de begrafenis is over vier dagen,' voegde ze er nauwelijks hoorbaar aan toe.

Stanley begon op zijn vingers af te tellen.

'Aanstaande zaterdag?' zei hij met grote ogen.

'Precies op mijn huwelijksdag...' mompelde Julia.

Stanley liep meteen naar de verkoopster, vroeg zijn cheque terug en trok Julia mee naar buiten.

'Ik trakteer op de lunch.'

∾

New York baadde in het goudkleurige licht van de maand juni. De twee vrienden staken Ninth Avenue over en begaven zich richting Pastis, een Franse brasserie en een begrip in de buurt die volop in beweging was. In de loop van de afgelopen jaren hadden de oude pakhuizen van het Meat District plaatsgemaakt voor luxe merknamen en de hipste modeontwerpers van de stad. Prestigieuze hotels en winkels waren als paddenstoelen uit de grond geschoten. De oude spoorlijn was veranderd in een groene strook die doorliep tot aan 10th Street. Daar was in een oude, verbouwde fabriek op de begane grond inmiddels een biologische markt gevestigd. Op de verdiepingen erboven zaten productiemaatschappijtjes en reclamebureaus. Op de vijfde verdieping had Julia haar kantoor. In de verte boden de heringerichte oevers van de rivier de Hudson een lange promenade voor fietsers, joggers en hartstochtelijk verliefden. Vanaf donderdagavond was de buurt vol met bezoekers uit het naburige New Jersey, die de rivier overstaken om rond te slenteren en zich te vermaken in de vele trendy bars en restaurants.

Toen ze aan een tafeltje op het terras van Pastis zaten, bestelde Stanley twee cappuccino's.

'Ik had Adam al moeten bellen,' zei Julia schuldbewust.

'Als het is om te zeggen dat je vader overleden is, ja, dat had je hem al moeten vertellen, daar bestaat geen twijfel over. Maar als het is om hem te zeggen dat jullie huwelijk moet worden uitgesteld, dat hij de priester, de traiteur, de genodigden en dientengevolge zijn ouders moet waarschuwen, dat kan zeg maar nog wel even wachten. Het is prachtig weer, geef hem nog een uur voordat zijn dag naar de knoppen is. Bovendien ben jij in de rouw, dat geeft je alle recht, daar kun je maar beter van profiteren.'

'Hoe moet ik het hem vertellen?'

'Lieve schat, hij zou moeten begrijpen dat het tamelijk moeilijk is om op dezelfde middag je vader te begraven en te trouwen: en mocht ik vermoeden dat je toch met die gedachte speelt, het zou behoorlijk ongepast zijn. Maar hoe heeft het zo kunnen lopen? Mijn god!'

'Geloof me, Stanley, God staat daar volkomen buiten, mijn vader, en hij alleen, heeft die datum uitgekozen.'

'Ik denk niet dat hij besloten heeft om gisteravond in Parijs te overlijden alleen maar om jouw huwelijk te dwarsbomen, hoewel ik moet toegeven dat ik de locatie die hij gekozen heeft geraffineerd vind.'

'Je kent hem niet, hij is tot alles in staat om me te treiteren.'

'Drink je cappuccino op, laten we genieten van deze heerlijke zon en daarna bellen we je ex-aanstaande echtgenoot.'

II

$\mathcal{D}$e banden van het 747 vrachttoestel van Air France piepten op de landingsbaan van vliegveld John Fitzgerald Kennedy. Julia zag door de grote ramen van het hoofdgebouw van de luchthaven hoe de lange mahoniehouten kist over de lopende band uit het laadruim van het toestel naar de lijkwagen getransporteerd werd die op de taxibaan geparkeerd stond. Een officier van de luchthavenpolitie kwam haar ophalen uit de wachtruimte. Vergezeld door de secretaris van haar vader, haar verloofde en haar beste vriend stapte ze in een busje dat haar naar het vliegtuig reed. Een functionaris van de Amerikaanse douane stond onder aan de cabine op haar te wachten om haar een envelop te overhandigen. Er zaten wat administratieve paperassen in, een horloge en een paspoort.

Julia bladerde erdoorheen. Een paar visa getuigden van de laatste levensmaanden van Anthony Walsh. Sint-Petersburg, Berlijn, Hongkong, Bombay, Saigon, Sydney, zo veel steden die ze niet kende, zo veel landen die ze graag met hem bezocht had.

Terwijl vier mannen druk in de weer waren rond de kist dacht Julia terug aan de lange reizen die haar vader maakte toen zij nog een klein meisje was dat om niks begon te vechten op het schoolplein.

Al die nachten dat ze uitkeek naar zijn terugkeer, al die ochtenden dat ze op weg naar school op de stoep van tegel naar tegel sprong, op een denkbeeldige hinkelbaan, waarbij ze zichzelf voorhield dat het volmaakt volbrengen van het spel de komst van haar vader garandeerde. En soms, ondergedoken in die nachten vol smeekbeden, werd haar wens verhoord en ging de deur van haar kamer open. In de lichtstraal op het parket tekende zich dan de schaduw van Anthony Walsh af. Dan kwam hij aan haar voeteneind zitten en legde een klein voorwerp op de deken dat ze bij het ontwaken zou vinden. Zo zag de kindertijd van Julia eruit, een vader die voor zijn dochter van elk buitenlands bezoek een uniek voorwerp meebracht dat iets vertelde over de gemaakte reis: een pop uit Mexico, een penseel uit China, een houten beeldje uit Hongarije, een armband uit Guatemala, het waren echte schatten.

Toen brak de tijd aan dat haar moeder haar eerste klachten kreeg. De eerste herinnering was de schaamte die ze gevoeld had op een zondag in een bioscoop, toen ze midden in de film gevraagd had waarom ze het licht hadden uitgedaan. Een geheugen als een zeef waar steeds meer gaten in kwamen, eerst kleine, vervolgens steeds grotere. Ze begon de keuken en de muziekkamer te verwisselen, wat aanleiding was voor enorme paniek, omdat de vleugel verdwenen was… Haar geheugen begon haar in de steek te laten, waardoor ze de naam van haar naasten vergat. Dieptepunt was de dag waarop ze Julia had aangekeken en uitriep: 'Wat doet dat leuke kind toch in mijn huis?' De oneindige leegte in die lang vervlogen decembermaand dat de ambulance haar was komen ophalen nadat ze haar ochtendjas in de brand had gestoken, onbeweeglijk, nog vol verwondering over die ontdekte kracht terwijl ze een sigaret aanstak, zij, die niet eens rookte.

Een moeder die een paar jaar later overleed in een kliniek in New Yersey zonder ooit nog haar dochter te hebben herkend. Tijdens de rouw was de pubertijd begonnen, met veel te veel avonden waarop ze haar huiswerk maakte met de privésecretaris van haar vader, terwijl die laatste steeds vaker en langer op reis ging. Middelbare school, universiteit, het vertrek van de universiteit om zich eindelijk te wijden aan haar enige passie: personages verzinnen, ze gestalte geven door middel van kleureninkt, ze tot leven brengen op een computerscherm. Dieren die bijna menselijk geworden waren, trouwe vrienden, steun en toeverlaat, die graag naar haar glimlachten met een simpel potloodstreepje, en van wie ze de tranen droogde met een veeg op het grafisch palet.

'Mevrouw, is dit identiteitsbewijs inderdaad van uw vader?'

De stem van de douanebeambte bracht Julia terug naar de werkelijkheid. Ze knikte kort. De man zette zijn handtekening op een formulier en een stempel op de foto van Anthony Walsh. De laatste stempel in een paspoort waarin de namen van de steden geen ander verhaal meer te vertellen hadden dan die van afwezigheid.

De kist werd in een zwarte stationwagen getild. Stanley stapte voorin naast de chauffeur, Adam hield het portier voor Julia open, zorgzaam voor de jonge vrouw met wie hij die middag had moeten trouwen. De privésecretaris van Anthony Walsh nam helemaal achterin plaats op een klapbankje, zo dicht mogelijk bij het stoffelijk overschot. De auto zette zich in beweging en verliet het luchthavengebied toen hij highway 678 op reed.

Ze reden naar het noorden. Niemand in de auto zei iets. Wallace hield zijn ogen gericht op de kist waarin het lichaam van zijn oude werkgever lag. Stanley staarde naar zijn handen, Adam keek naar Julia en Julia bestudeerde het grijze landschap van de buitenwijken van New York.

'Welke route neemt u?' vroeg ze aan de chauffeur toen de splitsing naar Long Island in zicht kwam.

'Via Whitestone Bridge, mevrouw,' antwoordde de chauffeur.

'Zou u de Brooklyn Bridge willen nemen?'

De chauffeur gaf richting aan en veranderde meteen van baan.

'Dat is een enorme omweg,' fluisterde Adam, 'zijn route was korter.'

'De dag is toch verloren, dan kunnen we hem net zo goed een plezier doen.'

'Wie?'

'Mijn vader. Laten we hem een laatste reis door Wall Street geven, door TriBeCa, SoHo en waarom niet ook door Central Park?'

'Nou, wat je zegt, de dag is verloren, dus als je hem een plezier wilt doen,' antwoordde Adam. 'Maar we moeten de priester even waarschuwen dat we verlaat zijn.'

'Hou jij van honden, Adam?' vroeg Stanley.

'Ja, ik geloof het wel, maar ze houden niet zo van mij, hoezo?'

'Gewoon, zo maar een gedachte…' antwoordde Stanley terwijl hij zijn raampje helemaal opendeed.

De auto reed van zuid naar noord over Manhattan en arriveerde een uur later op 233th Street.

Bij de hoofdingang van begraafplaats Woodlawn ging de slagboom omhoog. De lijkwagen nam een smal weggetje, reed over een rotonde, passeerde een aantal praalgraven, stak een wed over dat langs een vijver lag en hield halt voor een pad waar een vers gedolven graf lag te wachten op zijn toekomstige bewoner.

Een geestelijke stond ze op te wachten. De kist werd op twee schragen boven de kuil gelegd. Adam liep naar de geestelijke om de laatste details van de plechtigheid te bespreken. Stanley sloeg zijn arm om Julia's schouders.

'Waar denk je aan?' vroeg hij.

'Waar ik aan denk op het moment dat ik mijn vader begraaf die ik in geen jaren gesproken heb? Je stelt altijd van die ontzettend verwarrende vragen, Stanley.'

'Maar deze keer meen ik het: waar denk je aan op dit moment? Het is belangrijk dat je je dat herinnert. Dit moment zal je altijd bijblijven, geloof me.'

'Ik dacht aan mama. Ik vroeg me af of zij hem zou herkennen

daarboven, of dat ze in haar vergetelheid blijft ronddwalen tussen de wolken.'

'Geloof je nu opeens in God?'

'Nee, maar je hoopt altijd op een blijde boodschap.'

'Ik moet je iets bekennen, lieve Julia, en beloof me dat je niet zult lachen, maar naarmate de jaren verstrijken groeit mijn geloof in Onze-Lieve-Heer.'

Julia glimlachte even verdrietig.

'Eerlijk gezegd vraag ik me af of het voor mijn vader een blijde boodschap is als God bestaat.'

'De priester vraagt of we compleet zijn, hij wil weten of hij kan beginnen,' zei Adam terwijl hij zich bij hen voegde.

'We zijn maar met zijn vieren,' antwoordde Julia terwijl ze de secretaris van haar vader wenkte. 'Dat is de pech van grote reizigers, van eenzelvige vrijbuiters. Familie en vrienden zijn slechts kennissen die in alle uithoeken van de wereld wonen... En kennissen komen zelden van ver naar begrafenissen; dat is een moment in het leven waarop je niemand nog een dienst kunt bewijzen of een gunst kunt verlenen. Je wordt alleen geboren en gaat alleen dood.'

'Dat heeft Boeddha gezegd. Je vader was een rasechte katholieke Ier, lieverd,' antwoordde Adam.

'Een dobermannpincher, een enorme dobermann zou iets voor jou zijn, Adam,' verzuchtte Stanley.

'Wat is dat toch met jou dat je mij een hond wilt aanpraten, man?'

'Niks, laat maar.'

De priester liep op Julia af om haar te zeggen dat het hem speet deze plechtigheid te moeten leiden, hij had vandaag veel liever haar huwelijk voltrokken.

'Kunt u niet twee vliegen in een klap slaan?' vroeg Julia. 'Want eigenlijk kunnen die genodigden ons gestolen worden. Het gaat voor uw Baas toch om de intentie, niet?'

Stanley kon een schaterlach niet onderdrukken, terwijl de priester verontwaardigd reageerde. 'Nou, jongedame toch!'

'Nou, zo'n gek idee was het niet hoor, op die manier zou mijn vader tenminste bij mijn huwelijk aanwezig zijn geweest.'

'Julia!' wees Adam haar nu terecht.

'Oké, oké, de meerderheid vindt het blijkbaar een slecht idee,' zei ze toegeeflijk.

'Wilt u iets zeggen?' vroeg de priester.

'Dat had ik graag gedaan,' zei ze terwijl ze naar de kist staarde. 'Jij misschien, Wallace?' vroeg ze uitnodigend aan de privésecretaris van haar vader. 'Per slot van rekening was jij zijn trouwste vriend.'

'Ik geloof dat ik daar ook niet toe in staat ben,' antwoordde de secretaris. 'Bovendien hadden je vader en ik de gewoonte elkaar in stilte te begrijpen. Een enkel woord misschien, als het mag, niet aan hem maar aan jou. Je moet weten dat hij, ondanks alle tekortkomingen die je hem toeschrijft, soms een harde man was, vaak grappig, een mafkees eigenlijk, maar hij was een goed mens, zonder enige twijfel. En hij hield van je.'

'Nou, als ik goed geteld heb was dat meer dan één woord,' zei Stanley kuchend toen hij zag dat Julia tranen in haar ogen kreeg.

De priester sprak een gebed uit en sloot zijn gebedenboek. Langzaam zakte de kist van Anthony Walsh het graf in. Julia reikte de secretaris van haar vader een roos aan. De man glimlachte en gaf haar de bloem terug.

'Jij eerst.'

De blaadjes vielen uiteen bij het contact met het hout. Er volgden nog drie rozen waarna de enige vier bezoekers van deze teraardebestelling rechtsomkeert maakten.

In de verte had de lijkwagen op het pad plaatsgemaakt voor twee gewone auto's. Adam pakte de hand van zijn verloofde en trok haar mee naar de auto's. Julia keek naar de lucht.

'Geen wolk te zien, blauw, blauw, blauw, overal blauw, niet te warm, niet te koud, geen zuchtje wind, wat een buitengewone dag was dit om te trouwen.'

'Er komen nog wel meer van dit soort dagen, maak je geen zorgen,' stelde Adam haar gerust.

'Zoals deze?' riep Julia uit terwijl ze haar armen spreidde. 'Met zo'n hemel? Zo'n temperatuur? Bomen die uit elkaar barsten van het groen? Eenden in de vijver? Ik betwijfel het, tenzij we wachten tot volgend voorjaar.'

'De herfst zal net zo mooi zijn, geloof me, en sinds wanneer hou jij van eenden?'

'Zij houden van mij! Je hebt toch gezien hoeveel er daarstraks in de vijver waren, vlak bij het graf van mijn vader.'

'Nee, daar heb ik niet op gelet,' antwoordde Adam een beetje bezorgd door de plotselinge geestdrift van zijn verloofde.

'Er waren er tientallen: tientallen wilde eenden, met hun vlinderdasjes, waren speciaal daarnaartoe gekomen en vertrokken zodra de plechtigheid voorbij was. Deze eenden hadden besloten naar mijn huwelijk te komen, en ze kwamen me nu bijstaan bij de begrafenis van mijn vader.'

'Julia, ik wil je vandaag niet boos maken, maar volgens mij dragen eenden geen vlinderdasjes.'

'Wat weet jij er nou van? Teken jij soms eenden? Ik wel. Dus als ik je zeg dat die eenden hun feestpak hadden aangetrokken, geloof me dan alsjeblieft!' schreeuwde ze.

'Goed, lieverd, je eenden waren in smoking, laten we nu naar huis gaan.'

Stanley en de privésecretaris stonden bij de auto's op ze te wachten. Adam trok Julia mee, maar die bleef staan bij een grafsteen midden op het grote gazon. Ze las de voornaam van degene die onder haar voeten lag, en de geboortedatum die dateerde uit de vorige eeuw.

'Kende je haar?' vroeg Adam.

'Het is het graf van mijn oma. Mijn hele familie ligt inmiddels op dit kerkhof. Ik ben de laatste in de lijn van de familie Walsh. Tenminste, los van zo'n paar honderd onbekende ooms, tantes, neven en nichten die in de driehoek Ierland, Brooklyn en Chicago wonen. Sorry van daarnet, ik viel geloof ik een beetje tegen je uit.'

'Dat geeft niet, we zouden trouwen, je begraaft je vader, logisch dat je van slag bent.'

Ze liepen over het pad. Ze waren nog maar een paar meter verwijderd van de twee Lincolns.

'Je hebt gelijk,' zei Adam terwijl hij op zijn beurt naar de lucht keek. 'Het is een prachtige dag, je vader heeft ons leven echt tot zijn laatste dag weten te verzieken.'

Julia bleef abrupt stilstaan en rukte haar hand uit de zijne.

'Niet die blik,' smeekte Adam, 'je hebt het zelf minstens twintig keer gezegd sinds het bericht van zijn overlijden.'

'Ja, ik mag dat zo vaak zeggen als ik wil, maar jij niet! Ga jij maar met Stanley in de voorste auto, ik neem die andere.'

'Julia! Het spijt me…'

'Dat hoeft niet, ik heb zin om vanavond alleen thuis te zijn en om de spullen uit te zoeken van die vader die ons leven tot zijn laatste dag heeft verziekt, zoals jij zegt.'

'Maar dat zeg ík niet, verdomme, dat zeg jíj!' schreeuwde Adam terwijl Julia in de auto stapte.

'Nog één ding, Adam, de dag dat wij trouwen wil ik eenden, wilde eenden, een heleboel wilde eenden!' riep ze hem achterna voordat ze het portier dicht sloeg.

De Lincoln verdween door het hek van de begraafplaats. Adam liep verongelijkt naar de andere auto en ging rechts achterin naast de privésecretaris zitten.

'Of misschien een foxterriër. Die zijn klein maar bijten goed…'

besloot Stanley, die voorin zat en de chauffeur een teken gaf dat hij kon gaan rijden.

III

*D*e auto die Julia naar huis bracht reed langzaam over Fifth Avenue in een plotselinge onweersbui. Toen ze lange tijd vaststonden in de files keek Julia naar de etalage van een grote speelgoedwinkel op de hoek van 58th Street. Ze herkende de pluchen otter met de blauwgrijze vacht.

Tilly was geboren op zo'n zelfde zaterdagmiddag als deze, toen de regen met bakken uit de hemel kwam en in kleine stroompjes langs de ramen van Julia's kantoor liep. In gedachten verzonken zag ze er al snel rivieren in, de houten kozijnen vormden de oevers van een monding in het Amazonegebied en de berg bladeren die door de regen werd mee gespoeld werd het huis van een klein zoogdier dat door de stortvloed zou worden meegevoerd, de ottergemeenschap in grote ontreddering achterlatend.

De volgende avond was het nog even regenachtig. Alleen in de grote computerruimte van de animatiestudio waar ze werkte had Julia de eerste lijnen van haar personage geschetst. Het was onmogelijk om de duizenden uren te tellen die ze achter haar beeldscherm had doorgebracht, met tekenen, kleuren, tot leven wekken, het bedenken van elke uitdrukking en elk gebaar die de azuurblauwe otter tot leven zou wekken. Het was onmogelijk zich de vele late vergaderingen te herinneren, het aantal weekends dat ze gewijd had aan het verhaal van Tilly en haar familie. De twee jaar die Julia en zo'n vijftig medewerkers onder haar leiding eraan gewerkt hadden werd beloond door het succes van de tekenfilm.

'Ik stap hier uit, ik loop verder naar huis,' zei Julia tegen de chauffeur.

De chauffeur waarschuwde haar voor het zware onweer.

'Dat is nou juist het eerste leuke vandaag,' verzekerde Julia hem terwijl ze het portier al achter zich dichtsloeg.

De chauffeur zag haar nog net naar de speelgoedwinkel rennen. Wat maakte het uit dat het zulk noodweer was, aan de andere kant van de winkelruit leek Tilly verheugd door haar bezoek. Julia kon het niet nalaten naar haar te zwaaien. Tot haar grote verrassing werd haar groet beantwoord door een klein meisje dat naast het grote knuffeldier stond. Haar moeder pakte haar plotseling bij de hand en probeerde haar mee te trekken naar de uitgang, maar het kind verzette zich en sprong in de wijd geopende armen van de otter. Julia bekeek het schouwspel. Het kleine meisje klampte zich aan Tilly vast en de moeder tikte op haar vingers om te zorgen dat ze losliet. Julia ging de winkel binnen en liep op ze af.

'Wist u dat Tilly magische krachten heeft?'

'Als ik een verkoopster nodig heb, mevrouw, dan roep ik u wel,' antwoordde de vrouw terwijl ze haar dochtertje een afkeurende blik toewierp.

'Ik ben geen verkoopster, ik ben de moeder.'

'Pardon?!' vroeg de vrouw op hoge toon. 'Totdat het tegendeel bewezen is ben ik de moeder!'

'Ik had het over Tilly, het knuffeldier dat aan uw dochtertje verknocht lijkt te zijn. Ik heb haar op de wereld gezet. Mag ik haar aan uw dochtertje geven? Ik vind het zielig dat ze zo alleen in die veel te lichte etalage staat. Door het felle licht van de lampen zal haar vacht uiteindelijk verbleken en Tilly is juist zo trots op die blauwgrijze pels. U hebt geen idee hoeveel tijd we bezig zijn geweest met het vinden van de juiste kleur voor haar nek, hals, buik, snuit, de juiste kleur om haar weer aan het lachen te krijgen nadat haar huis door de rivier was opgeslokt.'

'Uw Tilly blijft in deze winkel en mijn dochter zal leren bij mij in de buurt te blijven als we door de stad lopen!' antwoordde de moeder terwijl ze zo hard aan de arm van haar kind trok dat ze genoodzaakt was de poot van de grote knuffel los te laten.

'Maar Tilly zou het fijn vinden om een vriendinnetje te hebben,' drong Julia aan.

'U wilt een knuffelbeest een plezier doen?' vroeg de vrouw verbluft.

'Vandaag is een beetje een rare dag, Tilly en ik zouden het leuk vinden, uw dochtertje ook, volgens mij. Eén enkel ja voor drie keer geluk, dat is de moeite van het overwegen waard, toch?'

'Nou, het antwoord is nee! Alice krijgt geen cadeau en al helemaal niet van een vreemde. Een fijne avond, mevrouw!' zei ze, en ze liep weg.

'Alice mag er zijn hoor, niet dat u over tien jaar spijt krijgt!' liet Julia zich met ingehouden woede ontvallen.

De moeder draaide zich om en keek haar uit de hoogte aan.

'U bent bevallen van een knuffeldier, mevrouw, en ik van een kind, dus houdt u die levenslessen alstublieft voor u!'

'Dat klopt, kleine meisjes zijn geen knuffeldieren, bij hen zijn beschadigingen niet op te lappen!'

De vrouw verliet verontwaardigd de winkel. Moeder en dochter liepen zonder nog om te kijken weg over de stoep van Fifth Avenue.

'Sorry lieve Tilly,' zei Julia tegen de knuffel. 'Volgens mij was dat niet zo tactvol. Jij kent me, dat is niet mijn sterkste kant. Maak je geen zorgen, je zult zien dat we een leuk gezin voor je vinden, helemaal voor jou alleen.'

De directeur, die het hele gebeuren had gadegeslagen, kwam op haar af.

'Wat leuk om u te zien, mevrouw Walsh, u bent al ruim een maand niet langs geweest.'

'Ik heb het heel druk gehad de afgelopen weken.'

'Uw creatie is een enorm succes, dit is al het tiende exemplaar dat we besteld hebben. Vier dagen in de etalage en, hop, weg zijn ze,' verzekerde de directeur van de winkel haar terwijl hij de knuffel terugzette. 'Hoewel deze er al bijna twee weken staat, als ik me niet vergis. Maar ja, wat wil je met dit weer...'

'Daar heeft het weer niks mee te maken,' antwoordde Julia. 'Deze Tilly is de echte, dus zij is moeilijker, zij moet zelf haar gastgezin uitkiezen.'

'Mevrouw Walsh, dat zegt u me elke keer als u langskomt,' antwoordde de directeur geamuseerd.

'Inderdaad, ze zijn allemaal origineel,' zei Julia terwijl ze hem groette.

Het was opgehouden met regenen, Julia verliet de winkel en zette koers naar het zuidelijke deel van Manhattan. Haar gestalte ging op in de mensenmenigte.

ॐ

De bomen van Horatio Street bogen door onder het gewicht van hun doorweekte bladeren. Aan het begin van deze avond kwam uit eindelijk de zon nog even tevoorschijn voordat hij zijn bed in de Hudson River in zou duiken. Een zacht paarsrood licht bescheen de straatjes in West Village. Julia begroette de eigenaar van het Griekse restaurantje tegenover haar huis. De man, die druk in de weer was met zijn terras, groette terug en vroeg of hij die avond een tafeltje voor haar vrij moest houden. Julia bedankte beleefd voor het aanbod en beloofde de volgende dag, zondag, te komen brunchen.

Ze draaide de sleutel in het slot van de voordeur van het kleine pand waar ze woonde en liep de trap op naar de eerste verdieping. Stanley zat op de bovenste tree op haar te wachten.

'Hoe ben jij nou binnengekomen?'

'Zimoure, de bedrijfsleider van die winkel bij jou beneden. Hij was dozen naar de kelder aan het brengen, ik heb hem geholpen, we hebben het gehad over zijn laatste schoenencollectie, een heus wereldwonder. Maar wie kan zich tegenwoordig nou nog zulke kunstwerken permitteren?'

'Nou, aan de hoeveelheid mensen te zien die het hele weekend bij hem in en uit loopt, bepakt en bezakt, nog best veel, geloof me,' antwoordde Julia. 'Kwam je voor iets speciaals?' vroeg ze terwijl ze de deur van haar appartement opende.

'Ja, voor jou. Ik dacht dat je wel wat gezelschap kon gebruiken.'

'Gezien die hondenogen van jou vraag ik me af wie van ons twee een aanval van eenzaamheid heeft.'

'Goed, ter bescherming van je zelfrespect neem ik de volledige verantwoordelijkheid op me voor het feit dat ik onuitgenodigd hiernaartoe gekomen ben.'

Julia deed haar regenjas uit en gooide hem op de stoel naast de openhaard. Het vertrek rook sterk naar de blauweregen die langs de rode bakstenen gevel groeide.

'Het is echt heel leuk bij je,' riep Stanley uit terwijl hij op de bank neerplofte.

'Tenminste iets dat gelukt is dit jaar,' zei Julia. Ze trok de koelkast open.

'Wat is gelukt?'

'Om deze verdieping van dit oude huis op te knappen. Wil je een biertje?'

'Slecht voor de lijn! Heb je ook rode wijn misschien?'

Julia dekte snel de houten tafel voor twee personen. Ze zette een bord met kaas neer, ontkurkte een fles, deed een cd van Count Basie in de speler en gebaarde Stanley dat hij tegenover haar aan tafel moest komen zitten. Stanley bekeek het etiket van de cabernet en liet een bewonderende fluittoon horen.

'Een waar feestmaal,' was Julia's repliek terwijl ze aan tafel kwam zitten. 'Op tweehonderd gasten en een paar petitfours na zou je je met je ogen dicht bijna op mijn huwelijksfeest wanen.'

'Wil je dansen, schat?' vroeg Stanley.

Nog voordat Julia antwoord kon geven trok hij haar overeind en begon te dansen.

'Is het toch een feestavond, hè,' zei hij opgewekt.

Julia legde haar hoofd op zijn schouder.

'Wat zou ik zonder jou moeten, mijn lieve Stanley.'

'Niets, maar dat weet ik allang.'

Het nummer was afgelopen en Stanley ging weer aan tafel zitten.

'Je hebt Adam toch op zijn minst wel even gebeld?'

Julia had haar lange wandeling benut om zich bij haar toekomstige echtgenoot te verontschuldigen. Adam begreep haar behoefte om alleen te zijn. Hij nam het zichzelf kwalijk dat hij tijdens de begrafenis zo stom had gedaan. Zijn moeder, met wie hij gesproken had toen hij van de begraafplaats was thuisgekomen, had hem een verwijt gemaakt over zijn tactloosheid. Hij vertrok vanavond naar het buitenhuis van zijn ouders om het weekend, of wat daar van over was, bij zijn familie door te brengen.

'Er zijn momenten waarop ik me afvraag of je vader er juist niet goed aan gedaan heeft zich vandaag te laten begraven,' fluisterde Stanley terwijl hij zich nog wat wijn inschonk.

'Je hebt echt een hekel aan hem, hè?'

'Dat heb ik nooit gezegd.'

'Ik ben drie jaar alleen geweest in een stad waar twee miljoen vrijgezellen wonen. Adam is galant, gul, zorgzaam en attent. Hij accepteert mijn onmogelijke werktijden. Hij doet zijn best om mij gelukkig te maken, en bovenal, Stanley, hij houdt van me. Dus doe me een plezier en wees wat verdraagzamer jegens hem.'

'Maar ik heb helemaal niks tegen je verloofde, hij is perfect! Alleen zou ik liever zien dat je volledig door een man werd meegesleept, ondanks al zijn tekortkomingen. Liever dan dat je bij iemand blijft vanwege zijn kwaliteiten.'

'Het is makkelijk om mij de les te lezen, waarom ben jij eigenlijk alleen?'

'Ik ben niet alleen, lieve Julia, ik ben weduwnaar, dat is iets anders. De man van wie ik hield is dood, maar dat betekent niet dat hij mij verlaten heeft. Je had moeten zien hoe knap Edward nog was in zijn ziekenhuisbed. Zijn ziekte had zijn trots niet aangetast. Hij had nog steeds humor, tot en met zijn laatste zin.'

'Wat was die zin?' vroeg Julia terwijl ze Stanleys hand vastpakte.

'Ik hou van je.'

Ze keken elkaar zwijgend aan. Toen stond Stanley op, trok zijn jas aan en gaf Julia een kus op haar voorhoofd.

'Ik ga slapen. Vanavond heb jij gewonnen, de aanval van eenzaamheid is voor mij.'

'Wacht even. Waren die laatste woorden echt om te zeggen dat hij van je hield?'

'Het was wel het minste wat hij kon doen, hij stierf immers omdat hij me bedrogen had,' zei Stanley glimlachend.

∾

Toen Julia de volgende ochtend op de bank wakker werd en haar ogen opendeed zag ze dat Stanley een plaid over haar heen had gelegd. Een paar tellen later vond ze een briefje onder haar ontbijtkom. 'Wat voor rotdingen we ook tegen elkaar zeggen, jij bent mijn beste vriendin en ik hou ook van jou, Stanley.'

34

IV

$\mathcal{J}$ulia verliet haar appartement om tien uur, vastbesloten de hele dag op kantoor door te brengen. Ze moest nog werk inhalen en het had helemaal geen zin om thuis in kringetjes te blijven ronddraaien of nog erger, op te ruimen wat over een paar dagen zeker weer een puinhoop zou zijn. Het had ook geen zin om Stanley te bellen, die ongetwijfeld nog sliep; op zondag kwam hij pas in de loop van de middag tot leven, of je moest hem uit bed slepen voor een lunch of hem flensjes met kaneel in het vooruitzicht stellen.

Horatio Street was nog uitgestorven. Julia groette een paar buren die op het terras van Pastis zaten en zette de pas erin. Terwijl ze over Ninth Avenue liep stuurde ze Adam een lief sms'je, en twee straten verder ging ze het gebouw van Chelsea Farmer's Market binnen. De liftbediende bracht haar naar de bovenste verdieping. Ze hield haar badge voor de lezer die de toegang tot haar kantoor beveiligde en duwde de zware metalen deur open.

Drie computergrafici zaten op hun werkplek. Aan hun gezichten en de hoeveelheid verfrommelde koffiebekertjes in de prullenbak te zien, begreep Julia dat ze de nacht hier hadden doorgebracht. Het probleem waarmee haar team al een aantal dagen te kampen had was dus blijkbaar nog niet opgelost. Niemand slaagde erin de ingewikkelde formule op te stellen om een eenheid libellen te formeren die geacht werd een kasteel te beschermen tegen de dreigende aanval van een leger bidsprinkhanen. Volgens het schema dat aan de muur hing stond de aanval gepland voor die maandag. Als het squadron voor die tijd niet was opgestegen dan zou het fort zonder verzet te bieden in handen van de vijand vallen, of de nieuwe teken- film zou enorm veel vertraging oplopen. Beide opties waren on- denkbaar.

Julia rolde met haar stoel naar haar medewerkers. Nadat ze de vordering van hun werkzaamheden bekeken had, besloot ze de noodprocedure te starten. Ze pakte de telefoon en belde achtereen- volgens alle leden van haar team. Ze excuseerde zich eerst voor het verpesten van hun zondagmiddag, en vroeg daarna of ze een uur la- ter in de vergaderzaal konden zijn. Desnoods zouden ze tot diep in de nacht doorwerken om alle data te herzien, op maandagochtend moesten en zouden de libellen de hemel van Enowkry bestormen.

Terwijl het eerste team het opgaf rende Julia naar beneden om op de markt twee dozen te vullen met allerlei soorten gebak en sandwi- ches om haar troepen te voeden.

Om twaalf uur hadden zevenendertig personen gehoor gegeven aan de oproep. In het kantoor had de rustige atmosfeer van die och- tend plaatsgemaakt voor die van een bijenkorf, waar tekenaars, com- putergrafici, coloristen, programmeurs en animatie-experts rappor- ten, analyses en de meest belachelijke ideeën uitwisselden.

Om vijf uur 's middags ontstond er opschudding doordat een piepjonge rekruut een mogelijke oplossing had bedacht, gevolgd door een bespreking in de grote vergaderzaal. Charles, de jonge computerdeskundige die onlangs was aangenomen om het team te versterken, was nog maar nauwelijks acht dagen in dienst. Toen Ju- lia hem verzocht het woord te nemen om zijn theorie uiteen te zet- ten trilde zijn stem en zijn woorden waren niet meer dan gestamel. De teamleider maakte het hem niet makkelijker door zijn voor- dracht belachelijk te maken. Tenminste, totdat de jonge man achter een computer plaatsnam en secondelang op het toetsenbord begon te tikken, terwijl achter hem gegniffel hoorbaar was. Gegniffel dat voorgoed verstomde toen een libelle midden op het scherm met de vleugels begon te slaan, opvloog en een perfect cirkel beschreef in de lucht van Enowkry.

Julia feliciteerde hem als eerste, en zijn vijfendertig collega's applaudisseerden. Nu hoefden ze alleen nog zevenhonderdveertig andere geharnaste libellen te laten opstijgen. Maar nu voelde de jonge computerdeskundige zich zelfverzekerder. Hij legde uit hoe de methode werkte waarmee zijn formule wellicht te vermenigvuldigen was. Terwijl hij zijn plan uiteenzette ging de telefoon. De medewerker die opnam wenkte Julia, het was voor haar en het leek dringend. Ze fluisterde haar buurman toe goed te luisteren naar wat Charles aan het vertellen was en verliet de ruimte om het telefoontje in haar kamer aan te nemen.

∾

Julia herkende meteen de stem van meneer Zimoure, de eigenaar van de winkel op de begane grond van het pand aan Horatio Street. Het leidingenstelsel in haar appartement had zeker weer de geest gegeven. Het water stroomde vast door het plafond op de schoenencollectie van meneer Zimoure, waarvan de prijs van elk paar gelijkstond aan haar halve maandsalaris – een weeksalaris in de uitverkoop. Dat wist Julia met name omdat het exact was waar haar verzekeraar haar het jaar daarvoor op gewezen had toen hij een cheque met een hoog bedrag aan meneer Zimoure had overhandigd als vergoeding voor de schade die zij had veroorzaakt. Julia was vergeten bij haar vertrek de kraan van haar antieke wasmachine dicht te draaien, maar dat soort futiliteiten vergeet iedereen toch wel eens?

Die dag had haar verzekeraar duidelijk gemaakt dat het de laatste keer was dat hij zo'n soort schade voor zijn rekening zou nemen. Hij was zo vriendelijk geweest de maatschappij te overtuigen haar polis niet zonder meer te ontbinden, alleen omdat Tilly de held van zijn kinderen was, en de redder van zijn zondagochtenden sinds hij de tekenfilm voor ze op dvd gekocht had.

De verstandhouding tussen Julia en meneer Zimoure had vanwege deze kwestie heel wat meer inspanning gevergd. Een uitnodiging voor Thanksgivings bij Stanley, een mooie kaart met kerst en vele andere attenties waren nodig geweest om te zorgen dat de sfeer tussen de buren weer enigszins normaal werd. Het karakter van de man was niet erg charmant, hij had overal een mening over, en lachte in het algemeen alleen om zijn eigen grappen. Met ingehouden adem wachtte Julia tot de omvang van de ramp haar vanaf de andere kant van de lijn werd meegedeeld.

'Mevrouw Walsh…'

'Meneer Zimoure, wat er ook gebeurd is, u moet weten dat het me vreselijk spijt.'

'Anders mij wel, mevrouw Walsh, het is een gekkenhuis in mijn winkel, en ik heb wel wat anders te doen dan me tijdens uw afwezigheid te ontfermen over uw leveringen.'

Julia probeerde haar hartslag tot rust te brengen en er achter te komen waar het om ging.

'Welke levering?'

'Dat kunt u mij beter vertellen, mevrouw.'

'Het spijt me, ik heb niks besteld, en ik laat sowieso alles altijd op mijn werk bezorgen.'

'Nou, dat is dan deze keer blijkbaar niet het geval. Er staat een enorme vrachtwagen voor mijn winkel geparkeerd. Zondag is mijn belangrijkste dag, dit gaat me aanzienlijke schade berokkenen. De twee beren van kerels die deze kist hebben uitgeladen die aan u geadresseerd is weigeren te vertrekken zolang niemand hem in zijn bezit genomen heeft. Dus wat doen we nu, is mijn vraag?'

'Een kist?'

'Ja, dat zeg ik toch net, moet ik alles twee keer voor u herhalen terwijl mijn klanten ongeduldig worden?'

'Het spijt me, meneer Zimoure,' vervolgde Julia, 'ik weet niet wat ik moet zeggen.'

'Zeg me bijvoorbeeld wanneer u hier kunt zijn zodat ik deze heren kan vertellen hoeveel tijd wij nog gaan verdoen dankzij u.'

'Maar ik kan op dit moment echt niet komen, ik heb het razend druk…'

'Denkt u soms dat ik hier wafels sta te bakken, mevrouw Walsh?'

'Meneer Zimoure, ik verwacht helemaal geen levering, geen doos, geen envelop, en al helemaal geen kist! Nogmaals, het moet een vergissing zijn.'

'Op de vrachtbrief, die ik vanuit mijn winkel zonder bril kan lezen, want uw pakket staat hier recht voor mijn deur, staat in grote letters uw naam geschreven, precies boven ons gemeenschappelijke adres en onder het woord "breekbaar". U bent het naar alle waarschijnlijkheid vergeten! Het is niet de eerste keer dat uw geheugen u in de steek laat, toch?'

Van wie kon die zending afkomstig zijn? Een cadeau van Adam misschien, een bestelling die ze vergeten was, een apparaat voor kantoor dat ze per abuis op haar privéadres had laten bezorgen? Hoe dan ook, Julia kon de teams die ze op zondag naar de studio had laten opdraven niet in de steek laten. Aan de toon van meneer Zimoure te horen moest er snel een plan bedacht worden, beter gezegd, meteen.

'Ik denk dat ik een oplossing weet voor ons probleem, meneer Zimoure. Met uw hulp zouden we eruit kunnen komen.'

'Ik waardeer wederom uw logische denkvermogen. Als u me gezegd zou hebben dat u kunt oplossen wat tot nu toe alleen uw probleem was, en niet het mijne, zonder mij er voor de zoveelste keer bij te betrekken, zou mij dat zeer verbaasd hebben, mevrouw Walsh. Ik ben dus een en al oor.'

Julia vertrouwde hem toe dat ze een reservesleutel van haar appartement verstopt had onder de traploper, bij de zesde trede. Hij hoefde ze alleen maar te tellen. Als het niet de zesde was, dan moest het de zevende zijn, of misschien de achtste. Zo kon meneer Zimoure de deur opendoen voor de leveranciers, en ze wist zeker dat ze daarna meteen zouden vertrekken met die grote vrachtwagen die zijn etalage aan het zicht onttrok.

'En ik stel me voor dat ik dan idealiter geacht word te wachten tot ze vertrokken zijn om de deur van uw appartement achter hen te sluiten, of niet?'

'Idealiter zou ik dat niet beter hebben kunnen verwoorden, meneer Zimoure…'

'Als het om een elektrisch huishoudapparaat gaat, mevrouw Walsh, zou ik het zeer op prijs stellen als u het laat installeren door een erkend installateur. Als u begrijpt wat ik bedoel!'

Julia wilde hem geruststellen, ze had niets van dien aard besteld, maar haar buurman had al opgehangen. Ze haalde haar schouders op, dacht een paar tellen na en ging verder met het werk dat haar volledig in beslag nam.

Aan het begin van de avond verzamelde iedereen zich voor het scherm in de grote vergaderzaal. Charles bediende de computer en de resultaten die op het scherm verschenen leken bemoedigend. Nog een paar uurtjes werk en het 'gevecht van de libellen' zou volgens schema kunnen plaatsvinden. De computerdeskundigen stelden hun berekeningen bij, de grafici verfijnden de laatste details van het decor en Julia begon zich overbodig te voelen. Ze liep naar het keukentje waar ze Dray trof, een tekenaar en vriend met wie ze een groot deel van haar studie gevolgd had.

Toen hij zag hoe ze zich uitrekte vermoedde hij dat rugpijn haar parten begon te spelen en adviseerde haar naar huis te gaan. Ze had het geluk een paar straten verderop te wonen, dan kon ze daar maar beter van profiteren. Hij zou haar bellen zodra de tests klaar waren. Julia was gevoelig voor zijn bezorgdheid, maar ze vond dat ze bij haar troepen moest blijven. Dray wierp tegen dat het alleen maar voor extra spanning zou zorgen bij de toch al algehele vermoeidheid als zij van bureau naar bureau bleef lopen.

'En sinds wanneer veroorzaakt mijn aanwezigheid hier spanning?' vroeg Julia.

'Je moet niet overdrijven, iedereen is uiterst prikkelbaar. We hebben al zes weken lang geen dag meer vrij gehad.'

Julia zou tot volgende week zondag vrij zijn geweest en Dray gaf toe dat het personeel gehoopt had van die gelegenheid gebruik te kunnen maken om een beetje op adem te komen.

'We dachten allemaal dat je op huwelijksreis was… Begrijp het niet verkeerd, Julia. Ik ben alleen maar hun boodschapper,' zei Dray ongemakkelijk. 'Dat is de prijs die je moet betalen voor de verantwoordelijkheden die je op je genomen hebt. Sinds je de leiding hebt over de ontwerpafdeling, ben je niet langer een gewone collega, je vertegenwoordigt een zeker gezag… Kijk als bewijs maar naar de hoeveelheid mensen die je met een paar telefoontjes hebt weten te mobiliseren, op zondag nog wel!'

'Volgens mij was dat wel de moeite waard, toch? Maar ik geloof dat ik de boodschap begrepen heb,' antwoordde Julia. 'Aangezien mijn autoriteit de creativiteit van sommigen in de weg schijnt te zitten laat ik jullie alleen. Bel me zodra jullie klaar zijn, niet omdat ik de baas ben, maar omdat ik deel uitmaak van het team.'

Julia griste haar jas van de rugleuning van een stoel, controleerde of haar sleutels in de zak van haar spijkerbroek zaten en liep gehaast naar de lift.

Toen ze het gebouw uit liep toetste ze het nummer van Adam in, maar kreeg zijn voicemail.

'Hoi, met mij,' zei ze. 'Ik wilde je stem even horen. Een sombere zaterdag en ook een troosteloze zondag. Ik weet eigenlijk toch niet of het wel zo'n goed idee was om alleen te zijn. Maar mijn slechte humeur is je in ieder geval bespaard gebleven. Ik ben daarnet zo'n beetje door mijn collega's het kantoor uitgezet. Ik ga een stukje wandelen, misschien ben jij terug in de stad en lig je al in bed. Ik weet zeker dat je moeder je heeft uitgeput. Je had me best een sms'je kunnen sturen. Liefs van mij. Ik wilde zeggen dat je me terug moet bellen, maar dat slaat nergens op want je zult wel slapen. Volgens mij slaat het sowieso nergens op, wat ik net allemaal gezegd heb. Tot morgen. Bel me als je wakker bent.'

Julia deed haar telefoon in haar tas en begon langs het water te wandelen. Een half uur later kwam ze thuis en ontdekte een envelop die op de voordeur van het pand geplakt zat met haar naam erop. Nieuwsgierig maakte ze hem open. 'Ik ben een klant kwijtgeraakt omdat ik me met uw levering moest bezighouden. De sleutel ligt weer op zijn plek. PS: Onder de elfde trede, en dus niet onder de zesde, zevende of achtste! Prettige zondag!' Er stond geen naam onder het briefje.

'Hij had de route net zo goed met pijlen kunnen aangeven voor de inbrekers,' mopperde ze terwijl ze de trap naar de eerste verdieping op liep.

Bij iedere trede voelde ze haar ongeduld toenemen – ze wilde weten wat er in het pakket kon zitten dat op haar stond te wachten. Ze versnelde haar pas, pakte de sleutel onder de loper vandaan, vastbesloten er een nieuwe verstopplek voor te vinden, en deed bij binnenkomst het licht aan.

In het midden van de woonkamer stond een enorme kist recht overeind.

'Wat kan dat nou zijn?' zei ze terwijl ze haar spullen op de salontafel legde.

Op de sticker die op de zijkant geplakt zat, precies onder het opschrift BREEKBAAR, stond inderdaad haar naam. Julia liep een rondje om de enorme blankhouten kist. Het geval was veel te zwaar voor haar om hem te verplaatsen, zelfs niet een paar meter. En ze zag ook niet hoe ze hem zonder hamer en schroevendraaier open zou moeten krijgen.

Omdat Adam niet op zijn mobiel reageerde zat er niks anders op dan haar gebruikelijke toevlucht te zoeken. Ze toetste het nummer van Stanley in.

'Stoor ik?'

'Op zondagavond, om dit tijdstip? Ik zat te wachten op je telefoontje om uit te gaan.'

'Even voor de zekerheid: jij hebt niet een absurde kist van bijna twee meter hoog bij mij laten bezorgen hè?'

'Waar heb je het over, Julia?'

'Dat dacht ik al. Volgende vraag, hoe maak je een absurde kist van twee meter hoog open?'

'Waar is-ie van gemaakt?'

'Van hout.'

'Met een zaag misschien?'

'Bedankt voor je hulp, Stanley, die heb ik vast in mijn handtas, of in het medicijnkastje,' antwoordde Julia.

'Ik ben niet nieuwsgierig hoor, maar wat zit er in?'

'Dat zou ik nou ook graag willen weten. En als je je nieuwsgierigheid wilt bevredigen, spring dan in een taxi en kom me helpen.'

'Ik heb mijn pyjama al aan, schat.'

'Ik dacht dat je op het punt stond om uit te gaan?'

'Uit mijn bed!'

'Dan probeer ik het wel alleen.'

'Wacht, laat me even denken. Zit er geen handgreep aan?'

'Nee.'

'Scharnieren?'

'Niet dat ik zie.'

'Misschien is het moderne kunst, een kist die niet open kan, gesigneerd door een beroemd kunstenaar?' vervolgde Stanley gekscherend.

Julia's zwijgen maakte hem duidelijk dat dit niet het moment was om grappen te maken.

'Heb je al geprobeerd om er gewoon even tegenaan te duwen, een kort zetje, zoals bij sommige kastdeuren? Even duwen en hop...'

Terwijl haar vriend verder ging met zijn uitleg legde Julia haar hand tegen het hout. Ze duwde ertegenaan zoals Stanley haar net had voorgesteld en de voorkant van de kist zwenkte langzaam open.

'Hallo? Hallo,' riep Stanley in de hoorn. 'Ben je er nog?'

De telefoon was uit Julia's hand gegleden. Stomverbaasd keek ze naar de inhoud van de kist en wat ze daar zag hield ze nauwelijks voor mogelijk.

De stem van Stanley bleef als een gekraak hoorbaar in het toestel dat voor haar voeten was gevallen. Julia bukte zich langzaam om de hoorn op te pakken zonder haar ogen van de kist af te wenden.

'Stanley?'

'Ik ben me rot geschrokken, gaat het wel?'

'Zo'n beetje.'

'Zal ik een broek aantrekken en nu naar je toe komen?'

'Nee,' zei ze toonloos, 'dat hoeft niet.'

'Is het gelukt hem open te krijgen, die kist?'

'Ja,' antwoordde ze afwezig, 'ik bel je morgen.'

'Ik maak me zorgen.'

'Ga weer slapen, Stanley, dikke zoen.'

Julia verbrak de verbinding.

'Wie kan me nou zoiets gestuurd hebben?' vroeg ze zich hardop af, midden in haar woonkamer.

In de kist stond een soort wassen beeld, zo groot als een mens, een exacte replica van Anthony Walsh. De gelijkenis was frappant: hij zou alleen maar zijn ogen open hoeven doen om tot leven te komen. Julia had moeite om haar ademhaling weer rustig te krijgen. Er liepen een paar zweetdruppels langs haar nek. Stapje voor stapje kwam ze dichterbij. De levensgrote kopie van haar vader was opmerkelijk, de kleur en de huid waren verbazingwekkend echt. Schoenen, antracietgrijs pak, wit katoenen overhemd, precies hetzelfde als de kleding die Anthony Walsh altijd droeg. Ze had zijn wang willen aanraken, een haar uittrekken om zeker te weten dat hij het niet was, maar Julia en haar vader hadden al heel lang geleden de behoefte aan elk contact verloren. Niet de kleinste omhelzing, geen enkele kus, niet eens een aanraking met de hand, niets dat ook maar in de buurt kwam van een gebaar van genegenheid. In de loop der jaren was er een kloof ontstaan die onoverbrugbaar was, en al helemaal niet door een duplicaat.

Ze moest het ondenkbare tot zich door laten dringen. Iemand was op het afschuwelijke idee gekomen een replica van Anthony Walsh te laten maken, als in een wassenbeeldenmuseum, zoals je die hebt in Québec, Parijs, of in Londen. Maar dit personage was nog veel echter dan alles wat ze tot dan toe gezien had. Julia had het het liefst op een schreeuwen gezet.

Toen ze het beeld beter bekeek zag ze op de omslag van de mouw een klein briefje gespeld zitten met daarop een blauwe pijl die naar het borstzakje van het jasje wees. Julia haalde het los en las de drie woorden die op de achterkant van het papiertje gekrabbeld waren: 'Zet mij aan.' Ze herkende meteen het opvallende handschrift van haar vader.

Uit het zakje waarnaar de pijl gewezen had, waarin Anthony Walsh normaal gesproken een zijden pochet stak, stak nu het uiteinde van iets wat op een afstandsbediening leek. Julia haalde het ding eruit. Op de bovenkant zat één enkele knop, een witte, rechthoekige drukknop.

Julia dacht dat ze flauw ging vallen. Een nare droom waaruit ze ieder moment kon ontwaken, badend in het zweet, lachend om het feit dat ze zich door zo iets waanzinnigs had laten meeslepen. Zij, die toch gezworen had, toen ze de kist van haar vader had zien neerdalen, dat haar rouwverwerking al lang had plaatsgevonden, dat ze niet verdrietig kon zijn om zijn afwezigheid als dat al bijna twintig jaar lang het geval was. Zij, die er bijna prat op was gegaan dat ze gerijpt was, liet zich zo in de val lokken door haar onderbewuste, dat was haast absurd en ridicuul. Haar vader had haar al die nachten als kind in de steek gelaten, maar het kon niet zo zijn dat haar herinneringen haar ook nu als volwassen vrouw kwamen achtervolgen.

Het lawaai van de vuilniswagen die rammelend over straat reed had niks onwerkelijks. Julia was wel degelijk wakker en voor haar stond een onwaarschijnlijk standbeeld met gesloten ogen dat leek te wachten tot zij zou besluiten, of niet, om op de knop van een eenvoudige afstandsbediening te drukken.

De vuilniswagen reed de straat uit, Julia had gewild dat hij niet was weggegaan: ze zou naar het raam gerend zijn om de vuilnismannen te smeken deze onmogelijke nachtmerrie uit haar appartement te verwijderen. Maar het was weer stil in de straat.

Ze raakte met haar vinger de knop aan, heel zachtjes, maar ze durfde er nog geen enkele kracht op te zetten.

Dit moest afgelopen zijn. Het verstandigst zou zijn om de kist weer dicht te doen, op het etiket te zoeken naar de adresgegevens van het transportbedrijf, ze de volgende ochtend vroeg meteen bellen, ze de opdracht geven deze onheilspellende marionet te komen ophalen en erachter zien te komen wie de bedenker van deze slechte grap was. Wie had iets dergelijks kunnen bedenken, wie uit haar omgeving was tot zoiets wreeds in staat?

Julia zette het raam wijd open en ademde de zachte nachtlucht diep in.

Buiten zag de wereld er nog uit zoals ze hem had achtergelaten toen ze naar binnen was gegaan. De tafeltjes van het Griekse restaurant waren opgestapeld, de lichten van het uithangbord gedoofd, een vrouw stak met haar hond het kruispunt over. De chocoladebruine labrador liep zigzaggend voor haar uit en trok aan de riem om nu eens aan een straatlantaarn te snuffelen, dan weer aan een muur.

Julia hield haar adem in terwijl ze de afstandsbediening in haar hand geklemd hield. Hoe vaak ze ook al haar kennissen de revue liet passeren, er was maar één naam die de hele tijd terugkeerde, één iemand die in staat was een dergelijk scenario, zo'n enscenering te bedenken. Gedreven door woede draaide ze zich om en liep de kamer door, vastbesloten om te kijken of haar toenemende vermoeden klopte.

Ze drukte op de knop, er klonk een kort klikje en de oogleden van degene die al geen standbeeld meer was gingen open; er verscheen even een glimlach op het gezicht en de stem van haar vader vroeg: 'Mis je me al een beetje?'

V

'**I**k droom! Alles wat er vanavond gebeurt is onmogelijk! Zeg me dat ik droom voordat ik denk dat ik gek geworden ben!'

'Kom, kom, rustig maar, Julia,' antwoordde de stem van haar vader.

Hij deed een pas naar voren om uit de kist te stappen en rekte zich grijnzend uit. Het was verbijsterend hoe trefzeker zijn bewegingen waren, inclusief de trekken op zijn nauwelijks verstarde gezicht.

'Nee hoor, je bent niet gek,' vervolgde hij. 'Gewoon overrompeld, en ik moet toegeven, in dit geval is dat vrij normaal.'

'Niks is normaal, je kunt hier helemaal niet zijn,' mompelde Julia hoofdschuddend. 'Dat is absoluut onmogelijk.'

'Dat is waar, maar ik ben het ook niet helemaal echt degene die hier tegenover je staat.'

Julia sloeg haar hand voor haar mond en barstte plotseling in lachen uit.

'Het brein is echt een ongelooflijke machine. Ik had het bijna geloofd. Ik ben hartstikke aan het dromen, toen ik thuiskwam heb ik iets gedronken dat niet helemaal goed gevallen is. Witte wijn? Dat is het, ik kan niet tegen witte wijn! Wat een idioot ben ik toch, ik heb me volledig laten meeslepen door mijn verbeelding,' ging ze verder terwijl ze met grote passen door de kamer beende. 'Maar je zult moeten toegeven dat van al mijn dromen dit toch verreweg de meeste gestoorde is.'

'Hou op, Julia,' zei haar vader voorzichtig. 'Dit is geen droom, en je bent bij je volle verstand.'

'Nee, dat betwijfel ik, want ik zie je en ik praat met je en je bent dood.'

Anthony Walsh keek haar een tijdje zwijgend aan en antwoordde toen vriendelijk: 'Ja, Julia, ik ben ook dood.'

Omdat ze daar naar hem bleef kijken, zonder te bewegen, als verlamd, legde hij zijn hand op haar schouder en wees naar de bank.

'Wil je misschien even gaan zitten en naar me luisteren?'

'Nee,' zei ze terwijl ze zich lostrok.

'Julia, je moet echt even luisteren naar wat ik je te zeggen heb.'

'En als ik niet wil? Waarom moet alles altijd gaan zoals jíj dat wilt?'

'Nu niet meer. Je hoeft alleen maar op de knop van die afstandsbediening te drukken en ik sta weer stil. Maar dan zul je nooit begrijpen wat er nu gaande is.'

Julia keek naar het apparaat in haar hand, dacht even na, klemde haar kaken op elkaar en ging met tegenzin zitten, waarmee ze gehoor gaf aan een dat vreemde ding dat zo verschrikkelijk veel op haar vader leek.

'Ik luister,' bromde ze.

'Ik weet dat het allemaal een beetje verwarrend is. Ik weet ook dat het lang geleden is dat we elkaar gesproken hebben.'

'Een jaar en vijf maanden!'

'Zolang?'

'En tweeëntwintig dagen!'

'Is jouw geheugen zo exact?'

'Ik weet nog heel goed wanneer ik jarig ben. Je liet je secretaris bellen om te zeggen dat we niet op je hoefden te wachten met het diner, je zou tijdens het eten aanschuiven en je bent nooit gekomen.'

'Dat herinner ik me niet.'

'Maar ik wel.'

'Hoe dan ook, daar gaat het nu niet om.'

'Ik weet niet waar het dan wel om gaat,' antwoordde Julia kortaf. 'Ik weet niet zo goed waar ik moet beginnen.'

'Alles heeft een begin, zoals een van jouw eeuwige antwoorden luidt, dus leg me eerst maar eens uit wat er hier allemaal aan de hand is.'

'Een paar jaar geleden ben ik aandeelhouder geworden van een of ander hightechbedrijf, zoals ze dat noemen. In de loop van de maanden nam hun behoefte aan financiële middelen toe, evenals mijn vermogensaandeel, waardoor ik uiteindelijk zitting nam in de raad van bestuur.'

'Weer een onderneming die opgeslokt is door jouw concern?'

'Nee, in dit geval was het een investering op puur persoonlijke titel: ik ben gewoon aandeelhouder gebleven met anderen, maar wel een belangrijke investeerder.'

'En wat ontwikkelt dit bedrijf waarin jij zo veel geld geïnvesteerd hebt?'

'Androïden.'

'Wat?' riep Julia uit.

'Je hebt het goed verstaan. Robots, zo je wilt.'

'Waarvoor?'

'We zijn niet de eersten die het plan hebben opgevat robots te maken met een menselijk uiterlijk, om alle taken uit te oefenen die we zelf niet meer willen uitvoeren.'

'Je bent terug op aarde gekomen om bij mij te stofzuigen?'

'Boodschappen doen, het huis bewaken, de telefoon beantwoorden, antwoorden op allerlei vragen geven, dat maakt inderdaad allemaal deel uit van de mogelijke toepassingen. Maar laten we zeggen dat het bedrijf waar ik het over heb een grootser project ontwikkeld heeft, ambitieuzer in zekere zin.'

'Namelijk?'

'Namelijk de mogelijkheid om je familie en vrienden een paar extra dagen van je aanwezigheid te bieden.'

Julia keek hem aan, sprakeloos, zonder echt te begrijpen wat hij haar probeerde duidelijk te maken. Dus ging Anthony Walsh verder.

'Een paar extra dagen na iemands overlijden.'

'Is dit een grap?' vroeg Julia.

'Aan het gezicht te zien dat je trok toen je de kist opende is die grap, zoals jij dat noemt, tamelijk goed gelukt,' antwoordde Anthony Walsh terwijl hij zichzelf bekeek in de spiegel die aan de muur hing. 'Ik moet zeggen dat ik zo goed als perfect gelukt ben. Hoewel ik volgens mij nooit van die rimpels in mijn voorhoofd heb gehad. Ze hebben die ene lijn een beetje overdreven.'

'Die had je al toen ik nog een kind was, ik denk niet dat die zomaar verdwenen zijn, tenzij je je hebt laten liften.'

'Bedankt,' antwoordde Anthony Walsh, een en al glimlach.

Julia stond op om hem van dichterbij te bestuderen. Als het een machine was waar ze naar keek, dan moest ze toegeven dat het een opmerkelijke prestatie was.

'Het is onmogelijk, het is technisch onmogelijk!'

'Wat heb jij vanmiddag achter je computerscherm gerealiseerd waarvan je slechts een jaar geleden nog gezworen zou hebben dat het onmogelijk was?'

Julia ging aan de keukentafel zitten en liet haar hoofd in haar handen rusten.

'We hebben enorm veel geld geïnvesteerd om tot dit resultaat te komen, en om je de waarheid te vertellen, ik ben nog maar een prototype. Jij bent onze eerste klant, ook al is het voor jou natuurlijk gratis. Het is een cadeau,' zei Anthony Walsh welwillend.

'Een cadeau? En wie is er zo gek om zo'n cadeau te willen?'

'Heb je enig idee hoeveel mensen bij zichzelf zeggen tijdens de laatste momenten van hun leven "Had ik maar geweten, had ik maar kunnen begrijpen of luisteren, had ik ze maar kunnen zeggen, als ze eens wisten…"' Omdat Julia bleef zwijgen vervolgde Anthony Walsh: 'Er is een enorme markt voor.'

'Dat ding waartegen ik praat, ben jij dat echt?'

'Zo goed als. Laten we zeggen dat deze machine mijn geheugen heeft, een groot gedeelte van mijn hersenschors, dat is een onverbiddelijk instrument dat bestaat uit miljoenen processors, uitgerust met een technologie die de kleur en de textuur van de huid kan reproduceren, en die in staat is de beweeglijkheid van het menselijk mechanisme vrijwel perfect na te bootsen.'

'Waarom? Waarvoor?' vroeg Julia verbouwereerd.

'Zodat we over die paar dagen extra kunnen beschikken die we altijd gemist hebben, over een paar uur die we stelen van de eeuwigheid om de doodeenvoudige reden dat we elkaar dan eindelijk alles kunnen zeggen wat we elkaar nooit gezegd hebben.'

Julia was van de bank opgestaan. Ze liep heen en weer in de woonkamer, terwijl ze de situatie waarin ze beland was afwisselend aanvaardde en verwierp. Ze liep naar de keuken om een glas water te pakken, dronk het in één teug leeg en ging terug naar Anthony Walsh.

'Niemand zal me geloven,' doorbrak ze de stilte.

'Zeg je dat niet ook elke keer als je een van je verhalen verzint? Is dat niet de vraag die je altijd bezighoudt als je pen in beweging komt om je personages tot leven te roepen? Heb je me niet gezegd, toen ik weigerde te geloven in je vak, dat ik dom was en niets begreep van de kracht van dromen? Heb je me niet talloze keren uitgelegd dat duizenden kinderen hun ouders de fantasiewereld binnentrokken die jij en je vrienden op jullie computerschermen bedachten? Heb je me er niet aan herinnerd dat ik geen vertrouwen had in je carrière toen je een prijs kreeg voor je werk? Je hebt een otter in belachelijke kleuren tot leven gewekt, en jij geloofde in haar. Ga je me nu vertellen, omdat een onwaarschijnlijk personage voor je ogen tot leven komt, dat je daar niet in wilt geloven, omdat dat personage er niet uitziet als een merkwaardig dier maar als je vader? Als je antwoord ja is heb ik je al gezegd wat je moet doen, dan hoef je alleen maar op die knop te drukken.'

Julia applaudisseerde.

'Zeg! Omdat ik nu dood ben hoef je nog niet onbeschoft te worden!'

'Als ik echt alleen maar op die knop hoef te drukken om te zorgen dat je je waffel houdt, dan laat ik me dat geen twee keer zeggen.'

Terwijl op het gezicht van haar vader de welbekende uitdrukking verscheen die zijn boosheid verraadde, werden ze onderbroken door het geluid van een auto die twee keer kort toeterde.

Julia's hart begon als een bezetene te bonzen. Ze zou het gekraak van de versnellingsbak dat te horen was als Adam zijn auto in zijn achteruit zette uit duizenden herkennen. Er was geen twijfel over mogelijk, hij was beneden voor de deur aan het parkeren.

'Shit,' mompelde ze terwijl ze zich naar het raam haastte.

'Wie is dat?' vroeg haar vader.

'Adam.'

'Wie?'

'De man met wie ik gisteren zou trouwen.'

'Zou?'

'Gisteren was ik op jouw begrafenis!'

'O ja!'

'O ja…! Daar hebben we het later nog wel over. Ga tot die tijd maar als de bliksem in je kist terug.'

'Sorry?'

'Zodra het Adam gelukt is in te parkeren, wat nog wel een paar minuutjes gaat duren, komt hij naar boven. Ik heb mijn huwelijk afgezegd om bij jouw begrafenis te zijn, dus ik zou het fijn vinden als we kunnen voorkomen dat hij jou hier in mijn appartement aantreft.'

'Ik begrijp niet waarom je onnodig geheimen zou bewaren. Als hij degene is met wie je je leven wilde delen dan moet je hem in vertrouwen nemen. Ik kan hem de hele situatie prima uitleggen zoals ik hem jou net heb uitgelegd.'

'Ten eerste, hou op met die verleden tijd, het huwelijk is alleen maar uitgesteld. En wat die uitleg van jou betreft, dat is nou juist het probleem, ik kan het al nauwelijks geloven, dus verwacht van hem niet het onmogelijke.'

'Misschien is hij ruimdenkender dan jij?'

'Adam weet niet eens hoe een videocamera werkt, dus ik betwijfel of hij wel thuis is op het gebied van androïden. Ga terug in je kist, verdomme.'

'Met alle respect, maar ik vind het een stom idee.'

Julia keek haar vader woedend aan.

'O, je hoeft niet zo'n gezicht op te zetten,' zei hij er meteen achteraan. 'Maar denk even twee tellen na. Een dichte kist van twee meter hoog midden in je kamer, denk je niet dat hij wil weten wat daar inzit?'

Omdat Julia geen antwoord gaf zei Anthony voldaan: 'Dat dacht ik al.'

'Schiet nou op,' smeekte Julia terwijl ze naar het raam boog. 'Ga je ergens verstoppen, hij heeft net de motor afgezet.'

'Het is echt heel klein bij jou,' siste Anthony Walsh terwijl hij rond keek.

'Het is wat ik nodig heb en wat ik me kan permitteren!'

'Dat zou je niet denken. Als er nou nog, ik weet niet, een extra kamer was, een bibliotheek, een biljartkamer, of desnoods alleen een washok, dan zou ik daar tenminste op je kunnen wachten. Maar dit soort appartementen die uit één grote ruimte bestaan... Wat een aparte manier van leven. Hoe kun je het hier nou een beetje gezellig krijgen?'

'De meeste mensen hebben geen bibliotheek of biljartkamer in hun appartement.'

'Spreek voor je eigen vrienden, schatje van me.'

Julia draaide zich naar hem om en wierp hem een boze blik toe.

'Je hebt toen je leefde mijn leven vergald, heb je deze machine voor drie miljard laten bouwen om mij ook na je dood het leven zuur te maken? Is dat het?'

'Ook al ben ik een prototype, deze machine, zoals jij het noemt, kost bij lange na niet zo'n belachelijk bedrag, want je begrijpt ook wel dat niemand zich dat zou kunnen permitteren.'

'Jouw vrienden misschien?' zei Julia cynisch.

'Je hebt echt een vilein karakter, Julia. Maar goed, laten we niet langer dralen, want je schijnt nogal nodig van je vader af te willen die net weer opgedoken is. Wat is er op de verdieping hierboven? Een zolder, een vliering?'

'Ook een appartement.'

'Bewoond door een buurvrouw die jij goed genoeg kent zodat ik bij haar aan kan bellen om te vragen of ze boter heeft, of zout, bijvoorbeeld, terwijl jij zorgt dat we van je verloofde verlost worden?'

Julia liep haastig naar de keuken en trok een voor een de keukenlaatjes open.

'Wat zoek je?'

'De sleutel,' fluisterde ze terwijl ze hoorde hoe Adam haar vanaf de straat riep.

'Heb je de sleutel van het appartement hierboven? Ik waarschuw je, als je me naar de kelder stuurt heb je grote kans dat ik je verloofde op de trap tegenkom.'

'Ik ben de eigenaar van het appartement hierboven. Ik heb het vorig jaar kunnen kopen dankzij mijn bonus, maar ik heb nog niet genoeg geld om het op te knappen, dus het is een beetje een bende daar.'

'Hoezo, je bedoelt dat het hier opgeruimd is?'

'Als je zo doorgaat vermoord ik je.'

'Het spijt me dat ik je moet tegenspreken, maar daarvoor is het inmiddels te laat. Trouwens, als je huis echt op orde zou zijn dan had je al lang de sleutels gevonden die ik zie hangen aan die spijker naast het fornuis.'

Julia keek op en haastte zich naar de sleutelbos. Ze pakte hem en gaf hem meteen aan haar vader.

'Ga naar boven en zorg dat je geen enkel geluid maakt. Hij weet dat die verdieping onbewoond is.'

'Ga jij nou maar met hem praten in plaats van mij de les te lezen, want als hij de hele tijd je naam blijft blèren maakt hij nog de hele buurt wakker.'

Julia rende naar het raam en boog zich naar buiten.

'Ik heb minstens tien keer aangebeld,' zei Adam terwijl hij een stap naar achteren deed op de stoep.

'De intercom is kapot, het spijt me,' antwoordde Julia.

'Hoorde je me niet?'

'Jawel, tenminste, net pas. Ik zat televisie te kijken.'

'Doe je open?'

'Ja, natuurlijk,' antwoordde Julia aarzelend. Ze bleef bij het raam staan terwijl de voordeur achter haar vader dicht ging.

'Nou, je lijkt dolblij met mijn onverwachte bezoek!'

'Natuurlijk wel! Waarom zeg je dat?'

'Omdat ik nog steeds buiten sta. Ik dacht aan je bericht te horen dat je niet zo heel lekker in je vel zat, tenminste, dat idee had ik... Dus kwam ik even langs toen ik weer in de stad was, maar als je liever hebt dat ik weer wegga...'

'Nee, nee, ik doe open!'

Ze liep naar de intercom en drukte op de knop om de voordeur open te laten springen. Op de benedenverdieping kraakte de deurklink en ze hoorde de stappen van Adam in het trappenhuis. Ze had nauwelijks de tijd om zich naar de kookhoek te haasten, een afstandsbediening te pakken, die meteen weer vol afschuw terug te gooien – deze zou geen enkel effect hebben op televisie – de la van de tafel open te trekken, de juiste te vinden en te bidden dat de batterijen het nog deden. Het toestel ging aan op het moment dat Adam de voordeur open duwde.

'Doe je de deur van je appartement niet meer op slot tegenwoordig?' vroeg hij terwijl hij binnen kwam.

'Jawel, maar ik heb hem net voor je open gedaan,' verzon Julia snel, diep vanbinnen haar vader vervloekend.

Adam trok zijn jas uit en gooide die op een stoel. Hij keek naar de sneeuw die op het beeld schitterde.

'Was je echt tv aan het kijken? Ik dacht dat je daar een hekel aan had.'

'Ach, uitzondering op de regel,' antwoordde Julia in een poging zichzelf weer in de hand te krijgen.

'Ik moet zeggen dat het programma waar je naar kijkt niet het meest boeiende is.'

'Zit me niet te pesten, ik probeerde hem uit te doen, maar ik gebruik dat ding zo weinig dat ik waarschijnlijk iets verkeerd heb gedaan.'

Adam keek om zich heen en ontdekte het vreemde object in het midden van de kamer.

'Wat?' reageerde Julia overduidelijk geveinsd.

'Mocht het je ontgaan zijn, er staat een kist van twee meter hoog in je kamer.'

Julia begon aan een gewaagde uitleg. Het ging om een speciale verpakking die ontworpen was om een kapotte computer terug te sturen. De leveranciers hadden hem per abuis bij haar afgeleverd, hoewel hij voor haar kantoor bedoeld was.

'Dan moet hij wel onwijs kwetsbaar zijn, dat jullie hem in zo'n hoge kist verpakken.'

'Het is een heel ingewikkelde machine,' vervolgde Julia, 'zo'n soort ding dat enorm veel plaats inneemt, en ja, hij is inderdaad heel kwetsbaar.'

'En ze hebben zich in het adres vergist?' ging Adam verwonderd voort.

'Ja, dat wil zeggen, ik heb me vergist toen ik de bestelling deed. De afgelopen weken is de vermoeidheid toegenomen, ik weet niet meer wat ik doe.'

'Pas maar op, straks betichten ze je er nog van het vermogen van de onderneming te verduisteren.'

'Nee, niemand zal me ook maar van iets beschuldigen,' antwoordde Julia. De toon van haar stem verraadde een zeker ongeduld.

'Wil je me misschien iets vertellen?'

'Hoezo?'

'Omdat ik tien keer moet aanbellen en op straat moet staan schreeuwen voordat je naar het raam komt, omdat ik je hier verwilderd aantref, met de tv aan, terwijl de kabel van de antenne niet eens is aangesloten, kijk zelf maar. Omdat je vreemd doet, daarom.'

'En wat zou ik dan voor je te verbergen hebben, Adam?' antwoordde Julia, zonder nog langer te proberen haar ergernis te verbergen.

'Ik weet niet, ik heb niet gezegd dat je iets voor me verborgen hield, of anders is het aan jou om me dat te vertellen.'

Julia gooide met een ruk de deur van haar slaapkamer open, toen die van de kleerkast achter haar; vervolgens liep ze naar de keuken en begon elk kastdeurtje open te doen, eerst die boven de gootsteen, toen die daarnaast en de volgende tot alle kastjes open stonden.

'Wat ben je in godsnaam aan het doen?' vroeg Adam.

'Ik kijk waar ik mijn minnaar verstopt zou kunnen hebben, want dat is toch wat je bedoelt, of niet soms?'

'Julia!'

'Wat Julia?'

De beginnende ruzie werd onderbroken door het overgaan van de telefoon. Beiden keken verbaasd naar het toestel. Julia nam op. Ze luisterde lange tijd naar haar gesprekspartner, bedankte hem voor zijn telefoontje en feliciteerde hem voordat ze ophing.

'Wie was dat?'

'Kantoor. Ze hebben eindelijk het probleem opgelost dat de realisatie van de tekenfilm in de weg stond, nu kan de productie doorgaan en zullen we op tijd zijn.'

'Zie je,' zei Adam op mildere toon, 'als we morgenochtend zoals gepland zouden zijn vertrokken dan zou je zelfs met een gerust hart op huwelijksreis zijn gegaan.'

'Ik weet het, Adam, het spijt me echt, je moest eens weten! Ik moet je trouwens de tickets nog teruggeven, die liggen op kantoor.'

'Die mag je weggooien, of bewaren als aandenken, ze waren niet inwisselbaar voor andere tickets of voor geld.'

Julia maakte een gebaar dat ze wel vaker maakte. Ze trok altijd haar wenkbrauwen op als ze weigerde commentaar te geven op een onderwerp dat ze pijnlijk vond.

'Kijk me niet zo aan,' verdedigde Adam zich meteen. 'Je zult toch moeten toegeven dat het maar zelden voorkomt dat iemand zijn huwelijksreis drie dagen voor vertrek annuleert! En we hadden sowieso toch kunnen vertrekken…'

'Omdat je tickets niet vergoed worden?'

'Dat bedoelde ik niet,' zei Adam terwijl hij haar in zijn armen nam. 'Maar goed, je bericht loog niet over je humeur, ik had niet moeten komen. Je hebt behoefte om alleen te zijn, ik heb je al gezegd dat ik dat begreep, daar blijf ik bij. Ik ga naar huis, morgen is er weer een dag.'

Toen hij op het punt stond om de deur uit te stappen klonk er van boven opeens een licht gekraak. Adam keek op en richtte zijn blik op Julia.

'Adam, alsjeblieft! Dat zal wel een rat zijn die daarboven rondrent.'

'Ik begrijp niet hoe je in deze bende kunt wonen.'

'Ik voel me hier prettig, op een dag heb ik genoeg geld om in een groot appartement te wonen, dat zul je zien.'

'We zouden dit weekend trouwen, misschien zou je "we" kunnen zeggen.'

'Sorry, zo bedoelde ik het niet.'

'Hoe lang was je van plan nog op en neer te reizen tussen jouw huis en mijn naar jouw mening te kleine tweekamerflat?'

'We gaan die eeuwige discussie niet weer voeren, dit is niet het moment. Ik beloof het je, zodra we de verbouwing kunnen betalen om de twee etages samen te voegen zal het groot genoeg zijn voor twee.'

'Omdat ik van je hou ben ik bereid geweest je niet weg te halen van deze plek, waaraan je meer gehecht lijkt te zijn dan aan mij, maar als je het echt zou willen zouden we er nu al samen kunnen wonen.'

'Wat bedoel je?' vroeg Julia. 'Als je zinspeelt op het vermogen van mijn vader, daar heb ik nooit iets van hoeven hebben toen hij nog leefde, en mijn mening is niet veranderd nu hij dood is. Ik moet gaan slapen, in plaats van op reis te gaan heb ik morgen een razend drukke dag.'

'Je hebt gelijk, ga slapen, die laatste opmerking zal ik wijten aan je vermoeidheid.'

Adam haalde zijn schouders op en vertrok, zonder zich zelfs nog beneden aan de trap om te draaien om te zien hoe Julia hem uitzwaaide. De deur van het huis ging weer dicht.

∾

'Bedankt voor die rat! Ik heb het gehoord!' riep Anthony Walsh uit terwijl hij het appartement weer binnen kwam.

'Had je misschien liever dat ik hem verteld had dat een androïde van het allernieuwste type, naar het evenbeeld van mijn vader, boven ons hoofd aan het ijsberen was… zodat hij een ambulance zou bellen om me direct te laten opnemen?'

'Dat zou wel amusant zijn geweest,' reageerde Anthony Walsh vrolijk.

'Evengoed, als je wilt dat we beleefdheden blijven uitwisselen,' vervolgde Julia, 'dan dank ik je hartelijk voor het verpesten van mijn huwelijksdag.'

'Neem me niet kwalijk dat ik overleden ben, schatje.'

'Ook bedankt voor het verpesten van mijn verstandhouding met de eigenaar van de winkel hier beneden. Ik krijg vast nog maandenlang zure opmerkingen naar mijn hoofd.'

'Een schoenenverkoper? Wat kan jou dat nou schelen!'

'Heb jij soms geen schoenen aan je voeten? Ook bedankt voor het verpesten van mijn enige vrije avond in de week.'

'Op jouw leeftijd had ik alleen de avond van Thanksgiving vrij.'

'Weet ik! En inderdaad, bedankt, daar heb je jezelf overtroffen, dankzij jou heb ik me als een monster gedragen tegen mijn verloofde.'

'Ik ben niet de oorzaak van jullie ruzie, geef je karakter de schuld, ik kan daar niks aan doen.'

'Jij kunt daar niks aan doen?' schreeuwde Julia.

'Nou ja, misschien een beetje… zullen we vrede sluiten?'

'Vrede voor vanavond, voor gisteren, voor al je jaren van afwezigheid, of voor al onze strijd?'

'Ik heb nooit strijd met je gevoerd, Julia. Afwezig was ik, zeker, maar nooit vijandig.'

'Dat meen je toch zeker niet? Je hebt altijd geprobeerd alles van een afstand onder controle te houden, terwijl niks je daartoe rechtvaardigde. Maar waar ben ik eigenlijk mee bezig? Ik praat met een dode!'

'Je kunt me uitzetten als je wilt.'

'Dat zou ik waarschijnlijk moeten doen, ja. Je in je kist terugzetten en terugsturen naar ik zou niet weten welk hightechbedrijf.'

'1-800-300 00 01, code 654.'

Julia keek hem peinzend aan.

'Zo kun je het bewuste bedrijf bereiken,' ging hij verder. 'Je hoeft alleen maar dat nummer te draaien en de code door te geven. Ze kunnen me zelfs vanaf daar uitzetten als jij het niet durft, en binnen vierentwintig uur zullen ze je van mij verlossen. Maar denk goed na. Hoeveel mensen zouden niet een paar extra dagen met hun pas overleden vader of moeder willen doorbrengen? Je krijgt geen tweede kans. We hebben zes dagen, geen dag meer.'

'Waarom zes?'

'Dat is de oplossing die we bedacht hebben als antwoord op een ethisch probleem.'

'Namelijk?'

'Je realiseert je natuurlijk wel dat zo'n uitvinding gepaard gaat met een aantal morele vraagstukken. We hebben er rekening mee gehouden dat het belangrijk was dat onze klanten niet gehecht zouden raken aan dit soort machines, zo perfect als ze zijn. Er bestond al een aantal manieren om na je dood mededelingen te doen, testamenten, boeken, geluids- of beeldopnamen. We kunnen wel stellen dat deze methode vernieuwend is en, vooral, interactief,' vervolgde Anthony Walsh zo enthousiast dat het leek alsof hij bezig was een koper te overtuigen. 'Het is simpelweg een manier om degene die gaat overlijden een verfijndere manier te bieden dan papier of een video om zijn laatste wil over te brengen, en de nabestaanden de kans om nog een paar extra dagen te kunnen genieten van het gezelschap van hun geliefde. Maar wij kunnen niet toestaan dat er gevoelens ontstaan voor een mechanisme. We hebben lering getrokken uit wat er vóór ons gedaan is. Ik weet niet of je het je herinnert, maar er waren babypoppen die door de fabrikant zo goed gemaakt waren dat sommige kopers ermee omgingen alsof het echte baby's waren. Dat soort afwijkend gedrag willen wij niet opnieuw teweegbrengen. Het is niet zo dat je eeuwig een kloon van je vader of je moeder bij je kunt houden. Hoe verleidelijk dat ook zou kunnen zijn.'

Anthony keek naar de twijfel op het gezicht van Julia.

'Nou ja, in ons geval blijkbaar niet... Dus na een week zijn de accu's leeg en is er geen enkele manier om die weer op te laden. De complete inhoud van het geheugen wordt gewist en de laatste sprankjes leven worden aan de dode teruggegeven.'

'En dat is op geen enkele manier tegen te houden?'

'Nee, overal is over nagedacht. Als een of andere slimmerik probeert bij de accu's te komen wordt het geheugen meteen geformatteerd. Het is triest om te zeggen, tenminste, voor mij dan, maar ik ben een soort wegwerpzaklantaarn! Zes dagen licht en daarna de grote sprong in het duister. Zes dagen, Julia, zes dagen om de verloren tijd in te halen, de beslissing is aan jou.'

'Zo'n idioot idee kan ook alleen maar bij jou vandaan komen. Ik weet zeker dat je veel meer was dan een gewone aandeelhouder in dat bedrijf.'

'Als je besluit het spel te spelen, en zolang je niet op de knop van die afstandsbediening drukt om me uit te zetten, dan zou ik liever hebben dat je verder tegen me spreekt in de tegenwoordige tijd. Laten we zeggen dat dat mijn extraatje is, als je het goed vindt.'

'Zes dagen? Die heb ik voor mezelf al in geen eeuwigheid opgenomen.'

'De appel valt niet ver van de boom, nietwaar?'

Julia wierp haar vader een dodelijke blik toe.

'Ik zei maar wat, je hoeft niet alles letterlijk te nemen,' vervolgde Anthony.

'En wat zeg ik tegen Adam?'

'Je leek je daarstraks anders aardig te kunnen redden met voorliegen.'

'Ik loog hem niet voor, ik hield iets voor hem verborgen, dat is iets anders.'

'Neem me niet kwalijk, dat subtiele verschil was me even ontgaan. Je hoeft alleen maar door te gaan… iets voor hem verborgen te houden.'

'En tegen Stanley?'

'Je homovriendje?'

'Mijn beste vriend, kortweg.'

'Precies, die bedoelde ik,' antwoordde Anthony Walsh. 'Als dat echt je beste vriend is moet je nog slimmer zijn.'

'En jij blijft de hele dag hier terwijl ik op kantoor ben?'

'Je had een paar dagen vrijgenomen voor je huwelijksreis, toch? Je kunt je als vermist laten opgeven.'

'Hoe weet jij dat ik weg zou gaan?'

'De vloer van je appartement, of het plafond zo je wilt, is niet geisoleerd. Dat is altijd het probleem met oude, slecht onderhouden woningen.'

'Anthony!' viel Julia uit.

'O, alsjeblieft, ook al ben ik maar een machine, noem me papa, ik haat het als je me bij mijn voornaam noemt.'

'Maar, godsamme, ik heb je twintig jaar lang geen papa kunnen noemen!'

'Reden te meer om ten volste van deze zes dagen te profiteren,' antwoordde Anthony Walsh met een brede glimlach.

'Ik heb echt geen idee wat ik moet doen,' mompelde Julia terwijl ze naar het raam liep.

'Ga slapen, de nacht zal raad brengen. Jij bent de eerste op deze aarde aan wie deze keus geboden wordt, daar mag je best rustig over nadenken. Morgenochtend neem je je beslissing, en welke dat ook is, het zal de juiste zijn. In het ergste geval als je me uitzet zul je iets te laat op kantoor zijn. Je huwelijk zou je een week afwezigheid gekost hebben, de dood van je papa is wel een paar verloren werkuurtjes waard, toch?'

Julia staarde lange tijd naar de merkwaardige vader die haar strak aankeek. Als het de man geweest was die ze altijd geprobeerd had te leren kennen, dan zou ze gezworen hebben iets van genegenheid te bespeuren in de blik die hij op haar gericht had. En al betrof het een kopie van wat hij geweest was, ze had hem bijna welterusten gewenst, maar zag daar van af. Ze sloot de deur van haar slaapkamer en ging op bed liggen.

De minuten tikten voorbij, er verstreek een uur, en nog een. De gordijnen waren open en de heldere nacht streek neer op de planken van de boekenkast. Aan de andere kant van het raam leek de volle maan op de houten vloer van haar kamer te dobberen. Liggend in bed kwamen er bij Julia herinneringen uit haar jeugd boven. Er waren zo veel vergelijkbare nachten geweest, waarin ze wachtte op de thuiskomst van degene die vanavond aan de andere kant van de muur zat te wachten. Zo veel slapeloze nachten als puber, waarin ze luisterde hoe de wind vertelde over de reizen van haar vader en talloze landen met fabelachtige grenzen beschreef.

Zo veel avonden doorgebracht met fantaseren. Die gewoonte was met de jaren niet verdwenen. Hoeveel potloodlijnen, hoeveel gumvegen waren er nodig geweest voordat de personages die ze bedacht tot leven kwamen, elkaar ontmoetten en hun behoefte aan liefde bevredigden, plaatje na plaatje. Julia had altijd geweten dat fantaseren een vergeefse zoektocht is naar daglicht, dat je je dromen maar even in de steek hoeft te laten en ze vervliegen, als ze te veel worden blootgesteld aan het felle licht van de realiteit. Waar houdt onze kindertijd op?

Naast het gipsen beeld van een otter – het eerste afgietsel van een onwaarschijnlijk verlangen dat werkelijkheid geworden was – sliep een Mexicaans poppetje. Julia kwam uit bed en nam het in haar handen. Haar intuïtie was altijd haar beste bondgenoot geweest, de tijd had haar verbeelding gevoed. Dus waarom zou ze het niet geloven?

Ze legde het speeltje terug, schoot een badjas aan en deed de deur van haar kamer open. Anthony Walsh zat op de bank in de woonkamer, hij had de televisie aangezet en keek naar een serie op NBC.

'Ik ben zo vrij geweest de kabel weer aan te sluiten, heel vreemd, hij zat niet eens in het stopcontact in de muur! Ik ben altijd dol geweest op deze serie.'

Julia ging naast hem zitten.

'Ik heb deze aflevering niet gezien, of in ieder geval zit hij niet in mijn geheugen,' ging haar vader verder.

Julia pakte de afstandsbediening en deed het geluid uit. Anthony sloeg zijn ogen ten hemel.

'Jij wilde toch praten?' zei ze. 'Nou, laten we dan praten.'

Ruim een kwartier lang zeiden ze niks tegen elkaar.

'Ik ben dolblij, ik had deze aflevering nog niet gezien, hij zit in ieder geval niet in mijn geheugen,' herhaalde Anthony Walsh terwijl hij het geluid weer harder zette.

Ditmaal zette Julia het toestel uit.

'Je hebt een bug, je hebt daarnet twee keer hetzelfde gezegd.'

Weer volgde er een kwartier waarin niets gezegd werd en Anthony strak naar het zwarte scherm bleef staren.

'De avond van een van je verjaardagen, we vierden dat je negen was geworden geloof ik, nadat we met zijn tweetjes bij een Chinees restaurant gegeten hadden waar jij erg dol op was, hebben we de hele avond tv zitten kijken, net als nu, alleen wij tweetjes. Jij lag op mijn bed en ook al waren alle uitzendingen afgelopen, jij bleef maar naar het sneeuwbeeld staren. Je kunt het je niet herinneren, je was te jong. Uiteindelijk viel je om twee uur 's nachts in slaap. Ik wilde je naar je kamer brengen, maar je hield het kussen aan het hoofdeinde van mijn bed zo strak vastgeklemd dat ik je er niet van los kreeg. Je lag dwars over de lakens en nam alle ruimte in. Dus ben ik maar in de fauteuil tegenover je gaan zitten en heb de hele nacht naar je zitten kijken. Nee, dat zul je je niet herinneren, je was pas negen.'

Julia zei niets, Anthony Walsh deed het toestel weer aan.

'Hoe komen ze toch aan hun verhalen? Daar is een flinke dosis fantasie voor nodig! Dat zal me altijd blijven fascineren. Het grappigste is nog dat je echt gehecht raakt aan het leven van die personages.'

Zo bleven Julia en haar vader zitten, naast elkaar, zonder verder nog iets te zeggen. Ze hadden allebei hun hand naast die van de ander liggen, en geen enkel moment kwamen ze dichter bij elkaar en geen enkel woord verstoorde de rust van deze buitengewone nacht. Toen het eerste ochtendlicht het vertrek binnen viel stond Julia op, nog altijd zwijgend, liep de woonkamer door en draaide zich in de deuropening naar haar slaapkamer om.

'Welterusten.'

VI

*D*e radiowekker op het nachtkastje gaf aan dat het al negen uur was. Julia deed haar ogen open en sprong uit bed.

'Shit!'

Ze vloog naar de badkamer waarbij ze haar teen aan de deurpost stootte.

'Het is weer maandag,' mopperde ze. 'Wat een nacht.' Ze trok het douchegordijn opzij, stapte in het bad en liet het water lange tijd over haar huid stromen. Even later, toen ze haar tanden stond te poetsen en in de spiegel boven de wasbak keek, kreeg ze de slappe lach. Ze sloeg een handdoek om haar middel, knoopte een tweede om haar haren en besloot de thee voor het ontbijt te gaan zetten. Terwijl ze door de slaapkamer liep nam ze zich voor Stanley te bellen zodra ze de thee op had. Het was niet zonder risico om hem haar nachtelijke wanen uit de doeken te doen, hij zou haar ongetwijfeld met alle geweld naar de psychiater willen slepen. Maar het had geen zin ertegen te vechten, ze hield het nog geen halve dag vol zonder hem te bellen of bij hem langs te gaan. Zo'n ongelooflijke droom moest aan haar beste vriend verteld worden.

Met een glimlach om haar lippen wilde ze de deur van haar slaapkamer – die uitkwam op de woonkamer – opendoen, toen ze werd opgeschrikt door het geluid van serviesgoed.

Haar hart begon opnieuw te bonken. Ze liet de twee handdoeken op de houten vloer glijden, schoot gehaast een spijkerbroek en een poloshirt aan, bracht haar haren enigszins op orde, liep terug naar de badkamer en besloot voor de spiegel dat een vleugje rouge geen kwaad kon. Toen deed ze de deur naar de woonkamer op een kiertje open, stak haar hoofd erdoor en fluisterde bezorgd: 'Adam? Stanley?'

'Ik weet niet meer of je koffie of thee drinkt, dus ik heb koffie gezet,' zei haar vader vanuit de keuken terwijl hij de dampende koffiepot omhooghield en vol trots heen en weer zwaaide. 'Een beetje sterk, zoals ik het lekker vind!' voegde hij er vrolijk aan toe.

Julia keek naar de oude houten tafel; er was voor haar gedekt. Twee potten jam stonden in een perfecte diagonale lijn met de pot honing. Iets verderop stond de botervloot haaks op het pak muesli. Een pak melk stond recht voor de suikerpot.

'Hou daar mee op!'

'Wat? Wat heb ik nou weer gedaan?'

'Een beetje de modelvader uithangen. Je maakte nooit ontbijt voor me, dus dat hoef je ook niet te doen nu je…'

'O nee, geen verleden tijd. Daar hebben we afspraken over gemaakt. We zeggen alles in de tegenwoordige tijd… aangezien de toekomstige tijd een luxe is die mij niet gegeven is.'

'Jij hebt die afspraak gemaakt. En ik drink 's ochtends thee.'

Anthony schonk de koffie in Julia's kopje.

'Melk?' vroeg hij.

Julia draaide de kraan open en vulde de waterkoker.

'En, heb je een beslissing genomen?' vroeg Anthony Walsh terwijl hij twee geroosterde boterhammen uit de broodrooster haalde.

'Als het doel was dat we met elkaar zouden praten dan was onze avond gisteren niet erg overtuigend,' antwoordde Julia zachtjes.

'Ik heb anders erg genoten van dat moment samen, jij niet?'

'Het was niet mijn negende verjaardag maar mijn tiende. Het eerste weekend zonder mama. Het was een zondag, ze was op donderdag opgenomen. Het Chinese restaurant heette Wang, het is vorig jaar gesloten. Maandagochtend in alle vroegte, terwijl ik nog sliep, heb jij je koffer gepakt en bent op het vliegtuig gestapt zonder me gedag te zeggen.'

'Ik had een afspraak in Seattle aan het begin van de middag. Of nee, ik geloof dat het in Boston was. Verdorie… ik weet het niet meer. Ik ben donderdags teruggekomen… of vrijdag?'

'Wat heeft dit allemaal voor zin?' vroeg Julia terwijl ze aan tafel ging zitten.

'In twee korte zinnen hebben we elkaar al best wat verteld, vind je niet? Het wordt niks met je thee als je de waterkoker niet aanzet.'

Julia snoof aan het kopje voor haar. 'Volgens mij heb ik nog nooit van mijn leven koffie gedronken,' zei ze. Ze bracht het kopje naar haar mond.

'Hoe kun je dan weten dat je het niet lekker vindt?' vroeg Anthony Walsh terwijl hij toekeek hoe zijn dochter de mok in één teug leegdronk.

'Daarom,' antwoordde ze met een vertrokken gezicht. Ze zette de kop weer neer.

'Je went aan die bittere smaak… en dan ga je de sensualiteit ervan waarderen,' zei Anthony.

'Ik moet aan het werk,' ging Julia verder terwijl ze de pot honing openmaakte.

'Heb je nou een beslissing genomen, ja of nee? Deze situatie is irritant, ik heb toch zeker het recht om dat te weten!'

'Ik weet niet wat ik je moet zeggen, vraag me niet het onmogelijke. Je vennoten en jij hebben nog een ethisch probleem over het hoofd gezien.'

'Vertel op, dat interesseert me.'

'Het leven van iemand overhoop halen die nergens om gevraagd heeft.'

'Iemand?' reageerde Anthony Walsh zuinig.

'Ja, iemand ja. Ik weet niet wat ik tegen je moet zeggen, doe wat je wilt, pak de telefoon, bel ze, geef ze de code en laat hen maar van een afstand voor mij beslissen.'

'Zes dagen, Julia, niet meer dan zes dagen om te rouwen om je vader, niet om een onbekende, weet je zeker dat je niet zelf wilt beslissen?'

'Zes dagen voor jou, dus.'

'Ik ben niet meer van deze wereld, denk je dat ik er beter van word? Ik had nooit gedacht dat ik dat ooit nog eens zou zeggen, maar zo is het wel. Trouwens, als je erover nadenkt is het tamelijk komisch,' vervolgde Anthony Walsh geamuseerd. 'Dat hadden we ook niet kunnen bedenken. Het is geweldig! Je zult moeten toegeven dat het tot de realisatie van deze briljante uitvinding ondenkbaar was dat je tegen je dochter kunt zeggen dat je dood bent en haar reactie kunt zien. Toch? Nou, ik zie dat je er niet eens om kunt glimlachen, dus misschien was het toch niet zo grappig.'

'Nee, inderdaad!'

'Ik heb slecht nieuws voor je. Ik kan ze niet bellen. Dat is niet mogelijk. De enige die het programma kan afbreken is de begunstigde. Trouwens, ik ben het wachtwoord dat ik je vertelde alweer vergeten, het is meteen uit mijn geheugen gewist. Ik hoop dat je het hebt opgeschreven... Voor het geval dat...'

'1-800-300 00 01, code 654.'

'O ja, dat heb je goed onthouden!'

Julia stond op om haar mok in de gootsteen te zetten. Ze draaide zich om, keek haar vader lang aan en pakte de telefoon die aan de keukenmuur hing.

'Met mij,' zei ze tegen haar collega. 'Ik ga je advies opvolgen, tenminste, min of meer... ik neem vandaag vrij, en morgen ook, misschien daarna ook nog, dat weet ik nog niet, maar ik hou je op de hoogte. Stuur me elke avond een e-mail om me bij te praten over de voortgang van het project, en bel me vooral als er een probleem is, maakt niet uit wat. Nog één ding, schenk al je aandacht aan die Charles, die nieuwe, we hebben veel aan hem te danken. Ik wil niet dat hij erbuiten gehouden wordt, zorg dat hij bij het team betrokken wordt. Ik reken op je, Dray.'

Julia hing de hoorn terug zonder haar blik van haar vader af te wenden.

'Heel goed om over je medewerkers te waken,' merkte Anthony Walsh op. 'Ik heb altijd gezegd dat een bedrijf op drie pijlers rust: zijn medewerkers, zijn medewerkers en zijn medewerkers!'

'Twee dagen! Ik geef ons twee dagen, begrepen? Aan jou de keus of je daarmee akkoord gaat of niet. Over achtenveertig uur geef je mij mijn leven terug, en jij...'

'Zes dagen!'

'Twee!'

'Zes!' hield Anthony Walsh vol.

Het gerinkel van de telefoon maakte een einde aan de onderhandeling. Anthony nam op, Julia rukte het toestel meteen uit zijn handen, drukte het tegen zich aan en gebaarde haar vader zo stil mogelijk te zijn. Adam maakte zich ongerust omdat hij haar niet had kunnen bereiken op kantoor. Hij nam het zichzelf kwalijk dat hij prikkelbaar en achterdochtig gedaan had. Zij verontschuldigde zich voor het feit dat ze de vorige avond lichtgeraakt was geweest, en bedankte hem dat hij op haar bericht gereageerd had en was langsgekomen. Al was het moment een beetje ongelukkig geweest, zijn onverwachte verschijning onder haar raam had toch wel iets romantisch.

Adam stelde voor haar op te komen halen na zijn werk. Terwijl Anthony Walsh de afwas stond te doen, met zo veel mogelijk kabaal, legde Julia uit dat de dood van haar vader haar meer had geraakt dan ze had willen toegeven. Ze had de hele nacht nachtmerries gehad en ze was uitgeput. Het had geen zin om de poging van de vorige dag over te doen. Een middagje rustig aan, 's avonds vroeg naar bed en dan zouden ze elkaar morgen, uiterlijk overmorgen, weer zien. Tegen die tijd zou ze er weer uitzien als de vrouw met wie hij wilde trouwen.

'Dat zei ik toch, de appel valt niet ver van de boom,' herhaalde Anthony Walsh toen Julia ophing.

Ze wierp hem een dodelijke blik toe.

'Wat nu weer?'

'Je hebt nog nooit ook maar één bord afgewassen!'

'Daar weet jij niks van, bovendien zit afwassen in mijn nieuwe programmatuur,' antwoordde Anthony Walsh vrolijk.

Julia liet hem zitten en griste de sleutelbos van de spijker.

'Waar ga je heen?' vroeg haar vader.

'Ik ga boven een kamer voor je in orde maken. Geen sprake van dat je de hele nacht gaat lopen ijsberen in mijn woonkamer, ik heb nog wat uurtjes slaap in te halen, als je begrijpt wat ik bedoel.'

'Als het door het lawaai van de tv komt, ik kan het geluid wel wat zachter zetten, hoor…'

'Vanavond ga je naar boven, graag of niet!'

'Maar je stopt me toch niet op zolder?'

'Geef me één goeie reden waarom ik dat niet zou doen.'

'Er zitten ratten… dat heb je zelf gezegd,' zei haar vader op de toon van een kind dat net een standje heeft gekregen.

En terwijl Julia op het punt stond het appartement uit te lopen riep haar vader haar met harde stem terug.

'Het gaat ons nooit lukken hier!'

Julia trok de deur dicht en liep de trap op. Anthony Walsh keek op het klokje van de oven hoe laat het was, aarzelde even, en ging op zoek naar de witte afstandsbediening die Julia op het aanrecht had laten liggen.

Boven zich hoorde hij de voetstappen van zijn dochter, het gekras van meubels die verschoven werden, het geluid van het raam dat geopend en weer gesloten werd. Toen ze weer naar beneden kwam had haar vader weer in de kist plaatsgenomen, de afstandsbediening in zijn hand.

'Wat doe je?' vroeg ze hem.

'Ik ga mezelf uitzetten, dat is misschien het beste voor ons allebei, nou ja, vooral voor jou, ik merk heus wel dat ik stoor.'

'Ik dacht dat je dat niet kon doen?' zei ze. Ze trok de afstandsbediening uit zijn handen.

'Ik heb gezegd dat jij de enige bent die het bedrijf kan bellen en de code doorgeven, maar volgens mij ben ik nog wel in staat om op een knop te drukken,' mopperde hij terwijl hij weer uit de kist stapte.

'Doe trouwens ook maar wat je wilt,' antwoordde ze, en ze gaf hem het apparaatje terug. 'Ik word doodmoe van je.'

Anthony Walsh legde het op de salontafel en ging voor zijn dochter staan.

'Waar zouden jullie eigenlijk naartoe gaan op huwelijksreis?'

'Naar Montréal, hoezo?'

'Nou, nou, hij heeft zich er ook makkelijk vanaf gemaakt, die verloofde van jou,' siste hij tussen zijn tanden.

'Heb je iets tegen Québec?'

'Niet in het minst! Montréal is een heel aardige stad, ik heb er zelfs bijzonder mooie momenten beleefd. Maar goed, daar hadden we het niet over,' zei hij kuchend.

'Waar hadden we het dan over?'

'Het is gewoon…'

'Gewoon wat?'

'Een huwelijksreis op een uur vliegen… Nou, wat een andere omgeving! Je zou er net zo goed naartoe kunnen rijden met een camper om de hotelkosten uit te sparen.'

'En stel nou dat ik die bestemming zelf had uitgekozen? Dat ik helemaal gek was op die stad, dat we er herinneringen aan hadden, Adam en ik? Wat weet jij er nou van?'

'Als jij er zelf voor gekozen had je huwelijksnacht op een uur reizen van huis door te brengen zou je mijn dochter niet zijn, dat is alles,' verklaarde Anthony op ironische toon. 'Ik wil best geloven dat je van ahornsiroop houdt, maar er zijn grenzen...'

'Jij zult je wereldbeeld ook nooit bijstellen, hè?'

'Ik moet erkennen dat het daar een beetje laat voor is. Het zij zo. Maar geef nou toe, jij hebt besloten de meest onvergetelijke dag van je leven door te brengen in een stad die je kent. Vaarwel verlangen naar nieuwe ontdekkingen! Vaarwel romantiek! Herbergier, geef ons dezelfde kamer als de vorige keer, het is per slot van rekening een avond als alle andere! Serveer ons het gebruikelijke maal, mijn aanstaande man, wat zeg ik, mijn kersverse echtgenoot haat het om zijn gewoontes te veranderen!'

Anthony Walsh barstte in lachen uit.

'Ben je klaar?'

'Ja,' excuseerde hij zich. 'God, wat heeft dood zijn een voordeel, je mag van jezelf alles zeggen wat er door je circuit stroomt, dat is haast geweldig!'

'Je hebt gelijk, het gaat ons niet lukken,' zei Julia, waarmee ze een eind maakte aan de hilariteit van haar vader.

'Niet hier, in ieder geval. We moeten een neutrale plek hebben.'

Julia keek hem verbouwereerd aan.

'Laten we ophouden met verstoppertje spelen in dit appartement, oké? Zelfs als we de kamer hierboven meetellen, waar jij me wilde wegstoppen, is er hier niet genoeg ruimte en ook niet meer genoeg tijd. We zijn onze tijd als twee kleine kinderen aan het verdoen. Die verloren minuten kunnen we niet overdoen.'

'Wat stel je voor?'

'Een klein reisje. Geen telefoontjes van je werk, geen onverwachte bezoekjes van die Adam van je, niet avondenlang stilzwijgend naast elkaar voor de buis zitten, maar wandelingen, waarbij we allebei zullen praten. Daarom ben ik van zo ver teruggekomen. Een moment, een paar dagen alleen wij tweeën, helemaal voor ons alleen.'

'Je vraagt me jou te geven wat je mij nooit hebt willen geven, bedoel je dat?'

'Hou op met dat gevit, Julia. Daarna heb je alle tijd om de strijd weer op te pakken, míjn wapens zullen dan alleen nog in jouw herinnering bestaan. Zes dagen hebben we nog, dat is wat ik je vraag.'

'En waar gaat ons reisje heen dan?'

'Naar Montréal.'

Julia kon de spontane glimlach die op haar gezicht verscheen niet onderdrukken. 'Naar Montréal?'

'Nou ja, aangezien je toch geen geld terugkrijgt voor die tickets. We kunnen altijd proberen de naam van een van de passagiers te wijzigen…'

Omdat Julia haar haren bijeen bond, een jasje om haar schouders sloeg en zich duidelijk klaarmaakte te vertrekken zonder hem antwoord te geven, posteerde Anthony Walsh zich voor de deur.

'Trek niet zo'n gezicht, Adam zei zelfs dat je ze gewoon weg kon gooien!'

'Hij stelde me voor die tickets als souvenir te bewaren, en mocht het je indiscrete oren ontgaan zijn, dat bedoelde hij ironisch. Ik denk niet dat hij daarmee bedoelde dat ik met iemand anders kon gaan.'

'Met je vader, niet zomaar iemand anders.'

'Ga alsjeblieft opzij.'

'Waar ga je heen?' vroeg Anthony Walsh terwijl hij plaats maakte.

'Een frisse neus halen.'

'Ben je boos?'

Bij wijze van antwoord hoorde hij hoe zijn dochter de trap af liep.

~

Op de kruising bij Greenwich Street remde een taxi af. Julia stapte gehaast in. Ze had geen enkele behoefte om omhoog te kijken naar het gebouw. Ze wist dat Anthony Walsh voor het raam van de woonkamer stond te kijken hoe de gele Ford in de richting van Ninth Avenue reed. Zodra die voorbij het kruispunt was, liep hij naar de keuken, pakte de hoorn van de haak en pleegde twee telefoontjes.

Julia liet zich afzetten aan de rand van SoHo. Normaal gesproken had ze dat stuk, dat ze kon dromen, te voet afgelegd. Het was nauwelijks een kwartier lopen. Maar om haar huis te ontvluchten zou ze zelfs een fiets gestolen hebben als iemand die zonder slot had laten staan op de hoek van de straat. Ze duwde de deur van het antiekwinkeltje open. Er klonk een belletje. Stanley zat te lezen in een barokfauteuil en keek op.

'Greta Garbo had het niet beter gedaan in *Queen Christina*!'

'Waar heb je het over?'

'Over je binnenkomst, prinsesje van me, majesteitelijk en angstaanjagend tegelijk.'

'Dit is geen geschikte dag om me in de zeik te nemen.'

'Geen enkele dag, hoe mooi ook, kan zonder een zweempje ironie. Moet je niet werken?'

Julia liep naar een oude boekenkast en keek aandachtig naar de klok met fijne gulden versierselen die op de bovenste plank stond.

'Ben je aan het spijbelen om hier te komen kijken hoe laat het in de achttiende eeuw was?' vroeg Stanley terwijl hij de bril die op het puntje van zijn neus stond terugduwde.

'Hij is heel mooi.'

'Ja, en ik ook, wat is er met je aan de hand?'

'Niks, ik kwam gewoon even langs, meer niet.'

'Tuurlijk, en ik ga binnenkort stoppen met Louis Seize en me toeleggen op popart,' reageerde Stanley terwijl hij zijn boek neerlegde.

Hij stond op en ging op de rand van een mahoniehouten tafel zitten.

'Loop je te piekeren met dat mooie koppie van je?'

'Zoiets, ja.'

Julia legde haar hoofd op Stanleys schouder.

'Nou, inderdaad, het is hartstikke zwaar,' zei hij terwijl hij haar tegen zich aan drukte. 'Ik zal thee voor je zetten die een vriend van me uit Vietnam importeert. Een ontgiftingsthee, met onvermoede krachten, waarschijnlijk omdat die vriend die helemaal niet heeft.'

Stanley pakte een theepot van een plank. Hij zette de waterkoker aan die op het antieke bureau stond dat dienst deed als kassa. Na even te hebben getrokken vulde de magische drank twee porseleinen kopjes die vlak daarvoor uit een oude kast tevoorschijn waren gehaald. Julia snoof de jasmijngeur op die er vanaf kwam en nam een klein slokje.

'Ik luister, en het heeft geen zin er tegen te vechten, deze goddelijke drank schijnt zelfs de meest verstijfde tongen los te maken.'

'Zou jij met mij op huwelijksreis gaan?'

'Als ik met je getrouwd was, waarom niet... maar dan had je Julien moeten heten, lieverd, anders zou onze huwelijksreis een saaie bedoening worden.'

'Stanley, als jij je winkel nou een weekje sluit en ik neem je mee...'

'Dat is onwijs romantisch, waarheen dan?'

'Naar Montréal.'

'Nooit van mij leven!'

'Wat heb jíj nou weer tegen Québec?'

'Ik heb zes maanden ondraaglijk moeten lijden om drie kilo kwijt te raken, die ga ik er niet in een paar dagen weer bij eten. De restaurants daar zijn onweerstaanbaar, hun obers trouwens ook! Bovendien haat ik het om tweede keus te zijn.'

'Waarom zeg je dat?'

'Wie had geen zin om met je mee te gaan voordat je mij vroeg?'

'Dat doet er niet toe! Hoe dan ook, je zou het toch niet geloven.'

'Misschien kun je beginnen me te vertellen wat je dwarszit…'

'Al zou ik je alles vanaf het begin vertellen, dan nog zou je het niet geloven.'

'Oké, ervan uitgaande dat ik een imbeciel ben… Hoe lang is het geleden dat je doordeweeks een halve dag vrij hebt genomen?'

Omdat Julia bleef zwijgen vervolgde Stanley: 'Je valt op een maandagochtend mijn winkel binnen en je adem stinkt naar koffie, terwijl je koffie vies vindt. Onder die rouge, die overigens niet goed is uitgesmeerd, gaat het smoeltje schuil van iemand die geen uren maar minuten geslapen heeft, je vraagt me op stel en sprong de plaats van je verloofde in te nemen. Wat is er aan de hand? Heb je de nacht met iemand anders dan Adam doorgebracht?'

'Nee joh!' riep Julia uit.

'Dan vraag ik het nogmaals. Voor wie of wat ben je bang?'

'Nergens voor.'

'Ik heb werk te doen, schatje, dus als je me niet genoeg vertrouwt om je hart bij me uit te storten, dan ga ik verder met mijn inventarisatie,' antwoordde Stanley terwijl hij aanstalten maakte naar zijn magazijn te lopen.

'Je zat verveeld in een boek te bladeren toen ik binnenkwam! Wat kun jij slecht liegen,' zei Julia lachend.

'Eindelijk is dat zure gezichtje verdwenen! Heb je zin om een stukje te gaan lopen? De winkels in de buurt gaan zo open, je hebt vast nieuwe schoenen nodig.'

'Je zou eens moeten zien hoeveel er in mijn kast staan die ik nooit draag.'

'Ik bedoelde ook niet dat we je voeten moeten verwennen, maar jou!'

Julia tilde het vergulde klokje op. Het beschermglas voor de wijzerplaat ontbrak. Ze streek met haar vingertop langs de rand.

'Hij is echt mooi,' zei ze terwijl ze de grote wijzer terug duwde.

Door die beweging begon de kleine wijzer ook terug te draaien.

'Het zou fijn zijn als we terug konden.'

Stanley keek naar Julia.

'De tijd terugdraaien? Daarmee zou je dat antieke ding niet weer jong maken. Je moet het anders zien, juist die ouderdom is mooi,' antwoordde Stanley. Hij zette de klok terug op de plank. 'Ga je me nu eindelijk vertellen wat je dwarszit?'

'Als jij het aanbod kreeg om een reis te maken, om terug te reizen in de voetsporen van je vader, zou je dat doen?'

'Wat zou er mis kunnen gaan? Wat mijzelf betreft: al moest ik naar het andere eind van de wereld reizen om een fractie van mijn moeders leven terug te vinden, dan zat ik nu in het vliegtuig de stewardessen te vervelen in plaats van mijn tijd te verdoen met een idioot – ook al is dat degene die ik verkozen heb tot beste vriendin. Als je zo'n reis kunt gaan maken moet je zonder aarzelen vertrekken.'

'En als het al te laat zou zijn?'

'Het is pas te laat als de dingen onherroepelijk zijn. Zelfs al is hij er niet meer, je vader leeft voort aan jouw zijde.'

'Je hebt geen idee in hoeverre.'

'Wat je jezelf ook voorhoudt, je mist hem.'

'In de loop van al die jaren ben ik gewend geraakt aan zijn afwezigheid. Ik heb geleerd te leven zonder hem.'

'Lieve schat, zelfs kinderen die hun ouders nooit gekend hebben krijgen vroeg of laat de behoefte om hun wortels te zoeken. Dat is vaak hard voor degenen die ze hebben opgevoed, en die van ze gehouden hebben, maar zo zit de mens in elkaar. Je komt moeilijk vooruit in het leven als je niet weet waar je vandaan komt. Dus wat voor reis je ook moet maken om eindelijk te weten wie je vader was, om zijn verleden met het jouwe te verzoenen, doe het.'

'We hebben niet veel herinneringen samen, weet je.'

'Misschien meer dan je denkt. Vergeet nou voor één keer die trots waar ik zo dol op ben en maak die reis! Als je het niet voor jezelf doet, doe het dan voor een van mijn beste vriendinnen, ik zal je wel een keer aan haar voorstellen, ze is een geweldige moeder.'

'Wie is dat dan?' vroeg Julia met een vleugje jaloezie in haar stem.

'Jij, over een paar jaar.'

'Je bent een fantastische vriend, Stanley,' zei Julia, en ze drukte een zoen op zijn wang.

'Maar dat komt niet door mij, schat, het is die thee!'

'Geef die Vietnamese vriend van je mijn complimenten, zijn thee heeft echt buitengewone kracht,' zei Julia nog terwijl ze naar buiten stapte.

'Als je hem echt zo lekker vindt haal ik een paar pakjes voor je, voor als je terugkomt. Ik koop hem bij de kruidenier op de hoek.'

VII

*J*ulia vloog de trap op en ging haar appartement binnen. De woonkamer was leeg. Ze riep een paar keer, maar er kwam geen antwoord. Woonkamer, slaapkamer, badkamer en de bovenverdieping, er was niemand. Ze ontdekte de foto van Anthony Walsh in het zilveren lijstje dat opeens op de schouw stond.

'Waar was je?' vroeg haar vader. Ze schrok op.

'Ik schrik me rot! Waar was jij dan?'

'Het ontroert me zeer dat je je zorgen om me maakt. Ik ben een stukje gaan wandelen. Ik verveelde me, zo in mijn eentje hier.'

'Wat is dat?' vroeg Julia terwijl ze naar het lijstje op de rand van de schouw wees.

'Ik was bezig mijn kamer boven in orde te maken, aangezien ik daar vanavond wel weer opgeborgen zal worden, en vond dat ding bij toeval… onder een dikke laag stof. Ik ga toch niet naast een foto van mezelf slapen! Ik heb hem hier neergezet, maar je kunt hem ook ergens anders neerzetten als je wilt, hoor.'

'Wil je nog steeds op reis?' vroeg Julia.

'Ik kom net bij het reisbureau aan het eind van de straat vandaan. Er gaat niets boven menselijk contact. Een charmante jongedame, ze lijkt trouwens een beetje op je, en ze lachte ook nog eens lief… waar was ik gebleven?'

'Bij een charmante jongedame…'

'Precies! Ze wilde met plezier een uitzondering op de regel maken. Nadat ze ruim een half uur op haar toetsenbord had zitten tikken – het leek wel of ze het complete oeuvre van Hemmingway zat over te tikken – slaagde ze erin uiteindelijk het ticket opnieuw te printen met mijn naam erop. Ik heb meteen van de gelegenheid gebruikgemaakt om ons te laten upgraden.'

'Je bent echt onmogelijk! Hoe kun je nu denken dat ik hiermee akkoord ga…?'

'O, dat denk ik helemaal niet; alleen, als deze tickets in je toekomstige plakboek terecht komen, kunnen ze maar beter voor de eerste klas zijn. Kwestie van familiestatus, schatje.'

Julia vloog naar haar slaapkamer. Anthony Walsh vroeg waar ze nu weer naartoe ging.

'Een tas inpakken, voor twéé dagen,' antwoordde ze met nadruk op twee. 'Dat wilde je toch?'

'Ons avontuur zal zes dagen duren, de reisdata konden niet veranderd worden. Hoe ik Elodie, dat beeldschone meisje van het reisbureau waar ik het daarnet over had, ook smeekte, daarin was ze onvermurwbaar.'

'Twee dagen!' schreeuwde Julia vanuit de badkamer.

'Ach, doe ook maar wat je wilt, in het ergste geval kopen we daar wel een nieuwe broek voor je. Mocht het je ontgaan zijn, je spijkerbroek is gescheurd, ik zie een stuk knie.'

'En jij, neem jij niks mee?' vroeg Julia terwijl ze haar hoofd om de deur stak.

Anthony Walsh liep naar de houten kist die midden in de kamer stond en deed een klep omhoog waaronder een dubbele bodem schuilging. Daarin zat een zwartleren attachékoffer.

'Ze hebben voorzien in een paar benodigdheden, genoeg om zes dagen toonbaar te blijven, ongeveer de duur van mijn accu's,' zei hij niet zonder enige voldoening. 'Ik ben zo vrij geweest om tijdens jouw afwezigheid mijn identiteitspapieren terug te pakken die ze jou gegeven hadden. Ik ben ook zo vrij geweest om mijn horloge weer om te doen,' voegde hij eraan toe terwijl hij trots zijn pols liet zien. 'Je hebt er toch niks op tegen dat ik het even draag? Als het moment daar is krijg jij het weer; nou ja, je begrijpt wel wat ik bedoel…'

'Ik zou het heel fijn vinden als je ophield met rondsnuffelen in mijn spullen!'

'Rondsnuffelen, liefje, dat doen politiehonden. Ik trof mijn persoonlijke eigendommen aan in een stevige envelop die nu al verloren op je zolder lag, tussen alle rommel.'

Julia deed haar tas dicht en zette hem in de hal. Ze zei tegen haar vader dat ze even de deur uit was en zo snel mogelijk zou terugkomen. Ze moest haar vertrek nu gaan uitleggen aan Adam.

'Wat ben je hem dan van plan te gaan vertellen?' vroeg Anthony Walsh.

'Volgens mij is dat iets tussen hem en mij,' antwoordde Julia.

'Om hem maak ik me geen zorgen, maar om jou wel.'

'O ja? Maakt dat ook deel uit van je nieuwe programma?'

'Wat je ook voor reden gaat aanvoeren, ik raad je af om hem te vertellen waar we naartoe gaan.'

'En ik word natuurlijk geacht het advies op te volgen van een vader die veel ervaring heeft als het om geheimen gaat.'

'Beschouw het maar gewoon als een advies van mens tot mens. En nu opschieten jij, we moeten over uiterlijk twee uur vertrekken.'

De taxi zette Julia af op Avenue of the Americas, bij nummer 1350. Ze verdween in het grote gebouw waar de afdeling kinderliteratuur gehuisvest zat van een bekend New Yorks uitgevershuis. Omdat haar mobieltje geen bereik had in de hal meldde ze zich bij de receptie met het verzoek haar telefonisch in verbinding te stellen met meneer Coverman.

'Alles goed?' vroeg Adam toen hij de stem van Julia herkende.

'Zit je in een vergadering?'

'Ik ben op de productieafdeling, we zijn over een kwartier klaar. Zal ik een tafel reserveren om acht uur bij onze Italiaan?'

Adam liet zijn blik op de display van zijn telefoontoestel rusten. 'Ben je in het pand?'

'Bij de receptie…'

'Het komt nu slecht uit, we zitten met z'n allen in een bespreking over de vormgeving van de nieuwe titels…'

'We moeten praten,' onderbrak Julia hem.

'Kan dat niet wachten tot vanavond?'

'Ik kan niet met je gaan eten, Adam.'

'Ik kom eraan,' antwoordde hij voor hij ophing.

Hij trof Julia in de hal. Haar sombere gezichtsuitdrukking voorspelde weinig goeds.

'Er zit een cafetaria in het souterrain, daar gaan we heen,' zei Adam.

'Laten we liever in het park gaan wandelen, buiten voelen we ons vast beter.'

'Is het zo erg?' vroeg hij terwijl ze het gebouw uit liepen.

Julia gaf geen antwoord. Ze liepen Sixth Avenue op. Drie straten verder wandelden ze Central Park in.

De groene paden waren zo goed als verlaten. Er kwamen een paar joggers voorbij gerend met koptelefoons op, geconcentreerd op hun tempo, afgesloten van de wereld en van degenen die gewoon aan het wandelen waren. Een eekhoorn met een rossige vacht kwam op ze af en ging op zijn achterpoten staan, bedelend om eten. Julia stak haar hand in de zak van haar regenjas, ging op haar hurken zitten en hield hem een hand nootjes voor.

Het brutale knaagdiertje kwam dichterbij en aarzelde even terwijl hij naar de begeerlijk buit keek. Zijn lust won het van zijn angst, en met een snelle beweging pakte hij een nootje en ging het een paar meter verderop zitten opknabbelen, onder de vertederde blikken van Julia.

'Heb je altijd nootjes bij je?' vroeg Adam geamuseerd.

'Ik wist dat ik je zou meenemen hiernaartoe, ik heb een zakje gekocht voordat ik in de taxi stapte,' antwoordde Julia terwijl ze de eekhoorn, inmiddels vergezeld van een paar handlangers, er nog een voorhield.

'Heb je me bij een bespreking weggeroepen om te laten zien hoe goed je bent als dresseur?'

Julia gooide de resterende nootjes op het gras en kwam overeind om verder te wandelen. Adam versperde haar de weg.

'Ik ga weg,' zei ze met een verdrietige stem.

'Bij mij?' vroeg Adam bezorgd.

'Nee, idioot, gewoon een paar dagen.'

'Hoe lang?'

'Twee, misschien zes, maar niet langer.'

'Twee of zes?'

'Ik heb geen idee.'

'Julia, je komt onverwachts bij mij op kantoor binnenvallen, je vraagt of ik met je mee kom op een toon alsof je wereld zojuist is ingestort, kun je alsjeblieft zorgen dat ik niet elk woord uit je hoef te trekken?'

'Heb je zo weinig tijd?'

'Je bent boos, dat mag, maar niet op mij. Ik ben niet de vijand, Julia, ik ben alleen maar degene die van je houdt, en dat is heus niet altijd makkelijk. Je moet me geen dingen aanrekenen waar ik helemaal buiten sta.'

'De privésecretaris van mijn vader belde vanochtend. Ik moet een aantal zaken voor hem regelen buiten New York.'

'Waar dan?'

'In het noorden van Vermont, bij de Canadese grens.'

'Waarom gaan we daar dan niet samen heen dit weekend?'

'Het is nogal dringend, het kan niet wachten.'

'Heeft dit iets te maken met het feit dat het reisbureau me belde?'

'Wat zeiden ze?' vroeg Julia ongemakkelijk.

'Er was iemand langs geweest. En vanwege een reden die ik niet echt begrepen heb, is het bedrag van mijn ticket teruggestort, maar niet dat van jou. Meer wilden ze er niet over zeggen. Ik zat al in die bespreking, ik had geen tijd om langer aan de lijn te blijven.'

'Dat is waarschijnlijk het werk van mijn vaders secretaris, die heeft echt talent voor dat soort dingen, hij heeft een goeie opleiding gehad.'

'Ga je naar Canada?'

'Naar de grens, zoals ik je zei.'

'Heb je wel zin om die reis te maken?'

'Ik geloof van wel,' antwoordde ze somber.

Adam trok Julia naar zich toe en drukte haar stevig tegen zich aan.

'Nou, ga dan maar doen wat je moet doen. Ik zal niets meer vragen. Ik wil niet het risico lopen twee keer achter elkaar degene te zijn die je niet vertrouwt, bovendien moet ik weer aan het werk. Loop je met me mee naar kantoor?'

'Ik blijf nog even hier.'

'Met je eekhoorntjes?' vroeg Adam spottend.

'Ja, met mijn eekhoorntjes.'

Hij drukte een zoen op haar voorhoofd, deed een paar passen achteruit, zwaaiend met zijn hand, en liep weg over het pad.

'Adam?'

'Ja?'

'Jammer dat je die bespreking hebt, ik had graag…'

'Weet ik, maar we hebben sowieso weinig geluk gehad de afgelopen dagen.' Adam wierp haar een handkus toe. 'Ik moet echt gaan! Bel je me vanuit Vermont als je goed bent aangekomen?'

Julia keek hem na terwijl hij bij haar vandaan liep.

∾

'Is alles goed gegaan?' vroeg Anthony Walsh opgewekt zodra zijn dochter binnen was.

'Super.'

'Waarom trek je dan zo'n begrafenisgezicht? Hoewel, beter laat dan nooit…'

'Dat vraag ik me ook af. Misschien omdat ik voor het eerst gelogen heb tegen de man van wie ik hou?'

'Nee, nee, de tweede keer, lieverd, je vergeet gisteren… Maar als je wilt, beschouwen we dat als een proefexamen, dan telt het dus niet.'

'Nog erger! Ik heb Adam voor de tweede keer in twee dagen bedrogen en hij is zo geweldig dat hij me laat vertrekken zonder me ook maar iets te vragen. Toen ik in de taxi stapte realiseerde ik me dat ik een vrouw geworden was die ik gezworen had nooit te zullen worden.'

'Nu moet je niet overdrijven!'

'O nee? Bestaat er iets smerigers dan degene bedriegen die jou zo vertrouwt dat-ie geen vragen stelt?'

'Die zo in beslag wordt genomen door zijn werk dat hij zich niet echt interesseert voor de ander!'

'Je hebt wel lef om zo'n opmerking te maken!'

'Ja, maar zoals je zelf zegt, hier spreekt iemand die het kan weten. Volgens mij staat de auto voor de deur… We moeten een beetje opschieten. Met die veiligheidsmaatregelen van tegenwoordig ben je meer tijd kwijt op het vliegveld dan met vliegen zelf.'

Terwijl Anthony Walsh hun twee stuks bagage naar beneden bracht keek Julia haar appartement rond. Ze keek naar het zilveren fotolijstje op de schouw, draaide de foto van haar vader naar de muur en trok de deur achter zich dicht.

∞

Een uur later nam de limousine de afslag naar de terminals van luchthaven John Fitzgerald Kennedy.

'We hadden ook een taxi kunnen nemen,' zei Julia terwijl ze door het raampje naar de vliegtuigen keek die op de taxibaan geparkeerd stonden.

'Ja, maar geef toe, dit soort auto's zijn een stuk comfortabeler. Aangezien ik mijn creditcards van je heb teruggepakt, en ik dacht te hebben begrepen dat je geen aanspraak wilde maken op mijn erfenis, laat me het dan in ieder geval aan mezelf verspillen. Je moest eens weten hoeveel mensen hun levenlang bezig zijn geweest hun geld op te potten en die zouden dromen van macht, zoals ik. Dat je het dan na je dood kan uitgeven is een ongekende luxe, als je er goed over nadenkt! Kom op, Julia, haal die sacherijnige blik van je gezicht. Over een paar dagen zie je die Adam van je weer en dan zal hij nog verliefder zijn. Profiteer nou even van deze paar dagen met je vader. Hoe lang is het geleden dat we samen op pad zijn geweest?'

'Ik was zeven, mama leefde nog, en wij brachten onze vakantie door aan de rand van een zwembad terwijl jij de hele dag in het hotel aan de telefoon hing om je zaken te regelen,' antwoordde Julia. Ze stapte uit de limousine die langs de stoeprand tot stilstand was gekomen.

'Ik kan er toch ook niks aan doen dat de mobiele telefoon toen nog niet bestond!' riep Anthony Walsh uit terwijl hij zijn portier opende.

~

Het was een drukte van jewelste in de internationale terminal. Anthony sloeg zijn ogen ten hemel en sloot aan bij de lange rij passagiers voor de incheckbalie. Toen ze eindelijk hun instapkaart hadden, die waardevolle sesam-open-u waarop ze lang hadden moeten wachten, werd hun geduld opnieuw op de proef gesteld, nu om door de veiligheidspoortjes te komen.

'Moet je zien hoe ongedurig al die lui zijn, het ongemak dat het reisplezier bederft. Je kunt het ze niet eens kwalijk nemen, je wordt vanzelf ongeduldig als je urenlang moet staan wachten, met je kind op je arm, of de zware last van je leeftijd op je benen. Denk je nu echt dat die jonge vrouw die voor ons staat explosieven in de voedingspotjes voor haar baby gestopt heeft? Abrikozenmoes en appel met rabarber à la dynamiet!'

'Geloof me, alles is mogelijk.'

'Kom op, een beetje gezond verstand! Waar zijn die Engelse heren gebleven die tijdens de blitzkrieg rustig hun thee zaten te drinken?'

'Onder de bommen?' fluisterde Julia opgelaten omdat Anthony zo hard sprak. 'En jij bent nog net zo'n mopperkont als vroeger. Bovendien, als ik die veiligheidsbeambte uitlegde dat de man met wie ik reis niet helemaal mijn vader is, en hem uitvoerig de bijzonderheden van onze situatie zou beschrijven, dan zou hij misschien wel een beetje gezond verstand mogen verliezen, niet? Want ik heb het mijne achtergelaten in een houten kist midden in mijn woonkamer!'

Anthony haalde zijn schouders op en liep naar voren. Het was zijn beurt om door het poortje te gaan. Julia dacht nog eens na over de laatste zin die ze zojuist had uitgesproken en riep hem meteen terug. Haar stem verraadde de paniek die haar plotseling overviel. 'Kom,' zei ze met klem. 'Laten we hier weggaan. Het was een stom idee om te gaan vliegen. Laten we een auto huren, ik rij, over zes uur zijn we in Montréal, en ik beloof je dat we onderweg zullen praten. In de auto kun je sowieso beter praten, toch?'

'Wat is er opeens met je aan de hand, Julia? Waar ben je zo bang voor?'

'Begrijp je dat dan niet?' fluisterde ze in zijn oor. 'Je wordt binnen twee seconden betrapt. Je zit boordevol elektronica, als je erdoorheen loopt beginnen die detectoren te loeien. De politie springt boven op je, arresteert je, gaat je fouilleren, van top tot teen doorlichten, en daarna zullen ze je in stukjes uit elkaar halen om erachter te komen hoe zo'n technologisch hoogstandje mogelijk is.'

Anthony glimlachte en deed in stap in de richting van de veiligheidsbeambte. Hij sloeg zijn paspoort open, vouwde een brief open die in het omslag gestoken zat en reikte hem die aan.

De beambte las hem vluchtig door, riep zijn meerdere erbij en verzocht Anthony Walsh om aan de zijkant te gaan staan. De chef nam op zijn beurt kennis van het document en nam een respectvollere houding aan. Anthony Walsh werd apart genomen; hij werd zeer beleefd bevoeld en zodra het fouilleren klaar was kreeg hij toestemming om door te lopen.

Julia moest de standaardprocedure ondergaan. Ze moest haar schoenen uittrekken en haar riem af doen. De speld die haar haren bijeen hield werd in beslag genomen – te lang en te puntig – en een nagelknippertje dat nog in haar toilettas zat – de nagelvijl waarmee het was uitgerust was langer dan twee centimeter. Ze kreeg een reprimande van de supervisor voor haar onzorgvuldigheid.

Stond op de borden niet duidelijk aangegeven, in grote tekens, welke voorwerpen verboden waren aan boord van een vliegtuig? Ze waagde het te antwoorden dat het eenvoudiger zou zijn aan te geven welke wel waren toegestaan, en de veiligheidsbeambte vroeg haar op strenge toon of ze een probleem had met de geldende regels. Julia verzekerde hem dat er niks aan de hand was. Haar vlucht vertrok over drie kwartier, dus wachtte ze niet op het antwoord van de man maar pakte haar tas en spoedde zich naar Anthony Walsh die haar vanuit de verte met een spottende blik stond gade te slaan.

'Mag ik weten waarom jij recht had op zo'n voorkeursbehandeling?'

Anthony zwaaide met de brief die hij nog steeds in zijn hand hield en gaf hem vol leedvermaak aan zijn dochter.

'Heb je een pacemaker?'

'Al tien jaar, Julia.'

'Waarom?'

'Omdat ik een hartaanval heb gehad en mijn hart wel wat hulp kon gebruiken.'

'Wanneer is dat dan gebeurd?'

'Als ik je zou vertellen dat het op de sterfdag van je moeder was, zou je me weer beschuldigen van theatraal gedrag.'

'Waarom heb ik dat nooit geweten?'

'Misschien omdat je te druk was met je eigen leven?'

'Niemand heeft me iets verteld.'

'Dan hadden ze wel moeten weten waar je te bereiken was… En trouwens, laten we er vooral geen drama van maken. De eerste maanden vond ik het vreselijk een apparaat te moeten dragen. En dan te bedenken dat ik nu alleen nog maar een apparaat ben! Zullen we gaan? Anders missen we die vlucht nog,' zei Anthony Walsh terwijl hij het bord met vertrektijden raadpleegde. 'O, nee,' vervolgde hij, 'Ze vermelden een uur vertraging. Stel je voor dat zelfs vliegtuigen nog op tijd zouden vertrekken!'

Julia profiteerde van de extra tijd om rond te snuffelen bij een tijdschriftenwinkel. Verborgen achter een schap keek ze naar Anthony, zonder dat hij het doorhad. Hij zat in de wachtruimte naar de startbanen te staren, zijn blik op oneindig, en voor het eerst had Julia het gevoel dat ze haar vader miste. Ze draaide zich om en toetste het nummer van Stanley in.

'Ik ben op het vliegveld,' zei ze zachtjes in het toestel.

'Vertrek je al bijna?' vroeg haar vriend bijna onhoorbaar.

'Is het druk in je winkel, stoor ik?'

'Dat wilde ik jou net vragen.'

'Nee, ik bel jou toch,' antwoordde Julia.

'Waarom fluister je dan?'

'Daar was ik me niet van bewust.'

'Je moet vaker langskomen, je brengt geluk. Een uur nadat je vertrokken was heb ik die achttiende-eeuwse klok verkocht. Ik zat er al twee jaar mee opgescheept.'

'Als hij echt achttiende-eeuws was, zag-ie er nog goed uit voor zijn leeftijd.'

'Het was net zo'n goeie leugenaar als jij. Ik weet niet met wie je bent, en ik wil het ook niet weten, maar je moet niet denken dat ik een dombo ben, dat haat ik.'

'Maar het is echt niet wat jij gelooft!'

'Geloof is een religieuze zaak, schat.'

'Ik ga je missen, Stanley.'

'Geniet maar lekker van die paar dagen; reizen houdt je jong.'

Hij hing op voordat Julia de kans had nog iets te zeggen. Toen de verbinding verbroken was keek hij naar zijn telefoon en zei: 'Ga met wie je wilt, maar word niet verliefd op een Canadees die je daar houdt. Een dag zonder jou is lang, ik verveel me nu al kapot.'

93

VIII

Om 17.30 uur landde vlucht 4742 van American Airlines op lucht-haven Pierre-Trudeau in Montréal. Ze passeerden de douane zonder problemen. Er stond een auto voor ze klaar. Het was rustig op de weg, en een halfuur later reden ze door de zakenwijk. Anthony wees naar een hoge, glazen wolkenkrabber.

'Ik heb gezien dat die gebouwd werd,' verzuchtte hij. 'Hij is net zo oud als jij.'

'Waarom vertel je me dat?'

'Aangezien je zo dol bent op deze stad, laat ik er een herinnering achter. Op een dag zul je hier lopen en dan weet je dat je vader een paar maanden in dat gebouw gewerkt heeft. Dan zal deze straat minder onpersoonlijk zijn.'

'Ik zal het onthouden,' zei ze.

'Wil je niet weten wat ik daar deed?'

'Zaken, neem ik aan?'

'O, nee hoor; destijds runde ik alleen maar een kleine krantenki-osk. Je bent niet met een zilveren lepel in de mond geboren, die kwam later pas.'

'Heb je dat lang gedaan?' vroeg Julia verbaasd.

'Op een dag kreeg ik het idee om ook warme dranken te gaan verkopen. Toen begon ik pas echt zaken te doen!' vervolgde Antho-ny met pretogen. 'De mensen dromden het gebouw binnen, verkleumd door de wind die vanaf het eind van de herfst komt opzetten en pas in het voorjaar weer gaat liggen. Je had moeten zien hoe ze zich op mijn koffie, warme chocolademelk en thee stortten... twee keer zo duur als elders.'

'En daarna?'

'Daarna zette ik ook sandwiches op mijn kaart. Die maakte je moeder 's ochtends vroeg klaar. De keuken in ons appartement veranderde binnen afzienbare tijd in een heuse fabriek.'

'Hebben mama en jij in Montréal gewoond?'

'We woonden tussen de kroppen sla, plakken ham en rollen vershoudfolie. Toen ik begon met een bezorgservice voor de verschillende verdiepingen in die toren en in de toren die ernaast gebouwd was, moest ik iemand in dienst nemen.'

'Wie was dat?'

'Je moeder! Zij bemande de kiosk terwijl ik de bestelling rondbracht. Ze was zo mooi dat klanten soms wel vier keer per dag iets kwamen kopen, alleen maar om haar te zien. Wat hebben we toen een lol gehad. Elke klant had een eigen bonnetje en je moeder wist precies wie wie was. De boekhouder van kantoor 1407 was verkikkerd op haar, zijn sandwiches waren dubbeldik belegd. Voor de personeelschef van de elfde werden de restjes mosterd bewaard, en de verlepte slablaadjes. Je moeder mocht hem niet zo.'

Ze kwamen aan bij het hotel. De kruier liep met ze mee tot de receptie.

'We hebben niet gereserveerd,' zei ze terwijl ze haar paspoort aan de receptionist gaf.

De man keek op zijn scherm welke kamers er nog beschikbaar waren. Hij tikte de achternaam in.

'Jawel hoor, u hebt wel een kamer, en wat voor een!'

Julia keek hem verbaasd aan terwijl Anthony een paar passen naar achter deed.

'Meneer en mevrouw Walsh… Coverman!' riep de receptionist uit. 'En als ik me niet vergis blijft u de hele week.'

'Dat heb jij toch niet geflikt?' fluisterde Julia tegen haar vader die zo onschuldig mogelijk keek.

De receptionist hielp hem uit de brand door tussenbeide te komen. 'U hebt de suite…' Zich bewust van het leeftijdsverschil tussen meneer en mevrouw Walsh, voegde hij daaraan toe, met een nauwelijks hoorbare stembuiging: '… de bruidssuite.'

'Had je geen ander hotel kunnen uitzoeken,' zei Julia in haar vaders oor.

'Het was een all-inpakket,' probeerde Anthony zich te rechtvaardigen. 'Je toekomstige echtgenoot had gekozen voor een totaalpakket, vlucht en verblijf. En we hebben mazzel, hij heeft niet gekozen voor half-pension. Maar ik beloof je dat het hem geen cent zal kosten, we betalen alles met mijn creditcard. Jij bent mijn erfgename, dus jij trakteert,' zei hij lachend.

'Dat was niet waar ik me zorgen om maakte!' voer Julia uit.

'O, waarom dan?'

'De bruidssuite?'

'Maak je geen zorgen, ik heb het nagevraagd bij het reisbureau, die suite bestaat uit twee kamers met een salon ertussen, op de bovenste etage. Je hebt toch geen hoogtevrees, hoop ik?'

Terwijl Julia haar vader de les las reikte de receptionist haar de sleutel aan en wenste haar een heel goed verblijf toe.

De kruier liep met ze naar de lift. Julia maakte rechtsomkeert en beende terug naar de receptie.

'Het is niet wat u denkt! Hij is mijn vader.'

'Maar ik denk helemaal niks, mevrouw,' antwoordde de man opgelaten.

'Jawel, u denkt wel wat, maar u vergist zich!'

'Mevrouw, ik kan u verzekeren dat ik in mijn vak alles gezien heb,' zei hij terwijl hij zich over de balie boog zodat niemand het gesprek kon opvangen. 'Ik kan zwijgen als het graf,' verzekerde hij haar op geruststellende toon.

Toen Julia hem van repliek wilde dienen greep Anthony haar bij haar arm en trok haar weg bij de receptie.

'Je maakt je veel te druk om wat anderen denken.'

'Wat kan jou dat nou schelen?'

'Je beperkt jezelf erdoor en je verliest je gevoel voor humor. Kom mee, de kruier houdt de lift open en we zijn niet de enigen die zich in dit hotel willen verplaatsen.'

∾

De suite was zoals Anthony hem beschreven had. De ramen van de twee slaapkamers, die van elkaar gescheiden waren door een salon, keken uit over de oude stad. Toen ze haar tas net op het bed had gezet moest ze alweer terug om de deur open te doen. Er stond een hotelbediende achter een serveerwagen waarop een fles champagne in een koeler stond, twee glazen en een doosje bonbons.

'Wat is dat?' vroeg Julia.

'Met onze hartelijke gelukwensen, mevrouw,' antwoordde de jongen. 'Dit bieden we de bruidsparen aan die in ons hotel verblijven.'

Julia wierp hem een boze blik toe en pakte het kaartje dat op het tafellaken lag. De directeur van het hotel bedankte meneer en mevrouw Walsh-Coverman dat ze zijn etablissement gekozen hadden om hun huwelijk te vieren. Het voltallige personeel stond tot hun beschikking om hun verblijf onvergetelijk te maken. Julia verscheurde het kaartje, legde de stukjes netjes terug op de serveerwagen en sloeg de deur dicht voor de neus van de jongen.

'Maar mevrouw, het zit bij het tarief van uw kamer inbegrepen,' klonk het vanuit de gang.

Ze gaf geen antwoord. De wagen rolde piepend in de richting van de lift. Julia deed de deur weer open, liep gedecideerd naar de jonge man, pakte het doosje bonbons en maakte meteen rechtsomkeert. De jongen schrok op toen de deur van suite 702 voor de tweede keer met een knal dichtsloeg.

'Wat was dat?' vroeg Anthony Walsh die uit zijn kamer kwam.

'Niks,' antwoordde Julia. Ze zat in de vensterbank van het raam van de salon.

'Mooi uitzicht, hè?' zei hij, zijn blik gericht op de Saint-Laurent die in de verte zichtbaar was. 'Het is zacht weer, heb je zin om een stukje te gaan wandelen?'

'Alles beter dan hier blijven.'

'Ik heb deze plek niet uitgekozen,' antwoordde Anthony terwijl hij een trui over de schouders van zijn dochter sloeg.

❧

De straten in het oude Montréal, met hun ongelijke klinkertjes, doen qua charme niet onder voor die in de mooiste wijken van Europa. De wandeling van Anthony en Julia begon op place d'Armes; Anthony Walsh achtte het zijn plicht zijn dochter over het leven van meneer Maisonneuve te vertellen, wiens standbeeld midden in een kleine vijver stond. Ze onderbrak hem met een geeuw en liet hem achter voor het monument ter herinnering aan de grondlegger van de stad om een kijkje te nemen bij de snoepverkoper een paar meter verderop.

Even later kwam ze terug met een zakje vol zoetigheid dat ze haar vader voorhield, die het aanbod afsloeg met een 'pruimenmondje' zoals de inwoners van Québec zouden zeggen. Julia keek van het standbeeld van de heer Maisonneuve, hoog boven haar uittorenend op zijn sokkel, naar haar vader en weer terug naar het bronzen beeld en knikte instemmend.

'Wat?' vroeg Anthony.

'Jullie vormen een goed stel samen, jullie hadden het vast goed kunnen vinden.'

Ze trok hem mee naar rue Notre-Dame. Anthony wilde voor nummer 130 blijven staan. Het was het oudste gebouw van de stad. Hij legde aan zijn dochter uit dat het nog altijd onderdak bood aan een aantal sulpicianen die ooit heer en meester van het eiland waren.

Julia moest weer gapen en begon vlugger langs de basiliek te lopen, in de vrees dat haar vader er naar binnen wilde.

'Je weet niet wat je mist!' riep hij naar haar terwijl ze nog meer versnelde. 'Het gewelf stelt een sterrenhemel voor, het is prachtig!'

'Ja, nu weet ik het wel,' zei ze vanuit de verte.

'Je moeder en ik hebben je er laten dopen!' moest Anthony nu schreeuwen.

Julia bleef meteen staan en liep terug naar haar vader die zijn schouders ophaalde.

'Op naar je sterrenhemel,' gaf ze zich gewonnen. Nieuwsgierig beklom ze de treden van de Notre-Dame van Montréal.

Het schouwspel dat de hoofdbeuk bood was inderdaad opvallend mooi. Omgeven door een weelderige lambrisering leken het koepeldak en het middenpad bekleed te zijn met lapis lazuli. Verwonderd liep Julia tot aan het altaar.

'Zoiets moois had ik niet verwacht,' mompelde ze.

'Daar ben ik blij mee,' zei Anthony triomfantelijk.

Hij nam haar mee naar de kapel die gewijd was aan het Heilig Hart.

'Hebben jullie me hier echt laten dopen?' vroeg Julia.

'Absoluut niet! Je moeder was atheïst, dat had ze nooit toegestaan.'

'Waarom zei je dat dan?'

'Omdat je zoiets moois niet verwacht had,' antwoordde Anthony terwijl hij terugliep naar de imposante houten deuren.

Toen ze door rue Saint-Jacques liepen dacht Julia even dat ze weer in zuid-Manhattan was, met al die gebouwen met witte gevels en zuilen die je ook op Wall Street ziet. De straatlantaarns in rue Sainte-Hélène waren net aangegaan. Niet ver daarvandaan, toen ze op een pleintje aankwamen met paden omgeven door fris gras, zocht Anthony opeens steun bij een bankje en viel bijna achterover. Met een handgebaar stelde hij Julia gerust die gehaast op hem af kwam.

'Het is niks,' zei hij, 'nog een bug, nu in mijn kniegewricht.'

Julia hielp hem te gaan zitten.

'Doet het erg pijn?'

'Helaas weet ik al een paar dagen niet meer wat pijn is,' zei hij met een vertrokken gezicht. 'Doodgaan moet toch een paar voordelen hebben.'

'Hou daarmee op! Waarom trek je zo'n gezicht? Je ziet eruit alsof je wel pijn hebt.'

'Dat is zo geprogrammeerd, neem ik aan. Iemand die zich bezeert en geen krimp geeft zou zijn geloofwaardigheid verliezen.'

'Het is goed. Ik hoef niet alle details te horen. Kan ik niks voor je doen?'

Anthony haalde een zwart boekje uit zijn zak en gaf het met een pen aan Julia.

'Kun je even noteren dat op de tweede dag het rechterbeen fratsen lijkt uit te halen. Aanstaande zondag moet je ervoor zorgen dat ze dit boekje krijgen. Dat helpt ze ongetwijfeld bij het verbeteren van de toekomstige modellen.'

Julia zei niks. Toen ze op het witte papier wilde opschrijven wat haar vader haar gevraagd had te melden begon haar pen te trillen.

Anthony keek naar haar en pakte de pen van haar af.

'Het was niks. Zie je, ik kan alweer normaal lopen,' zei hij terwijl hij opstond. 'Een kleine afwijking die vanzelf weer hersteld is. Dat hoeft niet gemeld te worden.'

Een koetsje met een paard ervoor kwam place d'Youville op gereden; Julia beweerde dat ze altijd gedroomd had van zo'n ritje. Ze had duizenden keren door Central Park gewandeld zonder het ooit te durven, dit was hét moment. Ze wenkte de koetsier. Anthony keek haar wanhopig aan, maar ze maakte hem duidelijk dat ze geen tegenspraak duldde. Hij hees zich aan boord en verzuchtte: 'Belachelijk, dit is belachelijk.'

'Ik dacht dat je je niets moest aantrekken van anderen?'

'Ja, nou ja, tot op zekere hoogte.'

'Je wilde samen een reis maken, nou, dat doen we nu,' zei ze.

Verbijsterd keek Anthony naar de wiegende kont van het paard.

'Eén ding, als ik die staart van die olifant ook maar één beweging zie maken dan stap ik uit.'

'Paarden behoren tot een andere diersoort,' verbeterde Julia hem.

'Met zo'n kont betwijfel ik dat.'

❧

Het koetsje hield halt in de oude haven, voor café Des Eclusiers. De enorme graansilo's op de kade onttrokken de hoge oever ertegenover aan het oog. Hun indrukwekkende rondingen leken uit het water omhoog te komen en op te stijgen in de nacht.

'Kom, laten we hier weggaan,' zei Anthony humeurig. 'Ik heb die betonnen monsters die het uitzicht verpesten nooit mooi gevonden. Ik begrijp niet dat ze nog niet zijn gesloopt.'

'Ik neem aan dat het monumenten zijn,' antwoordde Julia. 'Misschien dat ze ooit weer hun charme zullen hebben.'

'Tegen die tijd zal ik niet meer op deze wereld zijn om ze te zien, en ik durf te wedden dat jij er dan ook niet meer bent.'

Hij trok zijn dochter mee over de boulevard van de oude haven. Ze vervolgden hun wandeling door de groene zones langs oevers van de Saint-Laurent. Julia liep een paar meter voor hem. Ze keek omhoog naar een vlucht zeemeeuwen. Het avondbriesje speelde met een lok van haar haar.

'Waar kijk je naar?' vroeg Julia aan haar vader.

'Naar jou.'

'En wat dacht je?'

'Dat je zo knap bent, je lijkt op je moeder,' antwoordde hij met een bescheiden glimlach.

'Ik heb trek,' liet Julia weten.

'We zoeken ergens een tafeltje waar jij het leuk vindt, iets verderop. Aan deze kades barst het van de restaurantjes, het ene nog smeriger dan het andere.'

'Welk is het goorst, volgens jou?'

'Maak je geen zorgen, ik vertrouw het ons wel toe. Als we allebei ons best doen moeten we het kunnen vinden!'

Julia en Anthony slenterden langs de winkeltjes bij het kruispunt met quai des Evénements. De oude pier liep ver de Saint-Laurent in.

'Die man daar!' riep Julia, wijzend naar een gedaante die zich een weg door de menigte baande.

'Welke man?'

'Vlak bij die ijsverkoper, met een zwarte jas,' verduidelijkte ze.

'Ik zie niks!'

Ze trok Anthony aan zijn arm mee waardoor ze hem dwong zijn pas te versnellen.

'Wat bezielt je?'

'Schiet nou op, we raken hem kwijt!'

Julia werd opeens meegevoerd door de massa bezoekers op de pier.

'Maar wat is er nou toch aan de hand?' mopperde Anthony die haar met moeite kon volgen.

'Kom nou!' drong ze aan zonder op hem te wachten.

Maar Anthony weigerde nog een voet te verzetten en ging op een bankje zitten. Julia liet hem achter en ging zowat rennend op zoek naar de mysterieuze man die al haar aandacht leek op te eisen. Al snel keerde ze teleurgesteld terug.

'Ik ben hem kwijtgeraakt.'

'Ga je me nog vertellen wat er aan de hand is?'

'Daar verderop, bij die straatverkopers, ik weet zeker dat ik je privésecretaris daar zag.'

'Mijn secretaris ziet er doodgewoon uit. Hij lijkt op iedereen en iedereen lijkt op hem. Je hebt je vast vergist, dat is alles.'

'Waarom bleef jij dan opeens staan?'

'Mijn kniegewricht...' antwoordde Anthony Walsh klaaglijk.

'Ik dacht dat je geen pijn had!'

'Het is weer dat stomme programma. Wees verder een beetje verdraagzaam, ik heb niet alles in de hand, ik ben uiteindelijk niet meer dan een zeer geavanceerde machine... En al zou Wallace hier zijn, dat is zijn goed recht. Hij kan doen en laten wat hij wil nu hij met pensioen is.'

'Misschien ja, maar het zou toch wel heel toevallig zijn.'

'De wereld is zo klein! Maar ik weet zeker dat je iemand anders voor hem hebt aangezien. Zei je net niet dat je trek had?'

Julia hielp haar vader overeind.

'Volgens mij is alles weer in orde,' zei hij terwijl hij zijn been bewoog. 'Zie je wel, ik kan weer huppelen. Laten we nog een klein stukje lopen voordat we aan tafel gaan.'

Zodra het weer lente is zetten de verkopers van allerlei prullaria en souvenirs voor toeristen hun kraampjes weer op langs de boulevard.

'Kom, laten we zo lopen,' zei Anthony terwijl hij zijn dochter meetrok in de richting van de pier.

'Ik dacht dat we gingen eten?'

Anthony zag een prachtige jonge vrouw die voor tien dollar een houtskooltekening van voorbijgangers maakte.

'Verdomd goed getekend!' riep Anthony uit terwijl hij haar werk bekeek.

Achter haar hingen een paar schetsen aan een hek waaruit haar talent sprak, en het portret dat ze op dat moment van een toerist aan het maken was bevestigde dat nog eens. Julia had geen enkele aandacht voor het tafereel. Omdat ze trek had kon ze alleen nog maar aan eten denken. Trek stond bij haar gelijk aan onweerstaanbare honger. De mannen met wie ze omging waren altijd verbaasd over haar enorme eetlust. Of het nou haar collega's waren of mannen met wie ze een tijdje haar leven gedeeld had. Adam was ooit de uitdaging met haar aangegaan om een enorme stapel pannenkoeken. Julia stortte zich vrolijk op haar zevende pannenkoek terwijl bij haar partner, die na de vijfde gestopt was, de eerste symptomen verschenen van een gedenkwaardige indigestie. Het meest oneerlijke was nog wel dat haar figuur op geen enkele manier leek te lijden onder haar uitspattingen.

'Zullen we gaan?' drong ze aan.

'Wacht even!' antwoordde Anthony terwijl hij de plaats innam van de toerist die net was opgestaan.

Julia sloeg haar ogen ten hemel. 'Wat doe je?' vroeg ze ongeduldig.

'Ik laat mijn portret tekenen!' reageerde Anthony opgewekt. Hij keek naar de tekenares die haar houtskoolpen bijsneed en vroeg: 'Van voren of van opzij?'

'Halfprofiel?' stelde de jonge vrouw voor.

'Linker- of rechterkant?' vroeg Anthony, terwijl hij op het klapstoeltje draaide. 'Ze hebben me altijd verteld dat ik er van deze kant beter uitzie. Wat vindt u? En jij, Julia, wat vind jij?'

'Niks! Helemaal niks,' zei ze terwijl ze zich omdraaide. 'Met al die kleverige snoepjes die je daarstraks naar binnen hebt geschrokt kan je maag nog wel even wachten. Ik begrijp überhaupt niet dat je nog trek hebt na al dat gesnoep.'

De portrettekenares glimlachte meewarig naar Julia.

'Het is mijn vader, we hebben elkaar jaren niet gezien – hij was te veel met zichzelf bezig. De laatste keer dat we zo'n soort wandeling maakten bracht hij me naar de kleuterschool. Daar heeft hij de draad weer opgepakt. Vertel hem vooral niet dat ik de dertig gepasseerd ben, dat zou een enorme schok voor hem zijn.'

De jonge vrouw legde haar potlood neer en keek Julia aan. 'Mijn schets mislukt als je me zo aan het lachen maakt.'

'Zie je wel, je stoort deze dame tijdens haar werk. Ga de tekeningen die daar hangen maar even bekijken, het duurt niet lang.'

'Die tekening kan hem geen donder schelen, hoor, hij is daar alleen maar gaan zitten omdat hij je mooi vindt,' zei Julia ter verduidelijking tegen de tekenares.

Anthony wenkte zijn dochter bij zich, alsof hij haar een geheim wilde toevertrouwen. Met een boos gezicht boog ze zich naar hem toe.

'Wat denk je,' fluisterde hij in haar oor. 'Hoeveel jonge vrouwen zouden ervan dromen te kunnen zien hoe hun vader geportretteerd wordt, drie dagen na zijn dood? Nou?'

Julia wist niet wat ze daarop moest zeggen en liep weg.

Terwijl hij doodstil poseerde observeerde Anthony zijn dochter, die de tekeningen bekeek die niet verkocht waren of die de jonge kunstenares voor de lol gemaakt had, als oefening.

Plotseling verstarde het gezicht van Julia. Haar ogen werden groot en haar mond ging open alsof ze adem te kort kwam. Was het mogelijk dat een houtskoollijn zo veel herinneringen boven bracht? Dat portret dat hier aan een hek hing, dat kuiltje in die kin, de net iets te zware jukbenen, die blik waarnaar ze keek en die ook op haar gericht leek te zijn, dat haast arrogante gezicht wierpen haar vele jaren terug in de tijd, naar zo veel voorbije emoties.

'Tomas?' stamelde ze.

IX

$\mathcal{J}$ulia was achttien geworden, die eerste septemberdag in 1989. Om dat te vieren zou ze stoppen met het *college* waar Anthony Walsh haar had ingeschreven en een internationaal uitwisselingsprogramma gaan doen op een heel ander gebied dan haar vader voor haar had bedacht. De laatste jaren had ze geld gespaard door bijlessen te geven, de laatste maanden door stiekem model te staan voor de afdeling grafische kunsten, en door van haar vrienden te winnen met allerlei wilde kaartspelletjes. Daar kwam het geld van de studiebeurs nog bij die ze uiteindelijk had weten los te peuteren. Daarvoor had Julia de secretaris van Anthony Walsh in het complot moeten betrekken, om te zorgen dat ze de beurs kreeg toegewezen zonder dat het faculteitsbestuur het vermogen van haar vader zou aanvoeren als argument tegen haar verzoek. Wallace had met grote tegenzin – 'Maar jongedame, wat laat je me nu toch doen, als je vader erachter komt' – ingestemd om het formulier te ondertekenen waarin hij verklaarde dat zijn werkgever al lang niet meer bijdroeg in de kosten van zijn dochter. Bij het overleggen van haar getuigschriften had Julia de decaan van de universiteit overtuigd.

Haar paspoort had ze tijdens een kort en stormachtig bezoekje aan het huis van haar vader aan Park Avenue opgehaald. Julia had de deur met kracht dichtgeslagen en was in een bus gestapt naar luchthaven JFK. In de vroege ochtend van 6 oktober 1989 was ze in Parijs geland.

Opeens zag ze de studentenkamer weer voor zich. De houten tafel bij het raam, met het unieke uitzicht over de daken van het Observatoire; het ijzeren stoeltje, de lamp afkomstig uit een andere eeuw; het bed met de ietwat stugge lakens die wel heel lekker roken, twee meisjes die op dezelfde overloop woonden, hun namen bleven gevangen in het verleden. Boulevard Saint-Michel die ze elke dag afwandelde om naar de kunstacademie te gaan. De kroeg op de hoek van boulevard Arago en zijn stamgasten die aan de bar stonden te roken en 's ochtends al koffie met cognac dronken. Haar verlangen naar vrijheid werd werkelijkheid en geen vriendje stond haar studie in de weg. Van 's ochtends vroeg tot 's avonds laat was Julia aan het tekenen. Ze had bijna elk bankje in de Jardin du Luxembourg geprobeerd, alle paden bewandeld, was tegen het verbod in op het gras gaan liggen om naar het onbeholpen geloop van de vogels te kijken, die als enige het recht hadden zich daar te bevinden. Oktober was voorbij en haar eerste herfst in Parijs werd beëindigd met de komst van de eerste grijze dagen van november.

In café Arago, op een doodgewone avond, bespraken studenten van de Sorbonne gepassioneerd de gebeurtenissen in Duitsland. Sinds begin september staken duizenden Duisters de Hongaarse grens over in een poging naar het Westen te vluchten. De dag daarvoor waren ze met een miljoen aan het demonstreren in de straten van Berlijn.

'Dit is een historisch moment!' had een van hen geschreeuwd.

Hij heette Antoine.

Er kwamen allerlei herinneringen boven.

'We moeten erheen,' stelde iemand voor.

Dat was Mathias. Ik weet het weer, hij rookte continu, werd kwaad om niks, praatte aan één stuk door, en als hij niks meer te zeggen had begon hij te neuriën. Ik had nog nooit iemand ontmoet die zo bang was voor de stilte.

Er was een groepje gevormd. Diezelfde nacht vertrok er een auto richting Duitsland. Als ze om de beurt reden zouden ze rond het middaguur in Berlijn zijn.

Wat had Julia er die avond in café Aragon toe bewogen haar hand op te steken? Wat had haar naar die tafel met studenten van de Sobonne geleid? 'Mag ik met jullie mee?' had ze gevraagd terwijl ze dichterbij kwam.

Ik herinner me elk woord.

'Ik kan rijden en heb de hele dag geslapen.'

Ik had gelogen.

'Ik kan uren achter het stuur zitten.'

Antoine had met de rest overlegd. *Was het Antoine of Mathias?* Wat doet het ertoe, bijna iedereen stemde erin toe haar deelgenoot te maken van het avontuur dat hun te wachten stond.

'Een Amerikaanse, dat zijn we ze wel verschuldigd,' had Mathias geroepen terwijl Antoine nog twijfelde.

Uiteindelijk stak hij zijn hand op en zei: 'Als ze weer in haar eigen land is zal ze op een dag vertellen hoe de Fransen meeleven met alle revoluties die gaande zijn.'

Ze hadden ruimte gemaakt en Julia was tussen haar nieuwe vrienden gaan zitten. Kort daarna hadden ze elkaar gedag gezoend op boulevard Arago, zoenen op gezichten die ze niet kende, maar aangezien ze deel uitmaakte van het reisgezelschap moest ze degenen die in Parijs achterbleven wel gedag zeggen. Ze moesten duizend kilometer afleggen, er was geen tijd te verliezen. De nacht van die zevende november, terwijl ze over de quai du Bercy langs de Seine liep, wist Julia absoluut zeker dat ze Parijs vaarwel zei en nooit meer vanuit haar studentenkamer over de daken van het Observatoire zou uitkijken.

Senlis, Compiègne, Amiens, Cambrai, zo veel mysterieuze namen op de verkeersborden die voorbijkwamen, zo veel onbekende steden.

Voor middernacht waren ze vlak bij België, bij Valenciennes nam Julia het stuur over.

De douanebeambten bij de grens keken vreemd op toen Julia haar Amerikaanse paspoort liet zien, maar haar studentenkaart van de kunstacademie deed dienst als vrijgeleide en de reis werd vervolgd.

Mathias was de hele tijd aan het zingen, dat irriteerde Antoine, maar ik probeerde de woorden te onthouden die ik niet altijd begreep en dat hield me wakker.

Julia moest glimlachen bij die gedachte, en er kwamen meer herinneringen boven. De eerste stop op een parkeerplaats langs de snelweg. *We telden hoeveel geld we hadden; we kochten stokbroden en plakken ham.* Ter ere van haar was er een fles Coca-Cola aangeschaft, uiteindelijk had ze er maar één slok van gedronken.

Haar reisgenoten spraken te snel en ze begreep er maar weinig van. Ze had gedacht dat ze met zes jaar Frans bijna tweetalig was. *Waarom had papa gewild dat ik deze taal leerde? Ter herinnering aan de tijd in Montréal?* Maar ze moesten alweer verder.

Na Bergen hadden ze bij La Louvière de verkeerde afslag genomen. De rit door Brussel was een avontuur. Daar spraken ze ook Frans, maar met een accent dat voor een Amerikaanse beter te verstaan was, ook al waren veel uitdrukkingen haar totaal onbekend. En waarom moest Mathias zo lachen als een voorbijganger zo vriendelijk was hun de weg naar Luik te wijzen? Antoine maakte een herberekening van de reistijd. De omweg zou ze dik een uur extra kosten en Mathias drong erop aan harder te rijden. De revolutie zou niet op ze wachten. Een nieuw punt op de kaart, meteen omkeren, de route via het noorden was te lang, ze zouden via het zuiden rijden, richting Düsseldorf.

Maar eerst moest Vlaams-Brabant doorkruist worden. Hier was het Frans verdwenen. Wat een bijzonder land, waar drie zo verschillende talen gesproken werden op een paar kilometer afstand van elkaar! 'Het land van de strips en de humor!' had Mathias geantwoord terwijl hij Julia het bevel gaf nog harder te rijden. Toen ze Luik naderden was ze zo moe dat de auto een verontrustende zwieper maakte.

Ze stopte op de vluchtstrook om van de schrik te bekomen, kreeg een uitbrander van Antoine en werd naar de achterbank verwezen waar ze vervolgens werd doodgezwegen.

De straf was pijnloos, Julia zou zich niks herinneren van het moment dat ze de grens met West-Duitsland passeerden. Mathias, die een diplomatieke vrijgeleide had omdat zijn vader ambassadeur was, wist de douanebeambte te overtuigen op dit late uur zijn halfzusje niet wakker te maken. Ze was net uit Amerika aangekomen.

Begripvol had de douanier genoegen genomen met de papieren van de anderen, die in het handschoenenvakje lagen.

Toen Julia haar ogen opende waren ze bij Dortmund. Met algemene stemmen, min één – ze hadden haar niks gevraagd – was besloten een tussenstop te maken. Ontbijt in een echt café. Het was de ochtend van 8 november en ze werd voor het eerst van haar leven wakker in Duitsland. Morgen zou de wereld zoals ze die tot dan toe gekend had totaal veranderen, en haar, jong als ze was, meeslepen in zijn onverwachte loop.

Na Bielefeld kwam Hannover. Julia nam weer plaats achter het stuur. Antoine was het er eigenlijk niet mee eens, maar Mathias en hij waren geen van beiden in staat nog langer door te rijden en Berlijn was nog een heel eind. De twee vrienden vielen meteen in slaap en Julia genoot eindelijk van een moment van stilte. Ze kwamen nu in de buurt van Helmstedt. Hier zou het passeren van de grens wat lastiger worden. Voor hen doemden prikkeldraadversperringen op die de grens met Oost-Duitsland markeerden. Mathias deed een oog open en gaf Julia opdracht zo snel mogelijk in de berm te stoppen.

De rollen werden verdeeld. Mathias zou achter het stuur gaan zitten, Antoine naast hem en Julia op de achterbank. Zijn diplomatenpaspoort zou de toverformule zijn om de douaniers te overtuigen hen door te laten. 'Generale repetitie,' had Mathias gezegd. Geen woord over hun echte bedoeling. Als gevraagd zou worden wat ze in de DDR kwamen doen zou Mathias antwoorden dat hij zijn vader ging bezoeken, die als diplomaat in Berlijn gestationeerd was, Julia zou haar Amerikaanse nationaliteit gebruiken, haar vader zou ook ambtenaar in Berlijn zijn. 'En ik?' had Antoine gevraagd. 'Jij houdt je mond,' had Mathias geantwoord terwijl hij wegreed.

De rechterkant van de weg werd afgebakend door een dicht dennenbos. Aan de rand doemden de donkere contouren van de grenspost op. Het gebied was zo groot dat het haast leek op een overlaadstation. De auto baande zich een weg tussen twee vrachtwagens. Een beambte gebaarde dat ze naar een andere rij moesten. Mathias lachte niet meer.

Nog veel hoger dan de toppen van de bomen die in de verte verdwenen, rezen aan weerszijden twee masten op voorzien van schijnwerpers. Vier bijna net zo hoge uitkijkposten stonden tegenover elkaar. Boven de traliehekken die na elke auto weer dichtgingen hing een bord waarop stond MARIENBORN, BORDER CHECKPOINT.

Bij de eerste controle moesten ze de kofferbak openen. De tassen van Antoine en Mathias werden doorzocht, en Julia realiseerde zich dat ze helemaal niks had meegenomen. Ze kregen het bevel een stukje door te rijden, naar de verplichte passage iets verderop door een soort tunnel met barakken van witte golfplaten, waar de identiteitspapieren gecontroleerd zouden worden. Een beambte gelastte

Mathias de auto aan de kant te zetten en met hem mee te lopen. Antoine mopperde dat deze reis totale waanzin was, dat hij dat vanaf het begin had gezegd en Mathias herinnerde hem aan hun afspraak voordat hij het stuur vastpakte. Met een blik vroeg Julia wat hij van haar verwachtte. *Mathias had onze paspoorten gepakt, ik herinner het me alsof het gisteren was. Hij liep achter de douanier aan. Antoine en ik zaten op hem te wachten, en ook al waren we alleen onder die naargeestige metalen constructie, we hebben geen woord tegen elkaar gezegd, geheel volgens zijn instructies. Vervolgens verscheen Mathias weer met een militair in zijn kielzog. Antoine en ik hadden geen van beiden enig idee wat er ging gebeuren. De jonge soldaat keek ons beurtelings aan. Hij gaf Mathias de paspoorten terug en gebaarde dat hij door kon rijden. Ik was nog nooit zo bang geweest, ik had nooit eerder de sensatie gevoeld ergens binnen te dringen, een gevoel dat onder je huid kruipt en je tot op het bot verkilt. De auto rolde langzaam naar voren, naar de volgende controle, en stopte opnieuw onder een gigantisch afdak, waar alles weer van voren af aan begon. Mathias stapte weer uit om naar andere barakken te gaan, en toen hij eindelijk glimlachend terugkwam begrepen we dat de weg naar Berlijn voor ons open lag. Het was verboden op weg naar onze bestemming de snelweg te verlaten.*

Het briesje dat over de boulevard in de oude haven van Montréal waaide deed Julia huiveren. Maar haar ogen bleven gericht op de houtskooltekening, een gezicht afkomstig uit andere tijden, op een doek dat veel witter was dan de golfplaten van de barakken aan de grens die destijds Duitsland in tweeën deelde.

Tomas, ik was op weg naar jou. We waren zorgeloos en jij was nog in leven.

Het duurde ruim een uur voor Mathias weer zin kreeg om te zingen. Behalve een paar vrachtwagens waren de personenauto's die ze tegenkwamen of passeerden allemaal Trabantjes. Alsof alle inwoners van dat land dezelfde auto wilden om niet met die van de buren te hoeven wedijveren. Hun auto maakte veel indruk. De Peugeot 504 bewoog zich uitstekend op de snelweg in de DDR; er was geen chauffeur die er niet verwonderd naar keek als ze inhaalden. Ze passeerden achtereenvolgens Schermen, Theessen, Köpernitz, Magdenburg en eindelijk Potsdam. Het was nog maar vijftig kilometer naar Berlijn. Antoine wilde per se achter het stuur zitten als ze de buitenwijken zouden binnenrijden. Julia barstte in lachen uit toen ze hen eraan herinnerde dat haar landgenoten de stad bijna vijfenveertig jaar geleden bevrijd hadden.

'En ze zitten er nog steeds!' had Antoine meteen scherp gereageerd.

'Met jullie Fransen,' had Julia droog opgemerkt.

'Ik word doodmoe van jullie!' besloot Mathias.

Opnieuw zwegen ze tot de volgende grens bij de toegangspoorten van de westerse enclave in Oost-Duitsland. Ze hadden geen woord meer gezegd, totdat ze de stad binnenreden en Mathias opeens uitriep: *'Ich bin ein Berliner!'*

X

*A*l hun routeberekeningen bleken onjuist te zijn geweest. De middag van 8 november liep al tegen z'n eind, maar geen van hen drieën maakte zich druk om de diverse vertragingen die ze onderweg hadden opgelopen. Ze waren uitgeput en negeerden hun vermoeidheid. De opwinding in de stad was duidelijk voelbaar, je voelde dat er iets ging gebeuren. Antoine had gelijk gehad: vier dagen daarvoor, aan de andere kant van het IJzeren Gordijn, hadden een miljoen Oost-Duitsers gedemonstreerd voor hun vrijheid. De Muur, bewaakt door duizenden soldaten en politiehonden die dag en nacht patrouilleerden, had geliefden van elkaar gescheiden, mensen die hadden samengeleefd en wachtten, zonder er nog echt in te durven geloven, op het moment dat ze eindelijk weer samen zouden zijn. Families, vrienden of gewoon buren, al achtentwintig jaar van elkaar afgesneden door drieënveertig kilometer beton, prikkeldraad, wachttorens die abrupt verrezen waren tijdens een trieste zomer die het begin van de Koude Oorlog gemarkeerd had.

De drie vrienden waren met gespitste oren in een café gaan zitten om te horen wat er om hen heen gezegd werd. Antoine probeerde zich zo goed mogelijk te concentreren en stelde zijn schoolkennis van het Duits op de proef om het commentaar van de Berlijners simultaan voor Mathias en Julia te vertalen. Het communistische regime zou niet lang stand meer houden. Sommigen dachten zelfs dat de controleposten binnen afzienbare tijd open zouden gaan. Alles was veranderd sinds Gorbatsjov in oktober een bezoek aan de DDR had gebracht. Een journalist van het dagblad *Tagesspiegel*, die snel even een biertje kwam drinken, verklaarde dat de redactie van zijn krant op volle toeren draaide.

De koppen, die normaal gesproken op dit tijdstip de persen al hadden bereikt, waren nog steeds niet bepaald. Er stond iets belangrijks te gebeuren, meer kon hij er niet over zeggen.

's Avonds begon de vermoeidheid van de reis ze parten te spelen. Julia moest aan één stuk door gapen en werd overvallen door een serieuze hik. Mathias probeerde alle mogelijke trucjes, eerst door haar te laten schrikken, maar al zijn pogingen leidden tot een schaterlach waarna de oprispingen van Julia alleen maar erger werden. Antoine was zich er ook mee gaan bemoeien. Acrobatische gymnastiekoefeningen, door een glas water ondersteboven en met gestrekte armen op te drinken. De kunstgreep was onfeilbaar, maar het werkte toch niet en de spasmes begonnen gewoon in versterkte mate opnieuw. Een paar bargasten stelden andere foefjes voor. Een glas bier in één teug drinken zou het probleem oplossen, zo lang mogelijk je adem inhouden door je neus dicht te houden, op de grond gaan liggen en je knieën naar je buik trekken. Iedereen was overtuigd van zijn aanpak, totdat een vriendelijke arts die aan de bar zijn biertje dronk in bijna perfect Engels tegen Julia zei dat ze moest gaan slapen. Aan de wallen onder haar ogen te zien was ze totaal uitgeput. Nachtrust was de beste remedie. De drie vrienden gingen op zoek naar een jeugdherberg.

Antoine vroeg waar ze konden overnachten. De vermoeidheid had ook hem niet gespaard, en de barman begreep niet wat hij wilde. Ze vonden twee kamertjes naast elkaar in een klein hotel. De twee jongens deelden er een, de andere was voor Julia alleen. Ze hesen zich de trap op naar de derde verdieping en zodra ze alleen waren stortten ze zich op hun bed, behalve Antoine, die de nacht doorbracht op een dekbed op de grond. Mathias was bij binnenkomst meteen overdwars op het bed in slaap gevallen.

∽

De portrettekenares had moeite haar schets af te maken. Tot drie keer toe had ze haar klant tot de orde geroepen, maar Anthony Walsh luisterde maar met een half oor naar haar. Terwijl de jonge vrouw zijn gezichtsuitdrukking probeerde te grijpen draaide hij elke keer zijn hoofd weg om naar zijn dochter te kijken. Verderop stond Julia naar de werken van de tekenares te kijken. Ze had een afwezige blik en leek met haar gedachten elders. Nog niet één keer sinds hij daar zat had ze haar ogen van de tekening afgewend. Hij riep haar maar ze reageerde niet.

∽

Het was bijna twaalf uur 's middags, die negende november, toen ze elkaar in de hal van het hotelletje trotten. Die middag zouden ze de stad gaan ontdekken. *Nog een paar uur, Tomas, nog een paar uur en dan kom ik je tegen.*

Als eerste gingen ze naar de Siegessäule. Mathias vond hem indrukwekkender dan die op de place Vendôme, maar Antoine maakte hem duidelijk dat dergelijke vergelijkingen nergens op sloegen. Julia vroeg of ze altijd zo liepen te kibbelen en de jongens keken haar verbaasd aan, ze hadden geen idee waar ze het over had. De belangrijkste winkelstraat, de Kurfürstendamm, was het volgende onderdeel van het programma. Ze liepen door honderden straatjes, en toen Julia echt niet meer kon namen ze af en toe de tram. Halverwege de middag kwamen ze even tot rust voor de Gedächtniskirche, die door de Berlijners de 'holle kies' genoemd werd omdat een deel van het gebouw ingestort was tijdens de bombardementen van de laatste oorlog, waaraan de kerk zijn typische vorm dankte die hem die bijnaam had opgeleverd. Ze hadden hem in die staat gelaten als gedenkteken.

Om 18.30 uur waren Julia en haar twee vrienden bij een park aangekomen. Ze besloten erdoorheen te wandelen.

Kort daarna las een woordvoeder van de Oost-Duitse regering een verklaring voor die de wereld zou veranderen, of die in ieder geval het einde van de twintigste eeuw zou inluiden. De Oost-Duitsers mochten het land uit, ze waren vrij om naar het Westen te reizen zonder dat de soldaten bij de grensposten hun honden op ze zouden afsturen of ze zouden neerschieten. Hoeveel mannen, vrouwen en kinderen waren er wel niet omgekomen tijdens die sombere jaren van de Koude Oorlog tijdens hun poging over de Muur van Schande te klimmen? Honderden hadden er het leven gelaten, doodgeschoten door hun ijverige wachters.

De Berlijners waren simpelweg vrij om te gaan. Dus een journalist vroeg aan die woordvoerder wanneer die regeling in werking trad. Hij begreep de vraag die hem gesteld was niet goed en antwoordde: 'Nu!'

Om acht uur werd deze informatie op alle radio- en tv-zenders in zowel West- als Oost-Duitsland uitgezonden, een voortdurende herhaling van het ongelooflijke nieuws.

Duizenden West-Duitsers stroomden naar de doorgangsposten. Duizenden Oost-Duitsers deden hetzelfde. En tussen al die mensen op weg naar de vrijheid lieten twee Franse jongens en een Amerikaans meisje zich meevoeren in de menigte.

Om 22.30 uur stond iedereen, zowel aan de west- als aan oostkant, bij de verschillende controleposten. De militairen, die door de gebeurtenissen waren ingehaald, overweldigd door die duizenden mensen die bevangen waren door de vrijheid, stonden op hun beurt weer aan de voet van de Muur. Aan Bornheimer Strasse gingen de slagbomen omhoog en Duitsland zette zijn eerste schreden op het pad der hereniging.

Jij doorkruiste de straten van de stad naar je vrijheid, en ik, ik liep naar jou, zonder te weten of te begrijpen waar de kracht die me voortdreef vandaan kwam. Dit was niet mijn overwinning, dit was niet mijn land, de straten waren me vreemd, maar hier was ik de vreemdeling. Ik begon ook te rennen, ik begon te rennen om te ontsnappen aan die beklemmende menigte. Antoine en Mathias beschermden me; we liepen langs die eindeloze betonnen afscheiding die door schilders van de hoop volledig gekleurd was. Een aantal van je stadsgenoten, die het onverdraaglijk vonden om nog een paar uur te wachten bij de doorgangsposten, begon eroverheen te klimmen. Wij keken toe aan de andere kant van de wereld. Rechts van mij spreidden sommigen hun armen uit om jullie val te breken, links van mij klommen anderen op de schouders van de sterksten om jullie te zien toesnellen, nog gevangen in jullie ijzeren greep, nog een paar meter maar. Ons geschreeuw vermengde zich met dat van jullie, om jullie aan te moedigen, om de angst te verdrijven, om duidelijk te maken dat we er waren. En opeens werd ik, de Amerikaanse die New York ontvlucht was, kind van een land dat tegen het jouwe gevochten had, tussen al die menselijkheid werd ik Duitse; en in mijn jeugdige naïviteit mompelde ik op mijn beurt Ich bin ein Berliner. *En ik moest huilen. Ik moest zo vreselijk huilen, Tomas...*

∾

Die avond, verloren in een andere menigte, tussen de rondwandelende toeristen op een kade in Montréal, huilde Julia opnieuw. De tranen gleden over haar wangen terwijl ze naar een houtskooltekening van een gezicht keek.

Anthony Walsh bleef naar haar kijken. Hij riep haar nogmaals.

'Julia, gaat het?'

Maar zijn dochter was veel te ver weg om hem te horen, alsof ze twintig jaar van elkaar gescheiden waren.

∾

... De menigte was nog onstuimiger geworden. De mensen verdrongen elkaar om bij de Muur te komen. Sommigen begonnen erop in te hakken met provisorisch gereedschap: schroevendraaiers, stenen, houwelen, zakmessen, belachelijke dingen, maar het obstakel moest en zou zwichten. En toen gebeurde een paar meter bij mij vandaan het ongelooflijke: een van de beroemdste cellisten ter wereld was in Berlijn. Toen hij gehoord had wat er gaande was, is hij naar ons toe gekomen, naar jullie. Hij zette zijn instrument neer en begon te spelen. Was dat die avond of de volgende? Doet er niet toe, ook zijn muziek bracht de Muur aan het wankelen. Fa, la, si, een melodie die naar jullie voerde, zo veel deuren waardoorheen de vrijheid sijpelde. Ik was niet langer de enige die huilde, weet je. Ik heb die nacht heel wat tranen gezien. Die van die moeder en dochter die elkaar zo stevig omhelsden, zo ontroerd waren na achtentwintig jaar zonder elkaar te zien, te voelen, te ruiken. Ik zag vaders met grijze haren die dachten hun zoons te herkennen te midden van duizenden anderen. Ik zag die Berlijners, die alleen door hun tranen verlost konden worden van het leed dat hun was aangedaan. En toen opeens, tussen iedereen, zag ik jouw gezicht verschijnen, daar boven op die Muur, grijs van het stof, en je ogen. Je was de eerste man die ik zo zag, jij, de Oost-Duitser, en ik was het eerste westerse meisje dat jij zag.

'Julia!' riep Anthony Walsh.

Ze draaide zich langzaam naar hem om zonder een woord te kunnen uitbrengen, en keek toen weer naar de tekening.

ॐ

Zo zat je daar, hoog op de Muur, minutenlang, zonder dat we onze verdwaasde blikken van elkaar los konden maken. Voor je lag die nieuwe wereld, en jij keek naar mij alsof onze blikken door een onzichtbaar gespannen lijntje met elkaar verbonden waren. Ik huilde als een gek en jij glimlachte naar me. Je sloeg je benen over de rand en sprong naar beneden. Ik deed wat de rest deed, en spreidde mijn armen voor je. Je viel boven op me, we rolden samen over de grond die jij nog nooit betreden had. Je bood in het Duits je excuses aan en ik zei je in het Engels gedag. Je stond op en klopte het vuil van mijn schouders, alsof het de gewoonste zaak van de wereld was. Je zei dingen tegen me waar ik niks van begreep. Daarom schudde je van tijd tot tijd je hoofd. Ik moest lachen omdat je bespottelijk was, en ik nog meer dan jij. Je stak je hand uit en noemde de naam die ik zou vaak zou uitspreken, die naam die ik zo lang niet meer gezegd heb. Tomas.

ॐ

Een dame op de kade botste tegen haar op maar liep gewoon door. Julia merkte het niet eens. Een clandestiene verkoper van sieraden zwaaide een lichthouten ketting voor haar neus heen en weer, ze schudde langzaam haar hoofd zonder ook maar iets te horen van zijn smeekbedes. Anthony betaalde de portrettekenares zes dollar en stond op. Ze liet hem de tekening zien, de uitdrukking klopte, de gelijkenis was perfect. Tevreden stak hij zijn hand weer in zijn zak en verdubbelde de vraagprijs. Hij deed een paar stappen in de richting van Julia.

'Waar sta je toch nu al tien minuten naar te kijken?'

∞

Tomas, Tomas, Tomas, ik was vergeten hoe fijn het is om je naam te zeggen. Ik was je stem vergeten, je kuiltje, je glimlach, totdat ik deze tekening zag die zo op je lijkt dat ik me je weer herinner. Ik had gewild dat je nooit als verslaggever naar die oorlog was gegaan. Als ik het geweten had, die dag dat je me vertelde dat je verslaggever wilde worden, als ik toen geweten had hoe alles zou eindigen, dan had ik je gezegd dat het een slecht idee was.

Jij zou me geantwoord hebben dat het vertellen van de waarheid over de wereld nooit een slecht beroep kan zijn, ook al is fotografie wreed, vooral als het ontregelt. Op ernstige toon zou je geroepen hebben dat als de pers de realiteit achter de Muur gekend had, onze bestuurders veel eerder ingegrepen zouden hebben. Maar ze wisten het, Tomas, ze wisten precies hoe jullie levens eruitzagen, ze hielden alles nauwlettend in de gaten; onze bestuurders hebben dat lef niet, en ik hoor hoe je tegen me zegt dat je moet zijn opgegroeid zoals ik, in een stad waar je alles mag denken, alles mag zeggen zonder ergens bang voor te hoeven zijn, om geen risico te willen lopen. We zouden de hele nacht, en de ochtend, en de volgende dag gediscussieerd hebben. Je moest eens weten hoe ik onze discussies gemist heb, Tomas.

Met de mond vol tanden zou ik me gewonnen hebben gegeven, net als die dag dat ik vertrok. Hoe kon ik je tegenhouden, je had de vrijheid al zo gemist. Jij had gelijk, Tomas, je hebt een van de mooiste beroepen ter wereld gehad. Heb je Massoud ontmoet? Heeft-ie je eindelijk dat interview gegeven nu jullie allebei in de hemel zijn, was het de moeite

waard? Hij is jaren na jou overleden. Duizenden mensen liepen mee in
zijn rouwstoet door de Panjshir-vallei, terwijl niemand ooit de resten
van jouw lichaam heeft kunnen verzamelen. Hoe zou mijn leven eruit
hebben gezien als jouw konvooi niet op een mijn was gereden, als ik
niet bang was geweest, als ik je niet kort daarvoor verlaten had?

∾

Anthony legde zijn hand op de schouder van Julia. 'Tegen wie ben je
toch aan het praten?'

Ze schrok op. 'Tegen niemand,' antwoordde ze.

'Je lijkt wel geobsedeerd door die tekening, en je lippen trillen.'

'Laat me met rust,' mompelde ze.

∾

Er was even een ongemakkelijk moment, een kort ogenblik. Ik stelde je
voor aan Antoine en Mathias, waarbij ik het woord 'vrienden' zo be-
nadrukte dat ik het zes keer moest herhalen voordat je het begreep. Het
was stom, je Engels van toen was niet je sterkste punt. Misschien had je
het begrepen, je glimlachte en omhelsde ze. Mathias drukte je stevig te-
gen zich aan en feliciteerde je, Antoine volstond met een handdruk,
maar hij was net zo geëmotioneerd als zijn vriend. Met zijn vieren zijn
we de stad in gegaan. Jij was op zoek naar iemand, ik dacht dat het een
vrouw was, maar het was je jeugdvriend. Omdat het hem en zijn fa-
milie gelukt was tien jaar eerder over de Muur te klimmen. Sindsdien
had je hem niet meer gezien. Maar hoe vind je een vriend tussen dui-
zenden mensen die midden op straat elkaar omhelzen, zingen, drin-
ken en dansen? Jij zei, de wereld is groot, vriendschap is oneindig. Ik
weet niet of het je accent of de naïviteit van die zin was. Antoine nam
je in de zeik; ik vond die gedachte juist charmant. Kon het zijn dat het

leven dat jou zo veel leed had berokkend je kinderlijke dromen onaangetast had gelaten, terwijl die bij ons, in vrijheid opgegroeid, onderdrukt zijn? We besloten je te helpen en samen liepen we door de straten van West-Berlijn. Je liep vastbesloten, alsof jullie al lang geleden ergens hadden afegsproken. Onderweg bekeek je elk gezicht, botste tegen de voorbijgangers op, keek continu achterom. De zon was nog niet op toen Antoine midden op een plein bleef staan en riep: 'Maar mogen we dan in ieder geval weten hoe die gozer heet die we nu al urenlang als een debiel lopen te zoeken?' Jij begreep zijn vraag niet. Antoine schreeuwde nog harder: 'Naam, name, Vorname!' Jij werd kwaad en schreeuwde terug: 'Knapp!' Dat was de naam van de vriend naar wie je op zoek was. Dus toen begon Antoine, om duidelijk te maken dat hij niet boos was op jou, op zijn beurt weer te brullen: 'Knapp! Knapp!'

Mathias kreeg de slappe lach en begon ook te schreeuwen, net als ik: 'Knapp, Knapp.' Je keek ons aan alsof we gek waren en toen begon je ook te lachen en te roepen: 'Knapp, Knapp.' We waren bijna aan het dansen terwijl we uit volle borst de naam zongen van die vriend naar wie je al tien jaar op zoek was.

Midden in de mensenmassa keek iemand om. Ik zag hoe jullie blikken elkaar kruisten, een man van jouw leeftijd keek je aan. Ik was er bijna jaloers op.

Als twee wolven die van de troep gescheiden waren en elkaar in het bos tegenkwamen bleven jullie stilstaan om naar elkaar te kijken. En toen noemde Knapp jouw naam. 'Tomas?' Het was mooi om jullie zo te zien, op straat in West-Berlijn. Je sloot je vriend in je armen. De vreugde op jullie gezicht was grandioos. Antoine huilde, Mathias troostte hem. Als zij zo lang van elkaar gescheiden waren geweest zouden ze net zo gelukkig zijn om elkaar weer te zien, verzekerde hij hem. Antoine begon nog harder te huilen en zei dat dat niet mogelijk was omdat ze elkaar nog niet zo lang kenden. Jij legde je hoofd op de schouder van je beste vriend. Je zag dat ik naar je keek, je hief meteen je hoofd weer op en zei nogmaals: 'De wereld is groot, maar vriendschap is oneindig.' Antoine was ontroostbaar.

We gingen op het terras van een café zitten. De kou schuurde onze wangen, maar daar trokken we ons niks van aan. Knapp en jij hielden je een beetje afzijdig. Er zijn een hoop woorden voor nodig om tien jaar in te halen, en af en toe een stilte. We zijn de hele nacht bij elkaar gebleven, en de dag daarna ook. De daaropvolgende ochtend heb je Knapp uitgelegd dat je weer weg moest. Je kon niet langer blijven. Je grootmoeder woonde aan de andere kant. Je kon haar niet alleen laten, je was de enige die ze had. Ze zou deze winter honderd zijn geworden, ik hoop dat ook zij je daar waar je nu bent heeft weten te vinden. Ik hield zo veel van je oma! Ze was zo knap als ze haar lange grijze haren in een vlecht deed voordat ze op de deur van onze kamer kwam kloppen. Je beloofde je vriend dat je snel terug zou komen, als de gebeurtenissen niet werden teruggedraaid. Knapp verzekerde dat de poorten nooit meer dicht zouden gaan en jij antwoordde: 'Misschien, maar als het weer tien jaar zou duren voor we elkaar weer zien, zou ik elke dag aan je denken.'

Je stond op en bedankte ons voor het geschenk dat we je gegeven hadden. We hadden helemaal niks gedaan, maar Mathias zei dat het niks voorstelde, dat hij juist blij was dat hij zich nuttig had kunnen maken; Antoine stelde voor om met je mee te lopen tot het doorgangspunt van West naar Oost.

We zijn vertrokken; we liepen mee met de stoet mensen die net als jij weer naar huis gingen, want revolutie of niet, hun familie en huizen waren in het andere deel van de stad.

Onderweg pakte je mijn hand vast, ik liet je begaan en zo liepen wij kilometer na kilometer.

∾

'Julia, je staat te rillen, zo vat je nog kou. Laten we gaan. Als je wilt kunnen we die tekening kopen, dan kun je er net zo lang naar kijken als je wilt, maar dan wel ergens binnen.'

'Nee, hij is onbetaalbaar, hij moet hier blijven. Nog heel even, alsjeblieft, dan gaan we.'

∾

Aan beide zijden van de controlepost stond nog een enkeling verbeten in het beton te hakken. Hier moesten we afscheid nemen. Als eerste zei je Knapp gedag. 'Bel me zodra dat kan,' voegde die eraan toe terwijl hij je zijn kaartje gaf. Wilde jij verslaggever worden omdat hij het ook was? Hadden jullie elkaar dat als kind beloofd? Ik heb je die vraag wel honderd keer gesteld, en honderd keer ontweek je het antwoord met die spottende glimlach van je, die je altijd liet zijn als ik je op je zenuwen werkte. Je gaf Antoine en Mathias een hand en draaide je naar mij toe.

Je moest eens weten, Tomas, hoe bang ik toen was, bang om nooit je lippen te voelen. Je was in mijn leven verschenen zoals de zomer komt, onaangekondigd, met fel zonlicht bij het ontwaken. Je streek met je hand over mijn wang, je vingers kropen omhoog langs mijn gezicht en je kuste mijn beide oogleden. 'Dank je wel.' Dat was het enige wat je zei terwijl je al wegliep. Knapp keek naar ons, ik ving zijn blik op. Alsof hij verwachtte dat ik iets zou zeggen, een paar woorden die hij had willen horen om voorgoed de jaren uit te wissen die jullie van elkaar gescheiden waren geweest. Die jaren die jullie levens zo verschillend gevormd hadden; hij keerde terug naar zijn krant, en jij naar Oost-Berlijn.

Ik schreeuwde: 'Neem me mee! Ik wil die grootmoeder leren kennen voor wie je ons verlaat.' Ik heb niet op je antwoord gewacht. Ik pakte je hand en ik zweer je dat alle kracht van de wereld nodig zou zijn geweest om me van je los te maken. Knapp haalde zijn schouders op en toen hij jouw verbaasde gezicht zag zei hij: 'De weg is nu vrij, jullie kunnen terugkomen wanneer je maar wilt!' Antoine probeerde me om te praten, hij vond het waanzin. Misschien, maar ik had me nog nooit zo in een roes gevoeld. Mathias gaf hem een elleboogstoot, waar bemoeide hij zich mee? Hij rende naar me toe en omhelsde me. 'Bel ons als je naar Parijs teruggaat,' zei hij terwijl hij zijn nummer op een papiertje krabbelde. Ik omhelsde ze op mijn beurt beiden en toen vertrokken we. Ik ben nooit naar Parijs teruggegaan, Tomas.

Ik ben je gevolgd; in de vroege ochtend van 11 november maakten we gebruik van de heersende chaos en passeerden de grens. Misschien was ik die ochtend de eerste Amerikaanse studente die in Oost-Berlijn kwam, en als dat niet zo was, was ik in ieder geval de gelukkigste.

Ik heb mijn belofte gehouden, moet je weten. Kun je je dat donkere café nog herinneren, waar jij me liet beloven dat, mochten we ooit door het lot gescheiden worden, ik koste wat kost gelukkig zou zijn? Ik wist heus wel dat je dat zei omdat mijn liefde je soms verstikte, dat je het gebrek aan vrijheid te veel gemist had om te accepteren dat ik mijn leven aan dat van jou verbond. En al vond ik het vreselijk dat mijn geluk werd overschaduwd door het ergst denkbare, ik heb mijn woord gehouden.

Ik ga trouwen, Tomas, dat wil zeggen, ik zou zaterdag getrouwd zijn, maar het huwelijk is uitgesteld. Dat is een lang verhaal, maar het heeft er wel mee te maken dat ik nu hier ben. Misschien heeft het zo moeten zijn, zodat ik nog één keer je gezicht zou zien. Geef je oma daarboven een zoen van me.

∽

'Dit is belachelijk, Julia. Je moest jezelf eens zien, je lijkt je vader wel met een lege accu! Je staat daar al langer dan een kwartier doodstil te mompelen…'

Bij wijze van antwoord liep Julia weg. Anthony Walsh versnelde zijn pas om haar in te halen.

'Mag ik dan misschien eindelijk weten wat er aan de hand is?' vroeg hij toen hij bij haar was.

Maar Julia bleef zich in zwijgen hullen.

'Moet je zien,' vervolgde hij terwijl hij zijn portret aan haar liet zien. 'Het is heel goed gelukt. Hier, voor jou,' zei hij joviaal.

Julia negeerde hem en vervolgde de weg naar hun hotel.

'Goed, dan geef ik hem je later wel. Blijkbaar is dit niet het juiste moment.'

Omdat Julia nog steeds niks zei, vervolgde Anthony Walsh: 'Waar deed die tekening waar je zo uitgebreid naar stond te kijken me toch aan denken? Ik kan me voorstellen dat het iets te maken heeft met je merkwaardige gedrag daar op die pier. Ik weet niet, maar ik kreeg een beetje een déjà vu-gevoel bij dat gezicht.'

'Omdat jouw vuist dat gezicht geraakt heeft, toen je me uit Berlijn kwam ophalen. Omdat het de man was van wie ik hield toen ik achttien was, en bij wie je me weggehaald hebt door me onder dwang mee terug te nemen naar New York.'

XI

*H*et restaurant zat bijna vol. Een vriendelijke ober had hun een glas champagne aangeboden. Anthony had het zijne niet aangeraakt, Julia had haar glas in één teug leeggedronken om vervolgens verder te gaan met dat van haar vader. Ondertussen wenkte ze de ober om bij te schenken. Ze was al aangeschoten nog voordat ze de menukaart hadden.

'Nu zou je moeten stoppen,' adviseerde Anthony terwijl ze een vierde glas bestelde.

'Waarom? Het zit vol bubbels en het smaakt lekker.'

'Je bent dronken.'

'Nog niet, hoor,' zei ze giechelend.

'Je zou kunnen proberen iets minder te drinken. Wil je ons eerste etentje verpesten? Je hoeft jezelf niet ziek te maken, zeg dan gewoon dat je liever terug gaat.'

'Nee, hoor. Ik heb trek!'

'Je kunt het eten ook op je kamer laten brengen, als je wilt.'

'Ik geloof dat ik op mijn leeftijd ook niet meer naar dit soort opmerkingen hoef te luisteren.'

'Als kind gedroeg je je precies zo als je me probeerde te provoceren. En je hebt gelijk, Julia, daar zijn we nu te oud voor, allebei.'

'Nu ik er nog eens over denk, volgens mij was dat de enige keuze die jij niet voor mij hebt gemaakt!'

'Wat bedoel je?'

'Tomas!'

'Nee, hij was de eerste, daarna heb je nog heel veel keuzes gemaakt, mocht je het je herinneren.'

'Jij hebt altijd mijn leven willen bepalen.'

'Dat is een neiging waar veel vaders last van hebben, en bovendien is het een nogal paradoxaal verwijt naar iemand die er bijna nooit was, zoals jij beweert.'

'Bijna nooit? Je was er gewoon helemaal nooit!'

'Je bent dronken, Julia, je praat te hard en dat is gênant.'

'Gênant? En het was zeker niet gênant toen je plompverloren en onaangekondigd dat appartement in Berlijn binnen stapte? Toen je zo tegen de oma van mijn geliefde hebt lopen schreeuwen dat ze uit angst vertelde waar wij waren? Toen jij de deur van de slaapkamer intrapte terwijl wij lagen te slapen en even later de kaak van Tomas verbrijzelde? Dat was niet gênant?'

'Laten we zeggen dat het wat buitensporig was, dat geef ik toe.'

'Dat geef je toe? Was het niet gênant toen je me aan mijn haren naar de auto sleurde die buiten stond te wachten? Niet gênant, toen je me door de hal van het vliegveld trok terwijl je zo hard aan mijn arm stond te rukken dat ik wel een trekpop leek? Niet gênant, toen je mijn veiligheidsgordel vast deed uit angst dat ik uit het vliegtuig zou springen? Was dat allemaal niet gênant? Niet gênant, toen je me in New York in mijn kamer opsloot, als een of andere crimineel?'

'Op sommige momenten vraag ik me af of ik er uiteindelijk niet toch verstandig aan heb gedaan om vorige week te overlijden!'

'Alsjeblieft zeg, jij altijd met je opmerkingen!'

'O, maar ik doelde niet op jouw aangename conversatie, ik dacht heel ergens anders aan.'

'Waaraan dan?'

'Aan jouw gedrag sinds je die tekening hebt gezien die op Tomas leek.'

Julia keek verbaasd. 'Wat heeft dat met jouw dood te maken?'

'Dat is een grappige zin, vind je ook niet? Laten we zeggen dat ik, buiten mijn bedoeling om, jouw huwelijk afgelopen zaterdag verhinderd heb,' besloot Anthony met een brede grijns.

'En heb je daar nu zo veel lol om?'

'Dat je huwelijk is uitgesteld? Tot daarstraks vond ik dat oprecht spijtig, maar nu is dat anders...'

De ober, in verlegenheid gebracht door de twee gasten die te luid spraken, kwam tussenbeide met de vraag of ze een keuze hadden kunnen maken. Julia nam vlees.

'Hoe wilt u het gebakken hebben?'

'Rood, waarschijnlijk!' antwoordde Anthony Walsh.

'En voor meneer?'

'Hebt u ook batterijen?' vroeg Julia.

Omdat de ober niet wist hoe hij moest reageren, verduidelijkte Anthony Walsh dat hij niet zou dineren.

'Trouwen is één ding,' zei hij tegen zijn dochter, 'maar geloof me, je hele leven met iemand delen is een tweede. Daar is heel veel liefde voor nodig, heel veel ruimte. Een territorium dat je samen bepaalt, waar je je niet opgesloten hoeft te voelen.'

'Wie ben jij om over mijn gevoelens voor Adam te oordelen? Je kent hem helemaal niet.'

'Ik had het niet over Adam, maar over jou. Over die ruimte die jij hem kunt geven. Als jouw horizon al vertroebeld is door de herinnering aan een ander, dan is het nog maar de vraag of jullie samen zullen slagen.'

'Ja, want daar heb jij wel verstand van, hè?'

'Julia, je moeder is dood, daar kan ik niks aan doen, ook al blijf jij me dat maar voor de voeten werpen.'

'Tomas is ook dood, en al kun jij ook daar niks aan doen, ik zal het je altijd kwalijk nemen. Dus zoals je ziet hebben Adam en ik, wat ruimte betreft, alle vrijheid.'

Anthony Walsh hoestte, op zijn voorhoofd parelden wat zweetdruppeltjes.

'Ben je aan het transpireren?' vroeg Julia verbaasd.

'Dat is een klein technisch mankement dat ik liever niet had gehad,' zei hij terwijl hij zijn gezicht voorzichtig met het servet depte.

'Je was pas achttien, Julia, en je wilde je leven gaan delen met een communist die je pas een paar weken kende.'

'Vier maanden!'

'Zestien weken dus.'

'En hij was een Oost-Duitser, geen communist!'

'Stukken beter.'

'Als er iets is wat ik nooit zal vergeten is het waarom ik af en toe zo'n hekel aan je had!'

'We hadden afgesproken, geen verleden tijd meer, weet je nog wel? Wees niet bang in de tegenwoordige tijd met me te praten: ook dood ben ik nog steeds je vader, of wat daar van over is...'

De ober bracht Julia haar eten. Ze verzocht hem haar glas bij te schenken. Anthony Walsh legde zijn hand op het champagneglas.

'We hebben nog het een en ander te bespreken, volgens mij.'

De ober maakte zich snel uit de voeten.

'Je woonde in Oost-Berlijn, ik had maanden niks van je gehoord. Wat was je volgende stap geworden? Moskou?'

'Hoe heb je me weten te vinden?'

'Dat stukje van je in een Oost-Duitse krant. Iemand was zo attent om me een kopietje te sturen.'

'Wie?'

'Wallace. Misschien was het zijn manier om zijn schuldgevoel weg te nemen, vanwege het feit dat hij jou, achter mijn rug om, geholpen had de Verenigde Staten te verlaten.'

'Wist je dat?'

'Of misschien maakte hij zich ook zorgen om jou en vond hij dat het tijd was om een eind te maken aan die verwikkelingen, voordat je echt in gevaar zou zijn.'

'Ik ben nooit in gevaar geweest, ik hield van Tomas.'

'Tot op een zekere leeftijd laat je je meeslepen door je verliefdheid, maar dat is vaak uit liefde voor jezelf! Je zou rechten gaan studeren in New York, je hebt alles opgegeven om tekenlessen te gaan volgen aan de kunstacademie in Parijs; toen je daar eenmaal was ben je, ik weet niet na hoeveel tijd, naar Berlijn vertrokken; je werd op de eerste de beste verliefd en hup, dag kunstacademie, nu wilde je verslaggeefster worden, en als ik het me goed herinner wilde hij heel toevallig ook verslaggever worden, gek hè...'

'Wat kon jou dat nou schelen?'

'Ik heb tegen Wallace gezegd dat hij je je paspoort moest geven toen je hem dat destijds vroeg, Julia. En ik was in de kamer ernaast toen jij hem uit de la van mijn bureau kwam halen.'

'Waarom al die omwegen? Waarom gaf je het niet zelf?'

'Omdat onze relatie niet heel bestendig was, zoals je misschien nog weet. Bovendien, als ik dat gedaan zou hebben dan was de lol er voor jou wel een beetje af geweest, stel ik me zo voor. Je reis werd juist spannend omdat het uit puur verzet tegen mij was, toch?'

'Heb je daar echt allemaal over nagedacht?'

'Ik heb Wallace laten zien waar je papieren lagen, en ik was echt in de woonkamer; verder was ik misschien een beetje gekwetst.'

'Jij, gekwetst?'

'En Adam dan?' reageerde Anthony Walsh.

'Adam heeft hier helemaal niks mee te maken.'

'Vergeet niet, hoe vreemd het ook voor me is om te zeggen, dat je nu zijn vrouw zou zijn geweest als ik niet was doodgegaan. Dus ik zal proberen mijn vraag anders te formuleren, maar wil je eerst alsjeblieft je ogen dichtdoen?'

Julia aarzelde, ze had geen idee waar haar vader heen wilde. Maar hij drong zo aan dat ze deed wat hij vroeg.

'Je moet ze echt goed dichtdoen. Ik wil dat het helemaal pikkedonker is.'

'Waar gaat dit over?'

'Doe nou voor één keer wat ik je vraag, het duurt maar even.'

Julia sloot haar ogen. Het donker omsloot haar.

'Pak je vork en eet.'

Geamuseerd begon ze aan de oefening. Haar hand ging zoekend over het kleed totdat ze het gezochte voorwerp vond. Met een onhandige beweging probeerde ze vervolgens een stukje vlees van haar bord te prikken. En zonder enig idee te hebben wat ze naar haar lippen bracht opende ze haar mond.

'Smaakt het eten anders doordat je het niet ziet?'

'Misschien,' antwoordde ze met gesloten ogen.

'Nu moet je iets voor me doen, en hou vooral je ogen dicht.'

'Ik luister,' zei ze zachtjes.

'Denk terug aan een gelukkig moment.'

Anthony zweeg en keek naar het gezicht van zijn dochter.

Ik herinner me het Museumsinsel, we wandelden er samen. Toen jij me aan je oma voorstelde was haar eerste vraag wat ik deed. Het was geen gemakkelijk gesprek, jij vertaalde haar woorden in je gebrekkige Engels en ik sprak jouw taal niet. Ik legde haar uit dat ik in Parijs op de kunstacademie zat. Ze glimlachte en haalde uit de la van een kast een ansichtkaart met daarop een schilderij van Vladimir Radskin, een Russische schilder van wiens werk ze hield. Daarna stuurde ze ons de deur uit, de frisse lucht in. We moesten genieten van die mooie dag. Je had haar niks verteld over je bijzondere uitstapje, geen woord over hoe wij elkaar ontmoet hadden. Toen we naar buiten liepen vroeg ze van-

uit de deuropening of je Knapp teruggezien had. Je aarzelde vrij lang,
maar aan de uitdrukking op je gezicht was jullie weerzien af te lezen.
Ze glimlachte en zei dat ze blij was voor je.

Zodra we op straat waren pakte je mijn hand en elke keer als ik
vroeg waar we zo snel naartoe renden antwoordde jij: 'Kom, kom.' We
renden over de brug over de Spree.

Het Museumsinsel, ik had nog nooit zo veel gebouwen bij elkaar ge-
zien die aan kunst gewijd waren. Ik dacht dat alles in jouw land grijs
was, maar hier was alles gekleurd. Je trok me mee naar het Altes Mu-
seum. Het gebouw was een immens vierkant, maar eenmaal binnen
bleek de ruimte rond te zijn. Zo'n bouwstijl had ik nog nooit gezien, zo
vreemd, bijna onvoorstelbaar. Je nam me mee naar het midden van
die cirkel en draaide me rond; daarna nog een keer en nog een keer en
je liet me steeds sneller ronddraaien totdat ik duizelig werd. Je stopte
mijn dwaze dans door je armen om me heen te slaan en je zei, kijk, dat
is nou Duitse romantiek, een cirkel in een vierkant, om duidelijk te
maken dat alle verschillen verenigbaar zijn. Toen nam je me mee naar
het Pergamonmuseum.

∾

'En,' vroeg Anthony Walsh, 'heb je dat gelukkige moment opnieuw
beleefd?'
    'Ja,' antwoordde Julia. Ze had haar ogen nog steeds gesloten.
    'Wie zag je daar?'
    Ze deed haar ogen open.
    'Je hoeft me geen antwoord te geven, Julia, dat is van jou. Ik zal
me niet meer met jouw leven bemoeien.'
    'Waarom doe je dit?'
    'Omdat ik elke keer als ik mijn ogen sluit het gezicht van je moe-
der weer voor me zie.'

'Tomas verscheen als een geest in dat portret dat op hem lijkt, een schim die me duidelijk maakte dat het goed is, dat ik mocht trouwen zonder nog aan hem te denken, zonder schuldgevoelens. Het was een teken.'

Anthony kuchte. 'Mijn god, het was gewoon een houtskoolschets! Als ik mijn servet weggooi en hij komt precies terecht in de paraplubak bij de ingang dan verandert dat helemaal niks. En als het laatste drupje wijn uit de fles in het glas van die vrouw naast ons terechtkomt wil dat nog niet zeggen dat ze binnen het jaar getrouwd is met die eikel met wie ze zit te eten. En kijk niet zo naar me alsof ik een marsmannetje ben, als die imbeciel niet zo hard tegen zijn vriendinnetje zat te praten om indruk te maken had ik hun gesprek niet sinds het begin van de avond hoeven volgen.'

'Dat zeg je omdat je nooit in de tekenen van het leven geloofd hebt! Jij moet zo nodig alles onder controle houden!'

'Die tekenen bestaan niet, Julia. Ik heb op kantoor duizenden proppen papier in mijn prullenbak gegooid, in de overtuiging dat als ik raak gooide mijn wens zou uitkomen; maar het telefoontje dat ik verwachtte kwam nooit! Ik was zelfs zo stom om te wedden dat ik drie of vier keer achter elkaar raak moest gooien om de beloning te verdienen; na twee jaar keihard oefenen kon ik een heel pak papier midden in een prullenbak mikken die tien meter verderop stond, en nog altijd gebeurde er niks. Op een avond ging ik met drie belangrijke zakenrelaties eten. Terwijl een van mijn compagnons indruk probeerde te maken door op te sommen in welke landen onze dochterondernemingen allemaal gevestigd waren, dacht ik aan het land waar de vrouw moest zijn op wie ik wachtte; ik stelde me de straten voor waar ze 's ochtends liep als ze van huis ging. Toen we het restaurant verlieten vertelde een van hen, een Chinees, en vraag me alsjeblieft niet hoe hij heette, een prachtige legende. Het schijnt dat als je midden in een plas water springt waarin de volle maan gereflecteerd wordt, diens geest je onmiddellijk meeneemt naar iedereen die je mist. Je had het gezicht moeten zien van mijn compagnon toen ik met twee voeten tegelijk in de goot sprong. Mijn klant was doorweekt, zelfs zijn hoed droop van het water. In plaats van mijn verontschuldigingen aan te bieden maakte ik hem duidelijk dat zijn truc niet werkte! De vrouw op wie ik wachtte was niet verschenen. Dus begin niet over die achterlijke tekens waaraan mensen zich vastklampen terwijl er geen enkele reden is om nog in God te geloven.'

'Ik verbied je dat soort dingen te zeggen!' schreeuwde Julia. 'Toen ik klein was zou ik in duizend plassen gesprongen zijn, in duizend goten om te zorgen dat jij 's avonds thuis zou komen. Het is te laat om met dit soort verhalen te komen. Mijn jeugd ligt ver achter me.'

Anthony Walsh keek zijn dochter verdrietig aan. Julia bleef kwaad. Ze schoof haar stoel naar achter, stond op en liep weg.

'Neemt u het haar maar niet kwalijk,' zei hij tegen de ober terwijl hij wat bankbiljetten op tafel legde. 'Volgens mij komt het door uw champagne, te veel bubbels.'

Ze gingen terug naar het hotel. De avondstilte werd door geen woord verstoord. Ze liepen door de straatjes van de oude stad. Julia liep niet helemaal recht. Af en toe struikelde ze over een klinkertje dat een beetje uitstak. Dan stak Anthony meteen zijn arm uit om haar vast te pakken, maar ze hervond haar evenwicht en sloeg zijn gebaar af nog voordat hij haar had aangeraakt.

'Ik ben een gelukkige vrouw,' zei ze waggelend. 'Gelukkig en volledig tot bloei gekomen. Ik hou van mijn werk, ik hou van mijn appartement, ik hou van mijn beste vriend en ik ga trouwen met een man van wie ik hou. Volmaakt gelukkig,' bleef ze maar stamelen.

Haar enkel zwikte, Julia kon zich nog net vastgrijpen en liet zich langs een lantaarnpaal op de grond glijden.

'Hè shit,' bromde ze. Ze zat op de stoep.

Julia negeerde de hand die haar vader haar toestak om haar overeind te helpen. Hij zakte door zijn knieën en ging naast haar zitten. Het straatje was uitgestorven en zo bleven ze zitten, met hun rug tegen de lantaarnpaal geleund. Er gingen tien minuten voorbij. Anthony haalde een zakje uit de zak van zijn regenjas.

'Wat is dat?' vroeg ze.

'Snoepjes.'

Julia haalde haar schouders op en wendde haar gezicht weer af.

'Volgens mij scharrelen er twee of drie chocolade beertjes onderin rond... Het schijnt dat ze aan het spelen waren met een dropveter.'

Julia reageerde nog steeds niet. Toen hij aanstalten maakte het snoep weer in zijn zak op te bergen, rukte ze het zakje uit zijn handen.

'Toen je klein was had je een zwerfkat geadopteerd,' zei Anthony terwijl Julia een derde beertje in haar mond stak. 'Van hem hield je ook heel veel, totdat hij na acht dagen weer vertrok. Zullen we nu teruggaan?'

'Nee,' antwoordde Julia kauwend.

Er kwam een koetsje voorbij met een roodbruin paard ervoor. Anthony zwaaide naar de koetsier.

∾

Een uur later kwamen ze in het hotel aan. Julia liep de hal door en nam de rechter lift, terwijl Anthony in de linker stapte. Op de overloop van de bovenste verdieping kwamen ze elkaar weer tegen. Ze liepen naast elkaar door de gang tot aan de deur van de bruidssuite, waar Anthony zijn dochter voor liet gaan. Ze liep direct naar haar kamer en Anthony ging naar de zijne.

Julia plofte meteen op bed en zocht in haar tas naar haar mobiele telefoon. Ze keek op haar horloge om te zien hoe laat het was en belde Adam. Ze kreeg zijn voicemail, wachtte, luisterde naar zijn bericht en hing net voor het beslissende piepje op. Ze toetste het nummer van Stanley.

'Ik zie dat je het naar je zin hebt.'

'Ik mis je vreselijk, joh.'

'Dat verbaast me zeer. Door de reis?'

'Ik denk dat ik morgen naar huis kom.'

'Dan al? Heb je gevonden wat je zocht?'

'Het belangrijkste wel, geloof ik.'

'Adam stapt hier net de deur uit,' zei Stanley op belerende toon.

'Kwam hij bij je langs?'

'Dat zeg ik je toch net? Heb je gedronken?'

'Een beetje.'

'Gaat het verder wel goed met je?'

'Ja! Waarom willen jullie toch allemaal dat het niet goed met me gaat?'

'Als je het over mij hebt, ik ben alleen hoor.'

'Wat wilde-ie?'

'Over jou praten, denk ik, tenzij hij bezig is overstag te gaan; maar in dat geval was het een verloren avond voor hem, hij is helemaal mijn type niet.'

'Kwam Adam langs om over mij te praten?'

'Nee, hij kwam langs om mij over jou te horen praten. Dat doen mensen als ze hun geliefde missen.' Stanley hoorde Julia's ademhaling in de hoorn. 'Hij is verdrietig, schatje. Ik ben niet bijzonder dol op hem, dat weet je best, maar ik vind het naar om te zien als iemand ongelukkig is.'

'Waarom is hij verdrietig?' vroeg ze oprecht aangeslagen.

'Je bent óf compleet gek geworden, óf je bent echt straalbezopen!

Hij is wanhopig! Twee dagen na het afzeggen van hun huwelijk gaat zijn verloofde… Jezus, ik haat het als hij je zo noemt, dat is zo passé… maar goed, gaat zijn verloofde ervandoor zonder hem een adres of enige uitleg te geven. Begrijp je een beetje wat ik bedoel of moet ik FedEx even langs sturen met een doosje aspirines?'

'Ten eerste ben ik niet vertrokken zonder een adres achter te laten, en ik ben nog bij hem langs geweest…'

'Vermont! Je hebt hem gezegd dat je naar Vermont ging! Noem je dat een adres?'

'Is er iets mis met Vermont?' vroeg Julia niet-begrijpend.

'Nee, tenminste, zolang ik die blunder niet had begaan.'

'Wat heb je gedaan?' vroeg Julia met ingehouden adem.

'Ik heb gezegd dat je in Montréal was. Ik had toch niet kunnen weten dat jij zoiets stoms had bedacht! De volgende keer dat je liegt moet je me even waarschuwen, dan zal ik je even leren hoe dat moet. En dan kunnen we in ieder geval ons verhaal op elkaar afstemmen.'

'Hè, shit!'

'Je haalt me het woord uit de mond…'

'Hebben jullie samen gegeten?'

'Ik heb een snelle hap voor hem klaargemaakt, niks bijzonders…'

'Stanley!'

'Wat? Ik kon hem toch niet laten doodgaan van de honger! Ik weet niet wat je in Montréal uitspookt, schat, laat staan met wie, en ik heb heel goed begrepen dat dat me niks aangaat, maar bel Adam alsjeblieft, dat is wel het minste wat je kunt doen.'

'Het is niet wat jij denkt, Stanley.'

'Wie zegt dat ik iets denk? Mocht het je geruststellen, ik heb hem verzekerd dat je vertrek niks met jullie tweeën te maken had, dat je vertrokken was om de voetsporen van je vader te volgen. Zie je, je moet een zeker talent hebben om te liegen!'

'Maar ik zweer je dat ik niet gelogen heb!'

'Ik heb ook nog gezegd dat je behoorlijk aangeslagen was door zijn dood en dat het belangrijk was voor jullie relatie om je verleden af te sluiten. Niemand zit te wachten op ruis in zijn liefdesleven, toch?'

Julia zweeg opnieuw.

'Nou, hoe staat het met je zoektocht naar de geschiedenis van papa Walsh?' vervolgde Stanley.

'Ik geloof dat ik nog meer ontdekt heb waardoor ik zo'n hekel aan hem heb.'

'Uitstekend! En verder?'

'Misschien ook wat dingen waardoor ik van hem hield.'

'En je wilt morgen terugkomen?'

'Ik weet niet, het is waarschijnlijk beter om naar Adam terug te gaan.'

'Voordat…?'

'Ik ben daarstraks gaan wandelen, er was een portrettekenares…'

Julia vertelde Stanley wat ze in de oude haven van Montréal gezien had, en voor één keer liet haar vriend zijn scherpe opmerkingen achterwege.

'Begrijp je, het is tijd om naar huis te gaan, denk je ook niet? Het lukt me niet om New York te verlaten. Bovendien, als ik morgen niet naar huis kom wie moet jou dan geluk brengen?'

'Wil je een goed advies? Schrijf alles op wat door je hoofd gaat, en doe precies het tegenovergestelde. Slaap lekker, schat.'

Stanley had opgehangen. Julia kwam van het bed en ging naar de badkamer. Ze hoorde niet hoe haar vader geruisloos terug naar zijn kamer liep.

XII

*D*e hemel boven Montréal kleurde rood. De salon tussen de twee slaapkamers baadde in een zacht licht. Er werd op de deur geklopt. Anthony deed open voor de hotelbediende en liet hem de serveerwagen naar het midden van de ruimte rijden. De jonge man wilde de ontbijttafel gaan dekken, maar Anthony liet een paar dollar in de zak van zijn jasje glijden en ontfermde zich over de serveerwagen. De jongen vertrok, Anthony lette erop dat de deur zachtjes gesloten werd. Hij aarzelde tussen de salontafel en het bijzettafeltje dat aan de raamkant stond met een mooi uitzicht. Hij koos voor het uitzicht en dekte de tafel met de grootste zorg: tafelkleed, bord, bestek, karaf jus d'orange, muesli, luxebroodjes en een roos die trots rechtop stond in zijn smalle vaasje. Hij deed een stap naar achteren, verplaatste de bloem meer naar het midden, de kan melk iets dichter bij het mandje met broodjes. Zo was het beter. Op het bord van Julia legde hij een opgerold papier met een rood lint eromheen en bedekte dat met de servet. Nu stapte hij ruim een meter naar achter en bekeek het geheel kritisch. Nadat hij de knoop van zijn das had aangetrokken klopte hij zachtjes bij zijn dochter op de deur met de mededeling dat het ontbijt voor mevrouw gereed stond. Julia bromde wat en vroeg hoe laat het was.

'Tijd om op te staan; de schoolbus komt over een kwartier, als je niet opschiet mis je hem!'

Julia lag diep weggedoken onder het dekbed, ze had het tot haar neus opgetrokken. Ze deed een oog open en rekte zich uit. Het was lang gelden dat ze zo diep geslapen had. Ze woelde door haar haren en bleef haar ogen samenknijpen tot ze gewend was aan het daglicht. Toen sprong ze uit bed maar moest weer op de rand van het matras gaan zitten omdat ze duizelig werd. De wekker op het nachtkastje gaf aan dat het acht uur was.

'Waarom zo vroeg?' mopperde ze terwijl ze de badkamer in liep. Terwijl Julia aan het douchen was staarde Anthony Wals vanuit een stoel in de kleine salon naar het rode lint dat over het bord hing en slaakte een zucht.

෴

De vlucht van Air Canada was om 7.10 uur opgestegen van luchthaven Newark. De stem van de gezagvoerder klonk krakend door de luisprekers en kondigde het begin aan van de landing in Montréal. Het vliegtuig zou op het verwachte tijdstip aan de grond staan. De purser nam het woord van hem over en gaf de gebruikelijke instructies met betrekking tot het naleven van de regels bij het landen. Adam rekte zich uit voor zover dat mogelijk was. Hij klapte zijn tafeltje op en keek door het raampje. Het toestel vloog boven de Saint-Laurent. In de verte tekenden zich de contouren van de stad en de Mont-Royal af. De MD-80 boog af, Adam deed zijn stoelriem vast. Vanuit de cockpit kwamen de bakens van de landingsbaan in het vizier.

෴

Julia knoopte haar ochtendjas dicht en liep de kleine salon in. Ze keek naar de gedekte tafel en glimlachte naar Anthony die haar een stoel aanbood.

'Ik heb earlgreythee voor je besteld,' zei hij terwijl hij haar een kopje inschonk. 'Die knul van de roomservice vroeg of ik zwarte thee wilde, gele, witte, groene, gerookte, Chinese, Taiwanese, Koreaanse, Ceylonese, Indiase, Nepalese en hij noemde nog veertig andere soorten die ik vergeten ben, voordat ik dreigde zelfmoord te plegen als hij zou doorgaan.'

'Earl grey is prima,' antwoordde Julia terwijl ze haar servet openvouwde.

Ze keek naar het opgerolde papier met het rode lint en keek haar vader vragend aan.

Anthony pakte het meteen uit haar handen.

'Maak dat maar na het ontbijt open.'

'Wat is het?' vroeg Julia.

Hij wees naar de broodjes. 'Die lange gedraaide dingen noemen we croissants, die vierkante waar twee bruine stukjes uitsteken zijn chocoladebroodjes, en die grote spiralen met gedroogde vruchten zijn koffiebroodjes.'

'Ik bedoelde dat met dat rode lint, dat je achter je rug verstopt.'

'Dat vertel ik je straks.'

'Waarom had je het dan op mijn bord gelegd?'

'Ik ben van gedachten veranderd, het is beter om dat straks te doen.'

Toen Anthony zich omdraaide griste Julia met een snelle beweging de rol uit zijn handen. Ze maakte het lint los en rolde het papier open. Het gezicht van Tomas keek haar weer glimlachend aan.

'Wanneer heb je dat gekocht?' vroeg ze.

'Gisteren, toen we van de pier liepen. Jij liep voor me zonder op me te letten. Ik had de tekenares een flinke fooi gegeven, ze zei dat ik hem mocht hebben, de klant had hem niet gewild en ze deed er niks mee.'

'Waarom?'

'Ik dacht dat je dat leuk zou vinden. Je hebt er zo lang naar staan kijken.'

'Ik vraag waarom je hem écht gekocht hebt.'

Anthony ging op de bank zitten en keek zijn dochter aan. 'Omdat we moeten praten. Ik hoopte dat we het er nooit over hoefden te hebben en ik geef toe dat ik getwijfeld heb om het onderwerp aan te snijden. Ik had overigens geen moment gedacht dat ons tripje hiertoe zou lijden en in gevaar zou brengen, want ik weet al hoe je gaat reageren. Maar omdat de tekenen, zoals jij zo terecht zegt, mij de weg wijzen... moet ik je iets bekennen.'

'Hou op met die komedie en kom ter zake,' zei ze bits.

'Julia, ik geloof dat Tomas niet helemaal dood is.'

Adam ergerde zich dood. Hij had zonder bagage gereisd om het vliegveld zo snel mogelijk te kunnen verlaten, maar voor hem stroomden de passagiers van een 747 uit Japan massaal naar de douane. Hij keek op zijn horloge. Aan de rij te zien zou het ruim twintig minuten duren voor hij in een taxi kon springen.

'*Sumimasen!*' Het woord schoot hem als geroepen te binnen. Zijn contactpersoon bij een Japanse uitgeverij gebruikte het zo vaak dat Adam geconcludeerd had dat het blijkbaar een nationaal gebruik was om je excuses te maken. 'Sumimasen, neemt u mij niet kwalijk,' herhaalde hij tien keer terwijl hij zich een weg baande door de reizigers van de vlucht van JAL. Tien sumimasens later kon Adam zijn paspoort overleggen aan de Canadese douanebeambte die er een stempel in zette en het hem meteen teruggaf. Hij negeerde het verbod een mobiele telefoon te gebruiken, dat gold tot bij de uitgang van de bagage-uitgifte, pakte de zijne uit zijn jaszak, zette hem aan en toetste het nummer van Julia.

145

'Volgens mij gaat je mobiele telefoon, je hebt hem vast in je kamer laten liggen,' zei Anthony op ongemakkelijke toon.

'Nu niet van onderwerp veranderen. Wat bedoel je precies met "niet helemaal dood"?'

'Misschien is levend een beter woord...'

'Tomas leeft?' vroeg Julia onzeker.

Anthony knikte.

'Hoe weet je dat?'

'Vanwege zijn brief. Over het algemeen schrijven mensen die niet meer van deze wereld zijn niet meer. Op mij na dan... daar had ik nog niet aan gedacht, dat is nog een leuke bijkomstigheid...'

'Welke brief?' vroeg Julia.

'Die jij zes maanden na zijn vreselijke ongeluk ontvangen hebt. Hij was in Berlijn gepost, op de achterkant van de envelop stond zijn naam.'

'Ik heb nooit een brief van Tomas gehad. Zeg me dat dit niet waar is?!'

'Je kon hem ook niet ontvangen, want je was uit huis gegaan en ik kon hem je niet nasturen want je was vertrokken zonder een adres achter te laten. Maar ik neem aan dat het toch een goed argument is om aan je lijst toe te voegen.'

'Welke lijst?'

'De lijst met redenen waarom je een hekel aan me had.'

Julia stond op en duwde de ontbijttafel van zich af. 'We hadden afgesproken geen verleden tijd meer te gebruiken, weet je nog? Dus die laatste zin kun je rustig in de tegenwoordige tijd zetten!' schreeuwde ze terwijl ze de salon uit liep.

De deur van haar slaapkamer knalde dicht en Anthony, die midden in de salon was achtergebleven, ging op haar plek zitten.

'Wat een puinhoop,' mompelde hij met een blik op het mandje broodjes.

∾

In de rij bij de taxi's was het onmogelijk voor te dringen. Een vrouw in uniform wees de passagiers hun voertuig toe. Adam moest gewoon op zijn beurt wachten. Hij toetste opnieuw Julia's nummer.

∾

'Zet hem uit of neem op, dit is irritant!' zei Anthony terwijl hij de kamer van Julia in kwam.

'Ga weg!'

'Julia, jezus, het is bijna twintig jaar geleden!'

'En in al die twintig jaar was er geen enkele gelegenheid om het me te vertellen?' schreeuwde ze.

'Die twintig jaar hebben zich weinig momenten voorgedaan om elkaar te spreken,' antwoordde hij op een toon die geen tegenspraak duldde. 'En dan nog weet ik niet of ik het gedaan zou hebben. Waarom zou ik? Om je weer een excuus te geven te stoppen met waar je net aan begonnen was? Je had net je eerste baan in New York, een studio aan 42nd Street, een vriendje op de toneelschool, als ik me niet vergis, en daarna eentje die zijn afschuwelijke schilderijen in Queens exposeerde, bij wie je overigens wegging vlak voor je van baan en van kapsel wisselde, of was het andersom?'

'Hoe weet jij dat allemaal?'

'Dat mijn leven jou niet interesseerde wil niet zeggen dat ik niet altijd geprobeerd heb het jouwe te volgen.'

Anthony keek zijn dochter lang aan en ging terug naar de salon. In de deuropening riep ze hem terug.

'Heb je hem opengemaakt?'

'Ik heb nooit je post gelezen,' zei hij zonder zich om te draaien.

'Heb je hem bewaard?'

'Hij ligt op je kamer, nou ja, ik bedoel je oude kamer thuis. Ik heb hem in de la gelegd van je bureau, dat leek me een geschikte plek om op je te wachten.'

'Waarom heb je me niks verteld toen ik naar New York terugkwam?'

'Waarom heb jij me pas zes maanden nadat je in New York woonde gebeld, Julia? En deed je dat omdat je vermoedde dat ik je door de winkelruit gezien had in die drugstore in SoHo? Of omdat je me, na zo veel jaren afwezigheid zonder iets van je te laten horen, eindelijk begon te missen? Als jij denkt dat ik van ons tweeën altijd gewonnen heb dan vergis je je.'

'Was het voor jou dan een spelletje?'

'Ik hoop het niet, als kind was je altijd heel goed in het stukmaken van je speelgoed.'

Anthony legde een envelop op haar bed.

'Ik geef je dit,' zei hij. 'Ik had er absoluut eerder met je over moeten praten, maar ik kreeg niet de kans.'

'Wat is dat?' vroeg Julia.

'Onze tickets voor New York. Ik heb ze vanochtend bij de receptie besteld toen jij nog lag te slapen. Ik zei het toch al, ik wist hoe je zou reageren en ik vermoed dat onze reis hier eindigt. Kleed je aan, pak je tas, ik zie je beneden in de hal. Ik ga de rekening betalen.'

Bij het weggaan trok Anthony de deur zachtjes achter zich dicht.

∾

Het verkeer op de snelweg stond vast, de taxi nam de rue Saint-Patrick. Ook daar was het druk. De chauffeur stelde voor om iets verderop de 720 weer te nemen en af te snijden via boulevard René-Lévesque. Het kon Adam niks schelen hoe ze reden, als het maar de snelste route was. De chauffeur zuchtte. De klant kon nog zo ongeduldig zijn, hij kon er verder ook niks aan doen. Over dertig minuten zouden ze op de bestemming zijn, misschien iets sneller als de verkeerssituatie in de stad tenminste beter was. En dan te bedenken dat sommige mensen taxi's niet prettig vonden... Hij zette het geluid van de radio harder om een einde te maken aan hun gesprek. In de verte verscheen al het dak van een wolkenkrabber in de zakenwijk van Montréal, het was niet ver meer naar het hotel.

ॐ

Met haar tas over haar schouder liep Julia met vastberaden pas door de hal naar de receptie. De portier kwam meteen achter zijn balie vandaan en liep haar tegemoet.

'Mevrouw Walsh!' zei hij met wijd open armen. 'Meneer wacht buiten op u, de limousine die we besteld hebben heeft een beetje vertraging, de files zijn echt verschrikkelijk vandaag.'

'Dank u wel,' antwoordde Julia.

'Het spijt me zeer dat u voortijdig vertrekt, mevrouw Walsh, ik hoop dat de kwaliteit van onze service niet debet is aan dit vertrek?' vroeg hij schuldbewust.

'Uw croissants zijn eindeloos!' reageerde Julia ad rem. 'En voor de laatste keer, het is niet mevrouw maar mejuffrouw.'

Ze liep het hotel uit en zag Anthony op de stoep staan wachten.

'De auto kan ieder moment hier zijn,' zei hij. 'Kijk, daar heb je hem al.'

Er stopte een zwarte Lincoln voor hun neus. Voordat de chauffeur uitstapte deed hij van binnenuit de achterklep open. Julia opende het portier en stapte achter in. Terwijl de kruier de twee tassen in de achterbak legde liep Anthony om de auto heen. Er toeterde een taxi die hem op een paar centimeter na miste.

❧

'Die mensen ook altijd die niet opletten!' foeterde de chauffeur terwijl hij dubbel parkeerde voor hotel Saint-Paul.

Adam drukte hem wat dollars in de hand en haastte zich zonder op het wisselgeld te wachten naar de draaideur. Hij meldde zich bij de receptie en vroeg naar mejuffrouw Walsh.

Buiten stond een zwarte limousine te wachten tot een taxi weg zou rijden. De chauffeur van het voertuig dat in de weg stond telde zijn geld en leek geen haast te hebben.

'Meneer en mevrouw Walsh zijn al vertrokken,' antwoordde de receptioniste spijtig.

'Meneer en mevrouw Walsh?' herhaalde Adam, waarbij hij de nadruk legde op 'meneer'.

De portier sloeg zijn ogen ten hemel en kwam naar hem toe. 'Kan ik u helpen?' vroeg hij zenuwachtig.

'Was mijn vrouw vannacht in uw hotel?'

'Uw vrouw?' vroeg de portier terwijl hij een blik over Adams schouder wierp.

De limousine stond er nog steeds.

'Mejuffrouw Walsh!'

'Mejuffrouw was inderdaad hier vannacht, maar ze is inmiddels vertrokken.'

'Alleen?'

'Ik geloof niet dat ik haar in gezelschap gezien heb,' antwoordde de portier die steeds ongemakkelijker werd.

Bij het horen van een claxonconcert draaide Adam zich naar de straat om.

'Meneer?' zei de portier om zijn aandacht weer te trekken. 'Kunnen we u misschien een lichte maaltijd aanbieden?'

'Uw receptioniste vertelde me zojuist dat meneer en mevrouw Walsh uw hotel verlaten hadden! Dat zijn dus twee personen. Was ze nou alleen of niet?' drong Adam op ferme toon aan.

'Onze medewerkster moet zich vergist hebben,' verzekerde de portier hem terwijl hij de jonge vrouw een strenge blik toewierp. 'We hebben heel veel gasten... koffie, thee misschien?'

'Is ze lang geleden vertrokken?'

Opnieuw keek de portier onopvallend naar buiten. De zwarte limousine reed eindelijk weg. Hij slaakte een zucht van verlichting toen hij hem uit zijn blikveld zag verdwijnen.

'Al enige tijd, denk ik,' antwoordde hij. 'We hebben heerlijke vruchtensappen! Ik zal u voorgaan naar de ontbijtzaal, u bent mijn gast.'

XIII

$\mathcal{D}$e hele reis wisselden ze geen woord. Julia zat met haar neus tegen het raampje gedrukt.

∾

Elke keer als ik het vliegtuig nam zocht ik tussen de wolken naar jouw gezicht, dacht ik jouw trekken te zien in de vormen van die wolken die zich in de hemel uitstrekten. Ik had je honderd brieven geschreven, er honderd van jou ontvangen, twee per week. We hadden gezworen elkaar terug te zien, zodra ik genoeg geld had. Als ik niet studeerde dan werkte ik om geld te verdienen zodat ik op een dag naar jou terug kon komen. Ik heb in de bediening gewerkt, mensen in de bioscoop hun stoel gewezen als ik geen folders aan het rondbrengen was. En bij alles wat ik deed dacht ik aan de dag dat ik eindelijk weer voet op Berlijnse bodem zou zetten, op dat vliegveld waar jij me op zou wachten.

Hoeveel nachten ben ik niet in slaap gevallen met jouw ogen op mijn netvlies, met de herinnering aan onze lachstuipen in de straten van die grijze stad. Je oma zei soms tegen me, als je me met haar alleen liet, dat ze niet in onze liefde geloofde. Dat het niet lang zou duren. Dat we te veel van elkaar verschilden, ik het meisje uit het Westen en jij de jongen uit het Oostblok. Maar elke keer als je thuiskwam en me in je armen nam keek ik haar over je schouder aan en dan glimlachte ik naar haar, omdat ik zeker wist dat ze ongelijk had. Toen mijn vader me dwong in de auto te stappen die onder je raam stond te wachten heb ik je naam geschreeuwd, ik had gewild dat je dat gehoord had. De avond dat het journaal het 'incident' in Kaboel meldde, waarbij vier verslaggevers waren omgekomen onder wie een Duitser, wist ik meteen dat ze het over jou hadden. Het bloed stroomde uit mijn lichaam. In het restaurant waar ik achter een oude houten toog glazen stond te drogen viel ik flauw. De nieuwslezer zei dat jullie auto op een mijn was gereden die door de sovjettroepen was achtergelaten. Alsof het lot je had willen inhalen, je niet vrij had willen laten. De kranten vermeldden geen verder details, vier slachtoffers, dat was voldoende voor de wereld. Wat maakt het uit wie er doodgaan, hun levens, de namen van degenen die ze achterlaten. Maar ik wist dat jij de Duitser was over wie ze het hadden. Het kostte me twee dagen om Knapp aan de lijn te krijgen; twee dagen zonder een hap door mijn keel te krijgen.

Uiteindelijk belde hij me terug. Ik kon meteen aan zijn stem horen dat hij een vriend verloren had, en ik degene van wie ik hield. Zijn beste vriend, zei hij de hele tijd. Hij voelde zich schuldig omdat hij je geholpen had om verslaggever te worden. En ik troostte hem, kapot als ik was. Hij had je de kans geboden te worden wie je wilde zijn. Ik zei hem hoezeer het je speet dat je nooit de woorden gevonden had om hem te bedanken. Knapp en ik hebben het over jou gehad, om je nog een beetje bij ons te houden. Hij was degene die me zei dat jullie lichamen nog geïdentificeerd zouden worden. Een getuige had verteld dat jullie truck was opgeblazen toen de mijn explodeerde. De weg lag over tientallen meters bezaaid met stukken staalplaat, en waar jullie gedood waren was slechts een gapende krater, een verwrongen geraamte als getuige van de dwaasheid en de wreedheid van de mens. Knapp kon het zichzelf niet vergeven dat hij jou daarheen gestuurd had, naar Afghanistan. Als vervanger op het laatste moment, zei hij in tranen. Was jij maar niet bij hem geweest toen hij iemand zocht die zo snel mogelijk

153

kon vertrekken. Maar ik begreep dat hij je geen mooier cadeau had kunnen geven. Spijt, zo'n spijt, bleef hij maar snikkend herhalen, en ik was zo wanhopig dat ik geen traan kon laten, huilen zou me verder van je verwijderd hebben. Ik kon niet ophangen, Tomas, ik heb de hoorn op de bar gelegd, mijn schort afgedaan en ben naar buiten gegaan. Ik ben zo maar wat gaan lopen, zonder te weten waarnaartoe. Om mij heen ging het leven in de stad gewoon verder, alsof er niets aan de hand was.

Wie kon hier ook weten dat die ochtend, in de buitenwijken van Kaboel, een man van dertig jaar die Tomas heette gedood was door een mijn? Wie zou zich daar druk om maken? Wie kon begrijpen dat ik je nooit meer zou terugzien, dat mijn leven nooit meer hetzelfde zou zijn? Ik had al twee dagen niks gegeten, had ik dat al verteld? Doet er ook niet toe. Ik zou alles twee keer zeggen om je over mezelf te blijven vertellen, om me over jou te horen praten. Op de hoek van een straat stortte ik in.

Weet je dat ik Stanley dankzij jou heb leren kennen, mijn beste vriend vanaf het allereerste moment dat we elkaar ontmoetten? Hij kwam uit de kamer naast mij. Hij liep verloren door de lange ziekenhuisgang. Mijn deur stond op een kier, hij bleef staan, keek naar me, hoe ik daar in bed lag, en glimlachte. Geen clown ter wereld zou zo'n verdrietige glimlach op zijn gezicht kunnen toveren. Zijn lippen trilden. Plotseling fluisterde hij de drie woorden die ik van mezelf niet zeggen mocht. Maar hem kon ik misschien mijn bekentenis doen omdat ik hem niet kende. Het is anders om een onbekende in vertrouwen te nemen dan een naaste, dat maakt de waarheid niet onherroepelijk, dan is het slechts een mededeling die weer uitgegumd kan worden met onwetendheid. 'Hij is dood,' zei Stanley, en ik antwoordde: 'Ja, hij is dood.' Hij had het over zijn vriend, en ik had het over jou. Zo hebben wij elkaar leren kennen. Stanley en ik, op de dag dat we onze geliefde verloren. Edward was bezweken aan aids en jij aan een andere pande-

mie die de mensheid blijft verwoesten. Hij kwam op het voeteneind zitten, vroeg of ik had kunnen huilen, en omdat ik hem eerlijk antwoord gaf bekende hij dat hij ook niet had kunnen huilen. Hij reikte me zijn hand, ik nam hem in de mijne en we lieten onze eerste tranen stromen. Tranen die jou bij mij vandaan voerden, en Edward bij hem vandaan.

∾

Anthony Walsh sloeg het drankje dat de stewardess hem aanbood af. Hij wierp een blik op het achterste gedeelte van het vliegtuig. Het toestel was vrijwel leeg, maar Julia had er de voorkeur aan gegeven tien rijen achter hem te gaan zitten, bij het raam. Ze zat nog steeds naar buiten te staren.

∾

Toen ik uit het ziekenhuis kwam ben ik uit huis gegaan. Ik heb een rood lint om je honderd brieven geknoopt en ze in een laatje van het bureau op mijn kamer gelegd. Ik hoefde ze niet te herlezen om me de inhoud te herinneren. Ik heb een koffer gepakt en ben vertrokken zonder mijn vader gedag te zeggen. Ik kon het hem niet vergeven dat hij ons uit elkaar gehaald had. Het geld dat ik gespaard had om op een dag naar jou te gaan heb ik gebruikt om ver bij hem vandaan te gaan wonen. Een paar maanden later begon mijn carrière als tekenares en mijn leven zonder jou.

Stanley en ik brachten veel tijd samen door. Zo is onze vriendschap ontstaan. Hij werkte destijds op een vlooienmarkt in Brooklyn. We hadden de gewoonte aangenomen elkaar 's avonds midden op de brug te ontmoeten. Soms bleven we daar uren, leunend op de reling, staan kijken naar de boten die voorbijkwamen; andere keren wandelden we

155

langs de oever. Hij vertelde me over Edward en ik vertelde hem over
jou, en als we ieder naar ons eigen huis gingen nam hij een beetje van
jou mee in zijn nachtbagage.

Ik zocht de schaduw van jouw lichaam in de langgerekte schadu-
wen van de bomen, 's ochtends op de stoep, de trekken van je gezicht in
de weerspiegeling van de Hudson; ik zocht vergeefs naar je woorden in
de wind die door de stad woei. Twee jaar lang heb ik op die manier al
onze momenten in Berlijn herbeleefd, soms moest ik om ons lachen,
maar ik bleef altijd aan je denken.

Ik heb de brief, waarin stond dat je nog leefde, nooit ontvangen, To-
mas. Ik weet niet wat je me geschreven hebt. Het is bijna twintig jaar
geleden maar ik heb het vreemde gevoel dat je hem gisteren op de bus
hebt gedaan. Misschien wilde je me, na al die maanden zonder bericht
van je, zeggen dat je besloten had nooit meer op me te wachten op een
vliegveld. Dat er te veel tijd verstreken was sinds mijn vertrek. Zo veel
tijd dat gevoelens vervagen; ook de liefde kent een najaar voor degene
die de aantrekkingskracht van de ander vergeten is. Misschien geloofde
je er niet langer in, misschien was ik je op een andere manier kwijtge-
raakt. Er twintig jaar over doen om aan te komen, of bijna twintig
jaar, is lang voor een brief.

We zijn veranderd. Zou ik weer van Parijs naar Berlijn reizen? Wat
zou er gebeuren als onze blikken elkaar weer zouden kruisen, jij aan de
ene kant van een muur en ik aan de andere? Zou jij je armen voor me
spreiden, zoals je toen voor Knapp deed op een avond in november
1989? Zouden we door de straten van een stad rennen die jonger is ge-
worden terwijl wij ouder zijn geworden? Zouden je lippen nog net zo
zacht zijn? Misschien moest die brief in de la van het bureau blijven
liggen, dat was misschien beter.

∞

De stewardess tikte zachtjes op haar schouder. Ze moest haar stoelriem vastmaken, ze naderden New York.

∾

Adam moest zich erbij neerleggen dat hij een deel van de dag in Montréal zou moeten doorbrengen. De medewerker van Air Canada had zijn uiterste best voor hem gedaan, maar helaas was er voor New York alleen nog een stoel beschikbaar op een vlucht om vier uur 's middags. Hij had herhaaldelijk geprobeerd Julia te bereiken, maar hij kreeg steeds haar voicemail.

∾

Weer een snelweg. Door de ramen waren nu de wolkenkrabbers van Manhattan te zien. De Lincoln, die op hen had staan wachten bij het vliegveld, reed de tunnel in met dezelfde naam.

'Ik heb het vreemde gevoel niet meer welkom te zijn bij mijn dochter. Als ik moet kiezen tussen jouw rommelige zolder en mijn appartement, dan ga ik net zo lief naar huis. Ik kom zaterdag terug naar mijn kist voordat ze hem komen ophalen. Het is het beste als je Wallace even belt, om te zorgen dat hij er niet is,' zei Anthony. Hij gaf Julia een stukje papier met daarop een telefoonnummer.

'Woont je hofmaarschalk nog steeds in jouw huis?'

'Ik weet niet precies wat mijn privésecretaris doet. Sinds mijn dood heb ik geen gelegenheid gehad hem te vragen hoe hij zijn tijd doorbrengt. Maar als je hem een hartinfarct wilt besparen is het verstandig als hij er niet is als wij thuiskomen. En als je hem toch spreekt, het zou me heel goed uitkomen als je hem een goede reden geeft om tot het eind van de week naar het andere eind van de wereld te vertrekken.'

Als antwoord toetste Julia het nummer van Wallace. Het voicemailbericht meldde dat hij vanwege het overlijden van zijn werkgever een maand verlof genomen had. Het was niet mogelijk een boodschap voor hem achter te laten. Voor dringende kwesties met betrekking tot de zaken van meneer Walsh werd men verzocht direct contact op te nemen met zijn notaris.

'Je kunt gerust zijn, de kust is veilig!' zei Julia terwijl ze haar mobiel in haar zak stak.

Een half uur later parkeerde de auto langs de stoep voor het herenhuis van Anthony Walsh. Julia keek naar de gevel, en haar blik richtte zich vrijwel meteen op een raam op de tweede verdieping. Van daaruit zag ze op een middag, toen ze uit school kwam, hoe haar moeder gevaarlijk over het balkon hing. Wat zou ze gedaan hebben als zij haar niet geroepen had? Toen haar moeder haar zag had ze even gezwaaid, alsof dat gebaar alle sporen zou uitwissen van wat ze van plan was te gaan doen.

Anthony deed zijn attachékoffer open en gaf haar een sleutelbos.

'Hebben ze je ook je sleutels gegeven?'

'Laten we zeggen dat ze rekening hielden met de mogelijkheid dat je me niet thuis wilde hebben maar ook niet voortijdig uit wilde zetten... Doe je open? We hoeven ook niet te wachten tot een van de buren me herkent!'

'Want tegenwoordig ken jij je buren? Ook dat is nieuw!'

'Julia!'

'Oké,' zei ze zuchtend terwijl ze de klink van de zware smeedijzeren deur omdraaide.

Het licht stroomde met haar naar binnen. Alles was nog precies zoals ze het zich van heel lang geleden herinnerde. De zwart-witte tegels in de gang die een gigantisch dambord vormden. Rechts de statige donkerhouten trap die met een sierlijke boog naar de eerste verdieping liep. De wortelhouten balustrade, gemaakt en bewerkt door een beroemd meubelmaker, zoals haar vader altijd graag vermeldde als hij zijn gasten het huis liet zien. De deur naar het kantoor en de keuken, achterin, die ieder voor zich al groter waren dan de plekken waar Julia sinds haar vertrek gewoond had. Links het bureau waar haar vader zijn privéboekhouding bijhield op de zeldzame avonden dat hij thuis was. Overal die blijken van rijkdom, die Anthony Walsh vervreemd hadden van de tijd dat hij nog koffie serveerde in een kantoortoren in Montréal. Aan de grote muur hing een portret van haar als kind. Was er in haar ogen nog een sprankje over van die blik die door een schilder was vastgelegd toen ze vijf jaar was? Julia keek omhoog naar het cassetteplafond. Als er her en der in de hoeken van het houtwerk nou nog een spinnenweb had gezeten zou het decor iets spookachtigs hebben gehad, maar het huis van Anthony Walsh was zoals altijd tot in de puntjes verzorgd.

'Weet je nog waar je kamer is?' vroeg Anthony terwijl hij naar zijn kantoor liep. 'Ga er maar heen, ik weet zeker dat je de weg nog weet. Als je trek hebt, er ligt vast wel wat eetbaars in de keukenkastjes, pasta of wat blikjes. Zo lang ben ik nou ook nog niet dood.'

Hij keek hoe Julia tree voor tree de trap op liep, terwijl ze haar hand over de leuning liet glijden, precies zoals ze dat als kind deed. Toen ze op de overloop kwam draaide ze zich om, net als vroeger, om te zien of iemand haar volgde.

'Wat?' zei ze terwijl ze hem van boven aan de trap aankeek.

'Niks,' antwoordde Anthony glimlachend.

Hij liep zijn kantoor binnen.

De gang strekte zich voor haar uit. De eerste deur was van de kamer van haar moeder. Julia legde haar hand op de deurklink, het handvat ging langzaam naar beneden en kwam net zo langzaam weer omhoog toen ze besloot niet naar binnen te gaan. Ze liep in één ruk door naar het einde van de gang.

Er scheen een merkwaardig melkwit licht in de kamer. De dichtge-
trokken vitrages hingen tot op het smetteloze gekleurde tapijt. Ze
liep naar het bed, ging op de rand zitten en duwde haar gezicht in
het kussen. Ze snoof de geur van de sloop diep op. Er kwamen herinneringen boven aan al die nachten die ze onder de dekens had
doorgebracht, stiekem lezend met een zaklamp; avonden waarop
het raam openstond en verzonnen personages in de gordijnen tot
leven kwamen. Zo veel vertrouwde schaduwen die haar slapeloze
momenten kwamen bevolken. Ze strekte haar benen en keek eens
goed om zich heen. De kroonluchter was net een mobile, maar te
zwaar om zijn zwarte vleugels te laten fladderen als ze op een stoel
ging staan en ertegenaan blies. Naast de kast stond de houten kist
met daarin haar schriften, een paar foto's, kaarten van landen met
betoverende namen, die ze bij de papierwinkel gekocht had of had
geruild tegen gebieden die ze dubbel had; wat had het voor zin om
twee keer naar dezelfde plek te gaan als er nog zo veel te ontdekken
viel? Haar blik gleed naar de planken waarop haar schoolboeken
stonden, kaarsrecht, overeind gehouden door twee oude speeltjes,
een rode hond en een blauwe kat die elkaar voor altijd negeerden.
Het donkerrode omslag van een geschiedenisboek, waarvan ze de
inhoud vergeten was zodra ze van school was, herinnerde haar aan
haar bureau. Julia kwam van het bed en liep ernaartoe.

Het houten werkblad waar ze met de punt van haar passer in had
zitten krassen, tijdens als die uren dat ze aan dat bureau had zitten
lanterfanten. Als Wallace op de deur klopte om te checken of het
goed ging met haar huiswerk, begon ze vlijtig zomaar wat in haar
schrift te schrijven. Pagina's vol 'ik verveel me, ik verveel me, ik verveel me'. De porseleinen greep van het laatje had de vorm van een
ster. Je hoefde er maar even aan te trekken en het gleed moeiteloos

open. Ze deed het een stukje open. Een rode viltstift rolde naar achteren. Julia stak snel haar hand erin. De opening was smal, en het rotding glipte weg. Julia liet zich door het spel meeslepen, op de tast doorzocht ze de rest van de la.

Haar duim herkende de geodriehoek, haar pink een ketting die ze op de kermis gewonnen had, veel te lelijk om te dragen. Haar ringvinger aarzelde. Was dat de puntenslijper in de vorm van een kikker of de plakbandhouder in de vorm van een schildpad? Haar middelvinger gleed over iets van papier. In de hoek, rechts bovenaan, verraadde een minuscuul reliëf de kartelrand van een postzegel. Door de jaren waren de randjes een beetje losgeraakt. In de verborgenheid van de donkere lade liet ze haar vingers over de envelop glijden. Ze volgde de lijntjes die de inkt van een pen gevormd had. Ze probeerde de lijn te volgen, zoals bij dat spelletje waarbij je met je vingertop een woord schrijft op de huid van een geliefde die dat dan moet raden. Julia herkende het handschrift van Tomas.

Ze pakte de envelop, maakte hem open en haalde er een brief uit.

September 1991

Julia,

Ik heb de waanzin van de mens overleefd. Ik ben de enige overlevende van een zeer trieste gebeurtenis. Zoals ik je in mijn laatste brief schreef waren we eindelijk vertrokken op zoek naar Massoud. Ik hoor het lawaai van de explosie nog steeds en weet dan ook niet meer waarom ik hem zo graag wilde ontmoeten. Ik begrijp niet meer waar mijn drang vandaan kwam om zijn verhaal te willen filmen. Ik herinner me alleen nog de haat die ik voelde, en de haat die mijn reisgenoten ombracht. De dorpsbewoners namen me mee naar ruines, twintig meter van de plek waar ik had moeten sterven.

Waarom ben ik door de kracht van de bom de lucht in geslingerd, terwijl de rest uiteengereten werd? Ik zal het nooit weten. Omdat ze dachten dat ik dood was hebben ze me in een karretje gelegd. Als een klein jongetje niet zijn zinnen gezet had op mijn horloge en daarvoor zijn angst moest overwinnen, als mijn arm toen niet bewogen had waardoor hij het op een brullen zette, hadden ze me waarschijnlijk begraven. Maar ik zei het al, ik heb de waanzin van de mens overleefd. Ze zeggen wel eens dat je je hele leven voorbij ziet komen als je door de dood gekust wordt. Maar als-ie je vol op de mond pakt dan zie je helemaal niks. In mijn doodsstrijd zag ik alleen maar jouw gezicht. Ik had je jaloers willen maken door te zeggen dat de verpleegster die me verzorgde heel knap was, maar het was een man, en zijn lange baard had niks verleidelijks. Ik heb de afgelopen vier maanden in een ziekenhuisbed in Kaboel doorgebracht. Mijn huid is verbrand, maar ik schrijf je niet om te klagen.

Vijf maanden zonder je een brief te sturen, dat is lang als je gewend bent elkaar twee keer per week te schrijven. Vijf maanden van stilte, bijna een half jaar, dat is nog langer als je elkaar al die tijd niet gezien of aangeraakt hebt. Het is echt zwaar om op afstand van iemand te houden, vandaar de vraag die me elke dag kwelt.

Zodra hij het bericht kreeg is Knapp naar Kaboel gevlogen. Je had hem moeten zien huilen toen hij de zaal op kwam. Ik moest zelf ook wel een beetje huilen, eerlijk gezegd. Gelukkig was de gewonde naast me in een diepe slaap, het zou wel een beetje een vreemde indruk gemaakt hebben te midden van al die dappere soldaten. Hij heeft je na zijn vertrek niet meteen gebeld om te zeggen dat ik nog leefde omdat ik hem dat gevraagd heb. Ik weet dat hij je het bericht van mijn dood gegeven had, het was aan mij om te vertellen dat ik het overleefd had. Misschien is dat niet de ware reden, misschien wil ik je door te schrijven de vrijheid geven om verder te gaan met het verwerken van het verdriet over onze relatie, als je daar al mee begonnen bent.

Julia, onze liefde werd geboren uit onze verschillen, uit de behoefte om op ontdekkingsreis te gaan, elke ochtend als we wakker werden. Nu ik het toch over ochtenden heb, je hebt geen idee hoeveel uren ik naar je heb liggen kijken terwijl je sliep terwijl je glimlachte. Want je glimlacht in je slaap, ook al weet je dat niet. Je hebt geen idee hoe vaak je tegen me aan kroop terwijl je in je slaap dingen zei die ik niet begreep; honderd keer, om precies te zijn.

Julia, ik weet dat het een heel ander verhaal is om samen wat op te bouwen. Ik heb je vader gehaat, en daarna wilde ik hem begrijpen. Zou ik in die omstandigheden hetzelfde gedaan hebben? Als jij me een dochter gegeven had, en mij met haar had achtergelaten, als zij verliefd was geworden op een buitenlander die in een wereld van niks woonde, of in een wereld die me op alle fronten angst aanjaagde, misschien zou ik dan wel hetzelfde gedaan hebben. Ik heb nooit zin gehad om je te vertellen over al die jaren achter de Muur, ik wilde geen moment van ons samenzijn verpesten met herinneringen aan die dwaasheid. Je verdiende beter dan die nare verhalen over het ergste waartoe de mens in staat is. Maar je vader wist ongetwijfeld over het bestaan ervan, en het was niet wat hij voor jou wenste.

Ik heb je vader gehaat omdat hij je ontvoerde en mij in onze kamer met bebloed gezicht achterliet, machteloos toeziend hoe je vertrok. Ik heb in mijn woede tegen de muren gebonkt waarin je stem nog naklonk, maar ik wilde het begrijpen. Hoe kan ik je zeggen dat ik van je hield zonder het op zijn minst geprobeerd te hebben?

Jij keerde terug naar je eigen wereld, noodgedwongen. Weet je nog dat je het altijd had over de tekens die het leven ons gaf? Ik geloofde er niet in, maar uiteindelijk moest ik je gelijk geven, ook al is het vanavond, terwijl ik dit schrijf, een harde conclusie.

Ik heb van je gehouden zoals je bent, en ik zou nooit willen dat je anders was. Ik heb van je gehouden zonder alles te begrijpen, in de overtuiging dat de tijd het me zou leren. Misschien dat ik door al die liefde soms vergeten ben je te vragen of jij genoeg van me hield om al onze verschillen voor lief te nemen. Misschien gaf je me wel nooit de kans om die vraag te stellen, net zoals je jezelf niet de kans gaf die vraag te stellen. Maar die tijd is nu gekomen, tegen wil en dank.

Morgen ga ik terug naar Berlijn. Ik zal deze brief posten in de eerste brievenbus die ik tegenkom. Je zult hem zoals altijd over een paar dagen ontvangen. Als ik het goed heb is het nu de zestiende of de zeventiende.

In deze envelop zul je ook iets aantreffen wat ik altijd stiekem bewaard heb. Ik zou het liefst een foto van mezelf hebben bijgesloten, maar ik zie er op het moment niet zo fraai uit en het leek me bovendien een beetje verwaand. Het is dus slechts een vliegticket. Zie je, nu hoef je niet nog maandenlang te werken om me te zien, mocht je dat nog willen. Ik had ook gespaard om je op te zoeken. Ik had het meegenomen naar Kaboel, ik zou het je gestuurd hebben, maar ja, zoals je begrijpt… Het is nog geldig.

Ik sta op het vliegveld van Berlijn op je te wachten, elke laatste dag van de maand.

Als we weer bij elkaar komen beloof ik dat ik de dochter die jij me ooit zult schenken nooit zal weghalen bij de man die zij op een dag zal uitkiezen. Ongeacht de verschillen, ik begrijp degene die haar van me pikt, ik begrijp mijn dochter omdat ik van haar moeder hield.

Julia, ik zal je nooit iets verwijten, ik respecteer je keuze, wat die ook moge zijn. Als je niet komt, als ik het vliegveld de laatste dag van de maand alleen verlaat, weet dan dat ik je begrijp. Ik schrijf je om je dat te zeggen.

Ik zal dat prachtige gezicht dat op een novemberavond in mijn leven kwam nooit vergeten. Een avond dat de hoop terugkwam en ik over een muur klom om in jouw armen te vallen. Ik uit oost, en jij uit west.

Jij bent en blijft in mijn gedachten het mooiste dat me is overkomen. Terwijl ik dit schrijf realiseer ik me hoeveel ik van je hou.

Misschien tot snel. Hoe dan ook, jij bent er, jij zult er altijd zijn.

Ik weet dat jij ergens rondloopt en adem haalt, dat is al heel wat.

Ik hou van je,

Tomas

Er viel een vergeeld mapje uit de envelop. Julia maakte het open. Op het rode carbonpapier van een vliegticket was met een schrijfmachine getypt: Fraülein Julia Walsh, New York – Parijs – Berlijn, 29 september 1991. Julia legde het terug in de la van haar bureau. Ze zette het raam op een kier en ging weer op haar bed liggen. Zo lag ze een tijdje met haar handen onder haar hoofd naar de gordijnen te staren, twee lappen stof waarin oude bekenden ronddwaalden, hervonden lotgenoten uit haar eenzame jeugd.

Aan het begin van de middag kwam Julia haar kamer uit om naar beneden te gaan. Ze deed de kast open waarin Wallace altijd de potten jam opborg. Ze pakte een rol beschuit van de plank, koos een pot honing uit en ging aan de keukentafel zitten. Ze keek naar het spoor dat een lepel in de stroperige substantie had gemaakt. Een merkwaardig afdruk, waarschijnlijk afkomstig van Anthony Walsh tijdens zijn laatste ontbijt. Ze stelde zich voor hoe hij daar gezeten had, op de plek waar zij nu zat, alleen in die immense keuken achter zijn kopje en een krant. Waar dacht hij aan die dag? Een merkwaardige getuigenis van een voorbij verleden. Waarom werd ze zich door dit schijnbaar onbeduidende overblijfseltje bewust, voor het eerst misschien, van het feit dat haar vader dood was? Vaak is er niks voor nodig, een teruggevonden voorwerp, een geur, om een overledene in je herinnering terug te brengen. En midden in die grote ruimte dacht ze ook voor het eerst met spijt terug aan haar kindertijd, hoezeer ze die ook verachtte. Er klonk een kuchje in de deuropening. Ze keek op. Anthony Walsh glimlachte naar haar.

'Mag ik binnenkomen?' zei hij terwijl hij tegenover haar ging zitten.

'Doe alsof je thuis bent.'

'Die laat ik uit Frankrijk komen, het is lavendelhoning. Ben je nog steeds zo dol op honing?'

'Zoals je ziet, sommige dingen veranderen niet.'

'Wat schreef hij je in die brief?'

'Volgens mij gaat jou dat niks aan.'

'Heb je een besluit genomen?'

'Hoe bedoel je?'

'Dat weet je heel goed. Ga je hem antwoorden?'

'Twintig jaar na dato? Dat is een beetje laat, denk je niet?'

'Stel je die vraag aan jezelf of aan mij?'

'Tomas is inmiddels ongetwijfeld getrouwd, en hij heeft vast kinderen. Welk recht heb ik om opeens weer in zijn leven op te duiken?'

'Een jongen, een meisje, een tweeling misschien?'

'Hè? 'Ik vraag je of je met je helderziende kwaliteiten ook weet hoe dat leuke gezinnetje eruitziet. Nou, jongen of meisje?'

'Wat lul je nou?'

'Vanochtend dacht je nog dat hij dood was, misschien ga je iets te snel met je veronderstellingen door nu te bedenken wat hij met zijn leven gedaan heeft.'

'Twintig jaar, verdomme, we hebben het niet over zes maanden!'

'Zeventien! Ruimschoots voldoende tijd om een paar keer te scheiden, tenzij hij de verkeerde kant op is gegaan, zoals je vriendje de antiquair. Hoe heet hij ook alweer? Stanley? Ja, Stanley!'

'Jij hebt wel lef, zeg, met je grapjes!'

'Ach, humor, een geweldige manier om de realiteit te verzachten als het je te veel wordt. Ik weet niet meer wie dat gezegd heeft, maar het is meer dan waar. Maar nogmaals: heb je een besluit genomen?'

'Er valt helemaal geen besluit te nemen, het is nu veel te laat. Hoe vaak wil je dat nog horen, je bent zeker wel blij, hè?'

'Te laat bestaat alleen als dingen definitief zijn geworden. Het is te laat om alles tegen je moeder te zeggen wat ik haar graag had willen vertellen voordat ze me verliet en ik had heel graag gewild dat ze me geschreven had voordat ze gek werd. Wat ons betreft is het zaterdag te laat, als ik ermee ophou als een ordinair stuk speelgoed op batterijen. Maar als Tomas nog leeft, sorry dat ik het zeg, maar dan is het nog niet te laat. En als jij je ook maar een beetje herinnert hoe je gisteren reageerde op die tekening, waarom wij hier vanochtend zijn teruggekomen, ga je dan niet verschuilen achter het excuus dat het te laat is. Dan moet je maar een ander excuus verzinnen.'

'Wat wil je nou eigenlijk precies?'

'Ik niks. Maar jij daarentegen, misschien die Tomas van je? Tenzij...'

'Tenzij wat?'

'Nee, niks, sorry, ik zeg maar wat, maar jij hebt natuurlijk gelijk.'

'Dat is ook voor het eerst dat ik jou hoor zeggen dat ik ergens gelijk in heb. Ik zou heel graag weten waarin.'

'Nee, het doet er niet toe, echt niet. Het is veel makkelijker om te blijven klagen en huilen over hoe het had kunnen zijn. Ik hoor het gebruikelijke bla bla alweer: "Het lot heeft het anders beschikt, het is niet anders." En dan heb ik het nog niet eens over alle "het is allemaal de schuld van mijn vader, hij heeft echt mijn leven verknald". Van je leven een drama maken is tenslotte ook een manier van leven.'

'Ik schrok al! Ik dacht even dat je me serieus nam.'

'Gezien de manier waarop je je gedraagt is dat risico uiterst gering.'

'Zelfs al zou ik niets liever willen dan Tomas een brief schrijven, zelfs al zou ik op de een of andere manier zijn adres kunnen achterhalen, en mijn brief zeventien jaar na dato kunnen versturen, ik zou dat Adam nooit kunnen aandoen, dat is gemeen. Denk je niet dat hij deze week zijn portie leugens wel gehad heeft?'

'Absoluut,' antwoordde Anthony meer dan ironisch.

'Wat is er nou weer?'

'Je hebt gelijk. Liegen door dingen te verzwijgen is veel beter, veel eerlijker ook! Het zou jullie bovendien de kans geven iets te delen, dan is hij niet meer de enige tegen wie je gelogen hebt.'

'Mag ik weten op wie je doelt?'

'Op jezelf! Elke avond wanneer je naast hem in slaap valt en ook maar heel even aan je vriendje uit het Oostblok denkt, hop, een leugentje; een heel kort gevoel van spijt, hop, weer een leugentje; elke keer wanneer je jezelf de vraag stelt of je niet toch naar Berlijn had moeten gaan om te weten hoe het zat, hop, een derde leugentje.

Wacht, laat me even rekenen, ik ben altijd goed in wiskunde geweest; laten we zeggen drie korte gedachten per week, twee pijnlijke herinneringen en drie vergelijkingen tussen Tomas en Adam, dat maakt drie plus twee plus drie is acht, keer tweeënvijftig weken, keer dertig jaar dat jullie samenleven, ik ben optimistisch, maar vooruit... Dat zijn 12.480 leugens. Niet slecht voor een huwelijk.'

'Ben je nou tevreden?' vroeg Julia terwijl ze cynisch in haar handen klapte.

'Denk je dat het geen bedrog is, geen verraad, om met iemand samen te leven zonder zeker te zijn van je eigen gevoelens? Heb je enig idee welke wending het leven neemt als de ander je behandelt alsof je een vreemde bent?'

'Want jij weet dat wel?'

'Je moeder noemde mij meneer, de laatste drie jaar van haar leven, en als ik haar kamer binnen kwam wees ze me waar de wc was omdat ze dacht dat ik de loodgieter was. Moet ik nog verder gaan?'

'Zei mama echt meneer tegen je?'

'Op haar goeie dagen, ja, op haar slechte dagen belde ze de politie omdat er een vreemde haar huis was binnengedrongen.'

'Had je echt gewild dat ze je geschreven had voordat...'

'Zeg maar eerlijk wat je zeggen wilt. Voordat ze gek werd? Voordat ze wegzonk in haar waanzin? Het antwoord is ja, maar we zijn hier niet om het over je moeder te hebben.'

Anthony keek zijn dochter lang aan.

'En, is-ie lekker, die honing?'

'Ja,' zei ze terwijl ze een hap van haar beschuit nam.

'Iets sterker van smaak dan normaal, hè?'

'Ja, iets heftiger.'

'De bijen zijn lui geworden toen jij dit huis verliet.'

'Dat zou kunnen,' zei ze lachend. 'Wil je het over bijen hebben?'

'Waarom niet?'

'Heb je haar erg gemist?'

'Natuurlijk, wat een vraag!'

'Was mama de vrouw voor wie je met twee voeten tegelijk in de goot sprong?'

Anthony zocht in de binnenzak van zijn jasje en haalde er een mapje uit. Hij schoof het over tafel naar Julia.

'Wat is dat?'

'Twee tickets naar Berlijn via Parijs, er is nog steeds geen directe vlucht. We vliegen om vijf uur vanmiddag, je kunt alleen gaan, helemaal niet of ik kan met je mee, aan jou de keus. Ook dat is nieuws, hè?'

'Waarom doe je dit?'

'Wat heb je met dat papiertje gedaan?'

'Welk papiertje?'

'Dat briefje van Tomas dat je altijd bij je droeg, dat als bij toverslag tevoorschijn kwam als je je zakken leeghaalde. Dat kleine verkreukelde papiertje dat me elke keer beschuldigde van het kwaad dat ik je had aangedaan.'

'Dat ben ik verloren.'

'Wat stond er op? O, trouwens, laat ook maar, liefde is zo vreselijk banaal. Ben je het echt kwijtgeraakt?'

'Dat zeg ik toch!'

'Ik geloof je niet, dat soort dingen verdwijnen nooit zomaar. Op een dag komen ze weer boven water, uit het diepst van je hart. Hup, ga je tas inpakken.'

Anthony stond op en liep de keuken uit. In de deuropening draaide hij zich om.

'Schiet op, je hoeft niet nog eerst langs huis, als je iets nodig hebt kopen we dat daar wel. We hebben niet veel tijd meer, ik wacht buiten op je, ik heb de auto al besteld. Ik heb een merkwaardig gevoel van déjà vu nu ik dit zeg, klopt dat?'

Julia hoorde de voetstappen van haar vader in de hal weergalmen. Ze liet haar hoofd in haar handen rusten en zuchtte. Tussen haar vingers door keek ze naar de pot honing op tafel. Ze moest naar Berlijn, niet zozeer om Tomas terug te vinden, maar om de reis met haar vader te vervolgen. Ze hield zichzelf voor dat het geen voorwendsel noch een excuus was, en dat Adam het op een dag ongetwijfeld zou begrijpen.

Toen ze weer op haar slaapkamer was en haar tas van het voeteneind van het bed pakte, gleed haar blik naar de planken aan de muur. Een geschiedenisboek met een donkerrood omslag stak iets uit de rij. Ze aarzelde, nam het boek van de plank, en liet er een blauwe envelop uit glijden. Ze stopte hem bij haar bagage, deed het raam dicht en verliet de kamer.

∾

Anthony en Julia arriveerden net voordat de incheckbalie sloot. De stewardess gaf ze hun instapkaarten en adviseerde ze op te schieten. Ze kon op dit tijdstip niet garanderen dat ze op tijd zouden zijn voor de laatste oproep.

'Met mijn been gaat dat niet lukken,' zei Anthony. Hij keek haar teleurgesteld aan.

'Hebt u moeite met lopen, meneer?' vroeg de jonge vrouw bezorgd.

'Op mijn leeftijd, jongedame, hoort dat er helaas allemaal bij,' antwoordde hij flink terwijl hij de verklaring toonde waarin stond dat hij een pacemaker had.

'Wacht u hier maar even,' zei ze. Ze pakte de telefoon.

Even later bracht een elektrisch wagentje ze naar de gate voor de vlucht naar Parijs. Vergezeld van een medewerker van de maatschappij was het passeren van de beveiliging deze keer een peulenschil.

'Heb je weer een bug?' vroeg Julia terwijl ze met volle snelheid door de gangen van het vliegveld reden.

'Hou je mond, verdomme,' fluisterde Anthony. 'Straks worden we nog betrapt. Er is helemaal niks aan de hand met mijn been!' Hij vervolgde zijn gesprek met de bestuurder, alsof hij oprecht geïnteresseerd was in diens leven. Nauwelijks tien minuten later gingen Anthony en zijn dochter als eersten aan boord.

Terwijl twee stewardessen Anthony Walsh hielpen bij het plaatsnemen – de een door kussens in zijn rug te leggen, de ander door hem een dekentje aan te bieden – liep Julia terug naar de ingang van het vliegtuig. Ze deelde de steward mee dat ze nog een laatste telefoontje moest plegen. Haar vader zat aan boord, ze zou binnen enkele minuten terug zijn. Ze liep terug door de slurf en pakte haar mobieltje.

'En, hoe staat het met de mysterieuze ontdekkingsreis in Canada?' zei Stanley toen hij opnam.

'Ik ben op het vliegveld.'

'Kom je nu alweer terug?'

'Ik vertrek.'

'Dan moet ik een etappe gemist hebben, schat.'

'Ik ben vanmorgen thuisgekomen, had geen tijd om bij je langs te gaan, maar ik zweer je dat ik dat heel hard nodig had gehad.'

'En mogen we weten waar je nu naartoe gaat, naar Oklahoma, Wisconsin misschien?'

'Stanley, als jij een brief van Edward zou vinden, een brief die door hem geschreven was vlak voor zijn dood, maar ongelezen, zou jij die dan openmaken?'

'Ik heb je al verteld dat zijn laatste woorden waren dat hij van me hield. Wat zou ik nog meer willen weten? Verontschuldigingen? Spijt? Die paar woorden van hem waren veel meer waard dan alles wat we elkaar vergeten waren te zeggen.'

'Dus jij zou de envelop gewoon terugleggen?'

'Ik denk het wel, maar ik heb bij ons thuis nooit een brief van Edward gevonden. Het was niet zo'n schrijver, namelijk, zelfs het boodschappenlijstje moest ik altijd maken. Je hebt geen idee hoe ik me daar destijds over kon opwinden, maar twintig jaar later koop ik bij de supermarkt nog altijd zijn lievelingsyoghurt. Gek hè, dat je je dat soort dingen na zo veel jaar nog herinnert.'

'Ik weet niet.'

'Heb je een brief van Tomas gevonden, is dat het? Als je aan hem denkt begin je tegen mij altijd over Edward. Maak open!'

'Waarom? Omdat jij dat niet gedaan zou hebben?'

'Het is echt teleurstellend dat je na twintig jaar vriendschap nog steeds niet begrepen hebt dat ik alles ben, behalve een goed voorbeeld. Maak die brief vandaag nog open, lees hem desnoods morgen, maar gooi hem vooral niet weg. Misschien heb ik een beetje tegen je gelogen. Als Edward een brief voor me had achtergelaten zou ik hem honderd keer gelezen hebben, uren achtereen, om zeker te weten dat ik elk woord begrepen had, ook al weet ik dat hij er nooit zo lang mee bezig zou zijn geweest. Kun je me nu vertellen waar je naartoe gaat? Ik brand van nieuwsgierigheid om te weten onder welk netnummer ik je vanavond kan bereiken.'

'Dat zal eerder morgen zijn en je moet 49 gebruiken.'

'Is dat in het buitenland?'

'Duitsland, Berlijn.'

Het was even stil aan de andere kant van de lijn. Stanley ademde diep in en pakte de draad van hun gesprek weer op.

'Heb je iets ontdekt in die brief die je dus al geopend hebt?'

'Hij leeft nog!'

'Natuurlijk…' zuchtte Stanley. 'En nu bel je me vanaf de gate om te vragen of je er goed aan doet om hem te gaan zoeken, is dat het?'

'Ik bel je vanuit de slurf… en volgens mij heb je al geantwoord.'

'Nou, rennen dan, idioot, zorg dat je dat vliegtuig niet mist.'

'Stanley?'

'Had je nou nog wat?'

'Ben je boos?'

'Nee! Ik vind het vreselijk dat je zo ver weg bent, dat is alles. Heb je nog meer stomme vragen?'

'Hoe weet jij…'

'Het antwoord op je vragen voordat je ze gesteld hebt? Boze tongen zullen beweren dat ik vrouwelijker ben dan jij, maar jij mag denken dat het komt doordat ik je beste vriend ben. En nu wegwezen jij, voordat het tot me doordringt hoe vreselijk ik je ga missen.'

'Ik bel je vanaf daar, dat beloof ik je.'

'Ja, ja, doe dat!'

De stewardess gebaarde Julia dat ze nu onmiddellijk aan boord moest stappen, ze wachtten alleen nog op haar om de deur van het toestel dicht te kunnen doen. Toen Stanley wilde weten wat hij tegen Adam moest zeggen als die zou bellen had Julia al opgehangen.

XIV

Nadat de maaltijden waren opgeruimd dimde de stewardess het licht, waardoor het schemerdonker werd in de cabine. Sinds het begin van de reis had Julia haar vader niets zien eten of drinken, en niet zien slapen of uitrusten. Dat was waarschijnlijk normaal voor een machine, maar het bleef een merkwaardig idee. Vooral omdat het de enige details waren die haar eraan herinnerden dat deze reis met zijn tweetjes slechts een paar dagen reservetijd bood. De meeste passagiers sliepen, sommige keken op kleine schermpjes naar een film. Op de achterste rij bestudeerde een man een dossier bij het licht van een nachtlampje. Anthony bladerde door een krant, Julia keek door het raampje naar de zilverkleurige weerschijn van de maan op de vleugel van het toestel en de oceaan die rimpelde in de donkere nacht.

In het voorjaar had ik besloten te stoppen met de kunstacademie, om niet naar Parijs terug te gaan. Jij had alles gedaan om me dat uit het hoofd te praten, maar ik had mijn beslissing genomen: ik zou net als jij journalist worden en net als jij zou ik de volgende ochtend op zoek gaan naar een baan, ook al maakte een Amerikaanse daar weinig kans op. Sinds een paar dagen was er weer een tramverbinding tussen de

twee delen van de stad. Alles om ons heen was in beweging. Overal om ons heen hadden de mensen het over de hereniging van je land, zodat het weer een geheel zou zijn, net als vroeger, net als voor de Koude Oorlog. De mensen die voor de geheime politie gewerkt hadden leken van de aardboden verdwenen, en hun archieven met hen. Een paar maanden eerder waren ze begonnen alle compromitterende documenten te vernietigen, alle dossiers die ze hadden aangelegd van miljoenen landgenoten van jou. Jij behoorde tot een van de eersten die daartegen gedemonstreerd hadden.

Had jij ook een dossiernummer? Ligt dat nog ergens in een of ander geheim archief verborgen met foto's van jou die op straat genomen zijn, of op je werk, met een lijst van mensen met wie je omging, de namen van je vrienden, van je oma? Was jouw jeugd verdacht in de ogen van de toenmalige machthebbers? Hoe hebben we dit kunnen laten gebeuren, na alle lessen van de oorlogsjaren? Was dit de enige manier waarop de wereld wraak kon nemen? Jij en ik werden veel te laat geboren om elkaar te haten, we hadden veel te veel te ontdekken. De avond dat we bij jou in de buurt rondliepen zag ik dat je vaak nog steeds bang was. Als je alleen maar een uniform zag, of een auto die naar jouw idee te langzaam reed, dan zei je: 'Kom, laten we doorlopen,' en trok je me het eerste het beste straatje in, of het eerste het beste trappenhuis waarin we konden vluchten om een onzichtbare vijand af te schudden. Als ik daar een grapje over maakte werd je boos, zei je me dat ik er niks van begreep, geen idee had waartoe ze in staat waren geweest. Al die keren dat ik zag hoe je een restaurantje rond spiedde waar ik je mee naartoe nam. Al die keren dat jij tegen me zei: 'Kom, laten we hier weggaan,' als je het sombere gezicht van een klant zag dat je herinnerde aan een verontrustend verleden. Vergeef me, Tomas, je had gelijk, ik wist niet wat het was om bang te zijn. Vergeef me dat ik moest lachen als we van jou onder een brug moesten schuilen omdat een militair konvooi de rivier overstak. Ik wist het niet, ik kon het niet begrijpen, niemand van ons kon dat.

Als jij iemand aanwees in de tram las ik in je ogen dat je iemand
herkende die bij de geheime politie gezeten had.

De oud-Stasi-leden, ontdaan van hun uniform, van hun gezag en
hun arrogantie, gingen op in jouw stad, schikten zich in het alledaagse
leven van degenen die ze voorheen achterna zaten, bespioneerden, ver-
oordeelden en soms martelden, en dat vele jaren achtereen. Sinds de
val van de Muur hadden de meesten een verleden verzonnen zodat ze
niet herkend zouden worden, anderen gingen rustig door met hun car-
rière en voor velen verdween hun schuldgevoel in de loop van de
maanden, samen met de herinnering aan hun misdaden.
Ik herinner me de avond dat we bij Knapp op bezoek waren gegaan.
We wandelden met zijn drieën in een park. Knapp bleef maar vragen
stellen over je leven, niet wetend hoe pijnlijk je het vond om hem ant-
woord te geven. Hij beweerde dat de Muur ook zijn schaduw had ge-
worpen op het Westen, waar hij woonde, en jij schreeuwde dat juist het
Oostblok, waar jij woonde, door het beton gevangen was gehouden.
Hoe konden jullie dat leven volhouden? drong hij aan. Jij glimlachte
en vroeg of hij echt alles vergeten was. Knapp ging weer tot de aanval
over waardoor jij capituleerde en zijn vragen beantwoordde. Geduldig
vertelde je over een leven waarin alles georganiseerd was, alles werd
bewaakt, waar je geen enkele verantwoordelijkheid kon nemen, waar
het risico om fouten te maken heel groot was. 'We kenden geen werk-
loosheid, de Staat was alomtegenwoordig,' zei je schouderophalend.
'Zo werkt dat in dictaturen,' besloot Knapp. Veel mensen vonden dat
prettig, vrijheid is een enorme uitdaging, de meeste mensen verlangen
ernaar maar weten niet hoe ze ermee moeten omgaan. Ik hoor je nog
zeggen in dat café in West-Berlijn dat de mensen in Oost elk op hun
eigen manier hun leven opnieuw uitvonden in hun behaaglijke appar-
tementjes. Jullie gesprek verscherpte toen je vriend vroeg hoeveel men-
sen er volgens jou gecollaboreerd hadden tijdens die donkere periode.
Jullie werden het niet eens over het cijfer. Knapp had het over maxi-

maal dertig procent van de bevolking. Jij zei geen idee te hebben aangezien je nooit voor de Stasi gewerkt had.

Vergeef me, Tomas, je had gelijk, pas nu ik naar je op weg ben, begrijp ik de angst.

❧

'Waarom heb je me niet uitgenodigd voor je huwelijk?' vroeg Anthony terwijl hij de krant op zijn knieën liet zakken.

Julia schrok op.

'Sorry, ik wilde je niet laten schrikken. Zat je ergens anders met je gedachten?'

'Nee, ik was gewoon naar buiten aan het kijken.'

Anthony boog zich naar het raampje. 'Daar is het alleen maar donker,' zei hij.

'Ja, maar het is volle maan.'

'Wel wat hoog om in het water te springen, hè?'

'Ik heb je een aankondiging gestuurd.'

'En naar tweehonderd andere mensen. Dat is niet wat ik noem je vader uitnodigen. Ik had degene moeten zijn die je naar het altaar begeleidde, dat had misschien mondeling besproken moeten worden.'

'Waar hebben jij en ik het de laatste twintig jaar over gehad? Ik verwachtte een telefoontje van je, ik hoopte dat je aan mijn toekomstige echtgenoot voorgesteld wilde worden.'

'Ik had hem volgens mij al eens ontmoet.'

'Bij toeval, op een roltrap in Bloomingdales; dat noem ik geen kennismaking. Uit niets bleek dat je geïnteresseerd was in hem of mij.'

'We zijn thee gaan drinken, als ik het me goed herinner.'

'Omdat hij dat voorstelde, omdat hij je wilde leren kennen.

Twintig minuten lang ben jij aan het woord geweest.'

'Hij was niet erg spraakzaam, tegen het autistische aan, ik dacht dat hij stom was.'

'Heb je hem überhaupt een vraag gesteld?'

'En jij, Julia, heb jij me ooit iets gevraagd, heb jij me ook maar ooit om advies gevraagd?'

'Wat had dat voor zin gehad? Om te horen wat jij op mijn leeftijd deed, of om van je te horen wat ik geacht werd te doen? Ik had tot in de eeuwigheid der dagen kunnen zwijgen zodat je eindelijk een keer zou begrijpen, ooit, dat ik nooit op jou heb willen lijken.'

'Misschien moet je wat gaan slapen,' zei Anthony Walsh. 'Het wordt een lange dag morgen. Als we in Parijs zijn moeten we meteen een volgende vlucht hebben naar onze bestemming.' Hij trok Julia's deken tot haar schouders op en las verder in zijn krant.

Het toestel was net geland op luchthaven Charles-de-Gaulle. Anthony zette zijn horloge gelijk met de tijd in Parijs.

'We hebben twee uur de tijd voordat onze aansluiting vertrekt, dus dat zal geen probleem worden.'

Anthony wist op dat moment nog niet dat het vliegtuig, dat bij terminal E had moeten aankomen naar een gate van terminal F geleid werd; dat die bewuste gate uitgerust was met een slurf die niet op hun toestel paste, zoals een stewardess uitlegde, en dat er daarom een bus zou komen om de passagiers naar terminal B te brengen.

Anthony stak een hand omhoog en wenkte de purser.

'Naar terminal E,' zei hij tegen hem.

'Pardon?' vroeg de purser.

'U had het over terminal B, maar ik dacht dat we bij terminal E zouden aankomen.'

179

'Dat is heel goed mogelijk,' antwoordde de purser, 'we worden er zelf ook niet meer wijs uit.'

'Maar even voor de zekerheid, we zijn toch op Charles-de-Gaulle?'

'Drie verschillende gates, geen slurf, en bussen die niet komen: kan niet missen!'

Drie kwartier na de landing verlieten ze eindelijk het vliegtuig. Ze moesten alleen nog langs de paspoortcontrole en de terminal zien te vinden vanwaar het toestel naar Berlijn zou vertrekken.

Twee beambten van de luchthavenpolitie waren verantwoordelijk voor de controle van de honderden paspoorten van de passagiers van drie vluchten die zojuist geland waren. Anthony keek hoe laat het was op het mededelingenbord.

'Tweehonderd mensen voor ons, ik vrees dat we het niet meer gaan halen.'

'Dan nemen we de volgende vlucht.'

Na de controle volgde een reeks eindeloze gangen en rolbanen.

'We hadden net zo goed vanuit New York kunnen gaan lopen,' mopperde Anthony.

Hij had zijn zin nog met net afgemaakt of hij zeeg ineen. Julia probeerde hem nog op te vangen, maar de val kwam zo onverwachts dat ze niks kon doen. De rolbaan ging verder en sleepte Anthony, die er languit op lag, gewoon mee.

'Papa, papa, wakker worden!' schreeuwde ze radeloos terwijl ze hem door elkaar schudde.

Het einde van de rolbaan was in zicht. Er kwam een reiziger toegesneld om Julia te helpen. Ze hesen Anthony overeind en legden hem een stukje verderop neer. De man trok zijn jasje uit en legde het onder Anthony's hoofd. Hij was nog steeds levenloos. Hij wilde de hulpdiensten bellen.

'Nee, dat is absoluut niet nodig!' hield Julia vol. 'Het is niks, een flauwte, dit maak ik zo vaak mee.'

'Weet u het zeker? Uw man lijkt er beroerd aan toe te zijn.'

'Het is mijn vader! Hij is suikerpatiënt,' loog Julia. 'Papa, wordt wakker,' zei ze terwijl ze nogmaals aan hem schudde.

'Laat me zijn pols even voelen.'

'Raak hem niet aan!' riep Julia in paniek.

Anthony deed één oog open.

'Waar zijn we?' vroeg hij terwijl hij probeerde op te staan.

De man die Julia te hulp geschoten was hielp hem overeind. Anthony zocht steun tegen de muur tot hij zijn evenwicht hervonden had.

'Hoe laat is het?'

'Weet u zeker dat het alleen maar een flauwte is, hij lijkt nog niet helemaal bij kennis te zijn.'

'Nou ja zeg, alstublieft!' reageerde Anthony beledigd. Hij was weer bij krachten.

De man pakte zijn jasje en liep weg.

'Je had hem best kunnen bedanken,' zei Julia verwijtend.

'Waarom? Omdat hij deed alsof hij mij te hulp schoot, terwijl hij jou op een goedkope manier probeerde te versieren? En wat dan nog?'

'Je bent echt onmogelijk, je hebt me vreselijk laten schrikken.'

'Er is niks aan de hand, wat kan er met mij gebeuren, ik ben al dood,' besloot Anthony.

'Mag ik weten wat er nou precies gebeurd is?'

'Ik denk een los contactje, of een of andere storing door een ander apparaat. Dit moet gemeld worden. Als iemand me uitzet door zijn mobiele telefoon uit te schakelen dan wordt het lastig.'

'Ik zal nooit iemand kunnen vertellen wat ik nu allemaal meemaak,' zei Julia schouderophalend.

'Droomde ik nou dat je me daarstraks papa noemde?'

'Ja, dat droomde je!' zei ze terwijl hij haar meetrok naar de gate.

Ze hadden nog maar een kwartier om de veiligheidscontrole te passeren.

'Verdorie!' zei Anthony toen hij zijn paspoort opensloeg.

'Wat is er nu weer?'

'Ik kan de verklaring dat ik een pacemaker heb niet meer vinden.'

'Die zal wel in een van je zakken zitten.'

'Ik heb ze net allemaal doorzocht, niets!'

Geërgerd keek hij naar de poortjes voor hem. 'Als ik daar doorheen loop krijg ik de hele luchtmachtpolitie op mijn nek.'

'Zoek dan nog even in je spullen,' zei Julia ongeduldig.

'Dat heeft geen zin, ik ben hem kwijt zeg ik toch, hij moet in het vliegtuig uit mijn zak gevallen zijn toen ik mijn jasje aan de stewardess gaf. Het spijt me, ik weet even niet wat ik moet doen.'

'We zijn niet helemaal hierheen gereisd om nu weer naar New York terug te gaan. Trouwens, hoe zouden we dat moeten doen?'

'Laten we een auto huren en de stad in gaan. Dan bedenk ik wel wat.'

Anthony stelde zijn dochter voor om voor een nacht een hotelkamer te nemen.

'Over twee uur is het ochtend in New York. Dan hoef je alleen maar even mijn behandelend arts te bellen om een kopie te faxen.'

'Weet jouw arts niet dat je dood bent?'

'Nee, heel gek, maar ik ben vergeten hem op de hoogte te stellen.'

'Waarom nemen we geen taxi?'

'Een taxi in Parijs? Jij kent de stad niet.'

'Jij ook altijd met je principes.'

'Dit lijkt me niet het meest geschikte moment voor een discussie. Ik zie daar de balies van de autoverhuur, we hebben maar een kleine auto nodig. Nee, wacht, neem een vierdeurs, kwestie van status!'

Julia gaf zich gewonnen. Het was al na twaalven toen ze de oprit naar de A1 nam. Anthony boog zich naar voren om de borden goed in de gaten te kunnen houden.

'Hier rechts aanhouden!' beval hij.

'Parijs is naar links, dat staat daar met koeienletters.'

'Dank je, lezen kan ik nog hoor, doe wat ik zeg!' foeterde Anthony terwijl hij haar dwong het stuur te draaien.

'Ben je gek geworden! Waar ben je mee bezig?' schreeuwde ze toen de auto een gevaarlijke slinger maakte.

Maar het was te laat om nog een keer van rijstrook te veranderen. Onder luid getoeter reed Julia weer in noordelijke richting.

'Knap hoor, nu rijden we naar Brussel, Parijs ligt achter ons.'

'Weet ik! En als jij niet te moe bent om in één ruk door te rijden, dan komen we zeshonderd kilometer na Brussel in Berlijn aan, over negen uur, als ik het goed heb berekend. In het ergste geval stoppen we onderweg zodat jij een beetje kunt slapen. Op de snelwegen staan geen beveiligingspoortjes, dan is ons probleem meteen opgelost. Want veel tijd hebben we niet meer. Nog maar vier dagen voordat we weer terug moeten, vooropgesteld dat ik niet nog een keer stukga.'

'Dit had je al bedacht voordat we deze auto huurden, hè? Daarom wilde je een vierdeurs.'

'Wil je Tomas nou terugzien of niet? Nou dan, doorrijden. Ik hoef je de weg niet te wijzen hè, die weet je nog wel, toch?'

Julia deed de radio aan, zette het volume op maximaal en gaf gas.

Twintig jaar later werd het door het veranderde tracé van de snelwegen een heel andere reis. Twee uur na hun vertrek reden ze door Brussel. Anthony was niet erg spraakzaam. Af en toe bromde hij wat terwijl hij naar buiten keek. Julia had van zijn afwezige houding gebruikgemaakt om de achteruitkijkspiegel iets naar hem toe te draaien, zodat ze naar hem kon kijken zonder dat hij het merkte. Anthony zette het geluid van de radio zachter.

'Was je gelukkig aan de kunstacademie?' verbrak hij de stilte.

'Ik heb er niet zo lang op gezeten, maar ik was dol op de plek waar ik woonde. Het uitzicht vanuit mijn kamer was ongelooflijk. Mijn bureau keek uit over het dak van het Observatoire.'

'Ik was ook gek op Parijs. Ik heb er veel herinneringen aan. Ik geloof zelfs dat ik graag in die stad overleden was.'

Julia kuchtte.

'Wat is er?' vroeg Anthony. 'Wat trek je opeens een vreemd gezicht? Heb ik weer iets verkeerds gezegd?'

'Nee, echt niet.'

'Jawel, ik zie dat je uit je doen bent.'

'Nou ja, omdat… dit is niet zo makkelijk om te zeggen, het is zo onwaarschijnlijk.'

'Ik hoef je toch niet te gaan smeken? Zeg op!'

'Je bént in Parijs overleden, papa.'

'O ja?' riep Anthony verrast uit. 'Goh, dat wist ik niet.'

'Weet je daar helemaal niks meer van?'

'Het geheugenoverdrachtprogramma stopt bij mijn vertrek naar Europa. Daarna is het een groot zwart gat. Ik neem aan dat dat het beste is, het is waarschijnlijk niet zo prettig om je je eigen dood te herinneren. Uiteindelijk realiseer ik me dat de beperkte levensduur van deze machine een noodzakelijk kwaad is. Niet alleen voor de nabestaanden.'

'Ik snap het,' antwoordde Julia gegeneerd.

'Dat betwijfel ik. Geloof me, deze situatie is niet alleen vreemd voor jou. Hoe meer tijd er verstrijkt, hoe verwarrender het ook voor mij wordt. Welke dag is het vandaag?'

'Woensdag.'

'Drie dagen, moet je nagaan, die keiharde tiktak van de secondewijzer in je hoofd. Weet jij ook hoe ik…'

'Hartstilstand bij een stoplicht.'

'Nog een geluk dat hij niet op groen stond, dan zou ik nog overreden zijn ook.'

'Het was groen!'

'O, shit!'

'Het heeft geen ongeluk veroorzaakt, mocht dat je geruststellen.'

'Om je de waarheid te zeggen, dat stelt me helemaal niet gerust. Heb ik geleden?'

'Nee, ze hebben me verzekerd dat je op slag dood was.'

'Ja, dat zeggen ze altijd tegen de nabestaanden, als troost. En ach, wat maakt het eigenlijk ook uit, het is gebeurd. Wie herinnert zich de manier waarop iemand overlijdt? Het zou al heel wat zijn als men zich herinnert hoe iemand geleefd heeft.'

'Zullen we het ergens anders over hebben?' vroeg Julia smekend.

'Zoals je wilt, ik vond het wel geinig om met iemand over mijn eigen overlijden te kunnen praten.'

'Die iemand is toevallig wel je dochter en je maakte ook niet echt de indruk dat je het grappig vond.'

'Nu moet je je niet opeens gelijk gaan krijgen, alsjeblieft.'

Een uur later reden ze Nederland binnen. Het was nog maar zeventig kilometer naar Duitsland.

'Dat hebben ze toch goed gedaan,' ging Anthony verder. 'Zo zonder grenzen, je zou je nog bijna vrij gaan voelen. Als je zo gelukkig was in Parijs, waarom ben je er dan weggegaan?'

'Het was een opwelling, midden in de nacht, ik dacht dat het om een paar dagen zou gaan. Aanvankelijk was het gewoon een uitstapje met vrienden.'

'Kende je die al lang?'

'Tien minuten.'

'Natuurlijk! En wat deden die oude vrienden van je?'

'Het waren studenten, net als ik, tenminste, zij aan de Sorbonne.'

'Aha. En waarom Duitsland? Spanje of Italië was toch veel leuker geweest?'

'Uit een soort verlangen naar revolutie. Antoine en Mathias dachten dat de Muur ging vallen. Misschien wisten ze het niet zo heel zeker, maar er was wel iets belangrijks gaande daar en we wilden erbij zijn.'

'Wat heb ik fout gedaan in je opvoeding dat je naar revolutie verlangde?' zei Anthony terwijl hij op zijn knieën tikte.

'Neem het jezelf niet kwalijk, het is waarschijnlijk het enige waarin je echt geslaagd bent.'

'Het is maar hoe je het bekijkt,' mompelde Anthony. Hij draaide zich weer naar het raampje.

'Waarom stel je me eigenlijk al die vragen?'

'Omdat jij mij niks vraagt. Ik hield van Parijs omdat ik daar je moeder voor het eerst gekust heb. En geloof me, dat was niet eenvoudig.'

'Ik weet niet of ik alle details wil horen.'

'Als je eens wist hoe mooi ze was. We waren vijfentwintig.'

'Hoe kwam je dan in Parijs? Ik dacht dat je geen cent te makken had toen je jong was?'

'Ik vervulde mijn dienstplicht op een basis in Europa, in 1959.'

'Waar dan?'

'In Berlijn! En daar heb ik niet echt goeie herinneringen aan!'

Anthony draaide zich opnieuw naar het raampje en staarde naar het voorbijschietende landschap.

'Je hoeft niet in de weerspiegeling van het raam naar me te kijken, hoor, ik zit naast je,' zei Julia.

'Dan moet jij je spiegel weer goedzetten, dan kun je tenminste zien wat er achter je rijdt voordat je de volgende vrachtwagen gaat inhalen.'

'Heb je mama daar ontmoet?'

'Nee, we hebben elkaar in Frankrijk leren kennen. Toen mijn diensttijd erop zat heb ik de trein naar Parijs genomen. Ik wilde heel graag de Eiffeltoren zien voordat ik naar huis terugkeerde.'

'En, was het liefde op het eerste gezicht?'

'Min of meer, maar hij was kleiner dan onze wolkenkrabbers.'

'Ik bedoelde mama!'

'Ze danste in een beroemde nachtclub. Het typische clichéverhaal van de Amerikaanse soldaat op zoek naar zijn Ierse afkomst en de danseres die uit hetzelfde land komt.'

'Was mama danseres?'

'Bluebell Girl! De groep trad op een in speciale voorstelling in het Lido aan de Champs Elysées. Een vriend had kaarten geregeld. Je moeder leidde de revue. Je had haar moeten zien tapdansen op het podium, geloof me, Ginger Rogers was er niks bij.'

'Waarom heeft ze daar nooit iets over verteld?'

'We zijn niet erg mededeelzaam in de familie, dat is een eigenschap die je in ieder geval geërfd hebt.'

'Hoe heb je haar verleid?'

'Ik dacht dat je de details niet wilde horen? Als je iets rustiger gaat rijden zal ik het vertellen.'

'Ik rij helemaal niet hard!' antwoordde Julia met een blik op de snelheidsmeter die honderdveertig kilometer per uur aanwees.

'Het is maar hoe je het bekijkt! Ik ben gewend aan onze snelwegen, daar heb je nog tijd om van het landschap te genieten. Als je zo door blijft rijden heb je straks een bahco nodig om mijn hand van de deurgreep los te krijgen.'

Julia haalde haar voet van het gaspedaal en Anthony haalde opgelucht adem.

'Ik zat aan een tafel vlak voor het podium. De revue werd tien dagen achter elkaar opgevoerd; ik was er alle keren, inclusief de zondag, dan werd de show ook 's middags opgevoerd. Ik had het op een akkoordje gegooid met een ouvreuse, door haar een flinke fooi te geven, zodat ik elke dag op dezelfde plek zat.'

Julia zette de radio uit.

'Voor de laatste keer, zet die binnenspiegel goed en let op de weg!' zei Anthony bevelend.

Julia deed zonder morren wat hij zei.

'De zesde dag had je moeder eindelijk mijn bedoeling door. Ze heeft gezworen dat ze het de vierde dag al doorhad, maar ik weet zeker dat het echt de zesde was. Hoe dan ook, ik merkte dat ze tijdens het optreden een aantal keer naar me keek. Niet om mezelf op de borst te willen kloppen, hoor, maar daardoor miste ze bijna een pasje. Ook daarover beweerde ze bij hoog en bij laag dat het niks met mijn aanwezigheid te maken had. Dat niet willen toegeven was geflirt van je moeder. Vervolgens liet ik bloemen bezorgen in haar kleedkamer, zodat ze die zou vinden na de show: elke avond een zelfde boeket roze roosjes, altijd zonder kaartje.'

'Waarom?'

'Als je me laat uitpraten, kan ik het je vertellen. Na de laatste voorstelling heb ik haar opgewacht bij de artiestenuitgang. Met een witte roos in mijn knoopsgat.'

'Ik kan niet geloven dat je zoiets gedaan hebt.' Julia proestte het uit.

Anthony draaide zijn gezicht naar het raampje en zei niks meer.

'En daarna?' spoorde Julia hem aan.

'Dat was het.'

'Hoezo, dat was het?'

'Jij zit me uit te lachen, dus ik vertel niet verder.'

'Ik zat je helemaal niet uit te lachen.'

'Wat was dat dan voor dom gelach?'

'Het tegenovergestelde van wat jij denkt, ik had me je gewoon nooit als jonge, hartstochtelijke romanticus voorgesteld.'

'Stop maar bij de volgende benzinepomp, ik ga verder wel lopen.' riep Anthony terwijl hij beledigd zijn armen over elkaar sloeg.

'Vertel verder of ik ga harder rijden.'

'Je moeder was wel gewend dat er bewonderaars aan het eind van die gang stonden. Iemand van de beveiliging begeleidde de danseressen naar de bus die ze naar hun hotel bracht. Ik stond in de doorgang, hij zei dat ik aan de kant moest gaan, op iets te bazige toon, vond ik. Toen heb ik mijn vuisten laten zien.'

Julia moest onbedwingbaar lachen.

'Uitstekend!' zei Anthony boos. 'Dan vertel ik je verder ook helemaal niks meer!'

'Ah, papa, kom op,' zei ze vrolijk. 'Het spijt me, ik kan er niks aan doen.'

Anthony draaide zijn hoofd en keek haar opmerkzaam aan.

'Nu droomde ik niet, noemde je me nou papa?'

'Misschien,' zei Julia, haar ogen drogend. 'Ga door!'

'Ik waarschuw je, Julia, als ik ook maar iets van een lach zie stop ik ermee! Afgesproken?'

'Beloofd.' Ze hief haar rechterhand op.

'Je moeder greep in, trok me bij het gezelschap vandaan en vroeg de buschauffeur om te wachten. Ze vroeg me wat ik daar deed, bij iedere voorstelling aan hetzelfde tafeltje. Ik geloof dat ze toen de witte roos in mijn knoopsgat nog niet gezien had. Ik gaf hem haar. Ze was zo verrast dat ik degene was van die boeketten dat ik antwoord op haar vraag kon geven.'

'Wat heb je haar gezegd?'

'Dat ik haar om haar hand kwam vragen.'

Julia keek opzij naar haar vader, die zei dat ze zich op de weg moest concentreren.

'Je moeder begon te lachen, met van die schaters die jij ook hebt als je me uitlacht. Toen ze begreep dat ik echt op haar antwoord wachtte gebaarde ze naar de chauffeur dat hij zonder haar kon vertrekken, en zei dat ik haar om te beginnen mee uit eten kon nemen. We zijn naar een brasserie aan de Champs-Elysées gewandeld. Ik liep over de mooiste avenue ter wereld met haar aan mijn zijde, ik kan je verzekeren dat ik tamelijk trots was. Je had moeten zien hoe de mensen naar haar keken. We hebben tijdens het eten aan één stuk door gepraat, maar aan het eind bevond ik me in een vreselijke situatie en al mijn hoop vervloog.'

'Iets stuitenders dan haar zo snel ten huwelijk vragen? Dat kan ik me bijna niet voorstellen.'

'Het was heel gênant, maar ik kon de rekening niet betalen. Hoe ik ook onopvallend mijn zakken doorzocht, niks had ik meer. Het geld dat ik gespaard had tijdens militaire dienst was opgegaan aan de kaarten voor het Lido en de boeketten.'

'En toen?'

'Ik heb nog een zevende kop koffie besteld, de brasserie ging sluiten, je moeder gingen even naar het toilet. Ik riep de ober met het vaste voornemen hem te bekennen dat ik met geen mogelijkheid kon betalen. Ik zou hem smeken geen stampij te maken, hem als onderpand mijn horloge aanbieden, en mijn papieren, hem beloven dat ik de rekening zo snel mogelijk zou komen betalen, uiterlijk aan het eind van de week. Hij gaf me een zilveren schaaltje. Waar de rekening had moeten liggen lag een briefje van je moeder.'

'Wat stond erop?'

Anthony deed zijn portemonnee open en haalde er een vergeeld stukje papier uit. Hij vouwde het open en las rustig voor: *Ik ben nooit zo goed geweest in afscheid nemen, en ik weet zeker dat dat ook voor jou geldt. Dank je wel voor deze heerlijke avond, roze rozen zijn mijn lievelingsbloemen. Wij zijn eind februari in Manchester en ik zou het fantastisch vinden als je dan weer in de zaal zit. Als je komt is het jouw beurt om te trakteren.* Kijk,' zei Anthony terwijl hij Julia het briefje liet zien. 'Haar naam staat eronder.'

'Wauw!' zei Julia. 'Waarom deed ze dat?'

'Omdat je moeder precies doorhad wat er aan de hand was.'

'Hoe dan?'

'Iemand die om twee uur 's nachts zeven koffie drinkt, en niks meer weet te zeggen als de lichten van de brasserie uitgaan...'

'Ben je naar Manchester gegaan?'

'Eerst ben ik gaan werken om weer wat geld te hebben. Ik ging van het ene baantje naar het andere. 's Ochtends om vijf uur stond ik in de Hallen kratjes uit te laden, zodra ik daar klaar was vloog ik naar een café in de buurt om te bedienen. Om twaalf uur 's middags verruilde ik mijn schort voor een pakje als winkelbediende bij een kruidenier. Ik verloor vijf kilo en verdiende genoeg om naar Engeland te kunnen gaan en een kaartje te kopen voor het theater waar je moeder danste, en vooral genoeg om haar een etentje van niveau te kunnen aanbieden. Het onmogelijke was me gelukt, ik zat weer op de eerste rij. Zodra het doek opging glimlachte ze naar me.

Na de show spraken we af in een oude pub in de stad. Ik was uitgeput. Ik schaam me nog als ik eraan terugdenk, maar ik was in de zaal in slaap gevallen en ik begreep dat je moeder dat natuurlijk gezien had. Die avond hebben we nauwelijks een woord gesproken. Er vielen voortdurend stiltes. Toen ik de ober gebaarde om de rekening te brengen keek je moeder me strak aan en zei: "Ja." Nu keek ik haar niet-begrijpend aan, en ze zei nogmaals: "Ja," Ze zei het zo duidelijk dat ik het haar nog hoor zeggen. "Ja, ik wil graag met je trouwen." De revue stond twee maanden in Manchester. Je moeder heeft het gezelschap gedag gezegd en we namen de boot terug naar huis. Bij aankomst zijn we getrouwd. Een priester en twee getuigen die we van straat geplukt hadden. Niemand van onze familie had de moeite genomen om te komen. Mijn vader heeft het me nooit vergeven dat ik met een danseres getrouwd was.'

Anthony stopte het briefje zorgvuldig terug op zijn plek.

'Hé, hier is de verklaring dat ik een pacemaker heb! Wat een oelewapper ben ik toch! In plaats van het weer in mijn paspoort te steken heb ik het stom genoeg in mijn portemonnee gedaan.'

Julia schudde aarzelend haar hoofd. 'Was deze autorit naar Berlijn jouw manier om onze reis te vervolgen?'

'Ken je me zo slecht, dat je dat moet vragen?'

'Het huren van deze auto, je verklaring die zogenaamd kwijt was, heb je dat ook expres gedaan zodat we deze trip samen zouden maken?'

'Zelfs als ik het allemaal zo gepland had, zo'n slecht idee is het nou ook weer niet, toch?'

Een bord gaf aan dat ze Duitsland binnen reden. Julia draaide met een somber gezicht de binnenspiegel in de juiste positie.

'Wat is er, ga je nu niks meer zeggen?' vroeg Anthony.

'De dag voordat jij onze kamer binnenstormde om Tomas op zijn bek te slaan hadden we besloten te gaan trouwen. Dat is niet gebeurd, mijn vader kon er niet tegen dat ik met een man wilde trouwen die niet uit zijn kringen kwam.'

Anthony draaide zich naar het raampje.

XV

Sinds ze de Duitse grens gepasseerd waren hadden Anthony en Julia geen woord meer gewisseld. Julia zette af en toe de radio harder en dan zette Anthony hem meteen weer zachter. Er verscheen een dennenbos in het landschap. Aan de rand van het bos lag een rij betonblokken die een wegomleiding afsloot die inmiddels opgeheven was. Julia herkende de onheilspellende vormen van de vroegere grensovergang van Marienborn, tegenwoordig een gedenkplaats.

'Hoe kwamen jullie daar voorbij?' vroeg Anthony met een blik op de afgebladderde uitkijktorens die rechts van hem voorbijkwamen.

'Door te bluffen! Een van die vrienden met wie ik reisde was de zoon van een diplomaat, we zeiden dat we een bezoek aan onze ouders gingen brengen die in West-Berlijn gestationeerd waren.'

Anthony begon te lachen. 'In jouw geval had dat nog wel iets ironisch.' Hij legde zijn handen op zijn knieën. 'Het spijt me dat ik er niet aan gedacht heb je die brief eerder te geven.'

'Meen je dat?'

'Geen idee, maar ik voel me in ieder geval opgelucht nu ik je dit gezegd heb. Zou je zo ergens willen stoppen als dat kan?'

'Waarom?'

'Het is niet zo'n gek idee als je even uitrust, en dan kan ik even de benen strekken.'

Een bord gaf aan dat er over tien kilometer een benzinestation en paarkeerplaats was. Julia beloofde daar te stoppen.

'Waarom zijn mama en jij naar Montréal gegaan?'

'We hadden niet zo veel geld, dat wil zeggen, vooral ik niet. Je moeder had wel wat geld gespaard, maar daar waren we snel doorheen. Het leven in New Yrok werd steeds moeilijker. We zijn daar heel gelukkig geweest, hoor. Ik denk zelfs dat het onze mooiste jaren waren.'

'Je bent er trots op, hè?' vroeg Julia ietwat wrevelig.

'Waarop?'

'Dat je met geen cent op zak bent vertrokken en zo succesvol geworden bent.'

'Jij niet dan? Ben jij niet trots op de lef die je had? Ben jij niet voldaan als je een kind met een knuffel ziet spelen die jij bedacht hebt? Als je door een winkelcentrum loopt en je ziet bij een bioscoop een affiche hangen van een film die jij bedacht hebt, ben je dan niet trots?'

'Ik ben gelukkig, meer niet, dat is al heel wat.'

De auto boog af naar de parkeerplaats. Julia parkeerde langs de rand van een stoep die grensde aan een groot grasveld. Anthony opende zijn portier. Vlak voor hij uitstapte keek hij zijn dochter minachtend aan.

'Ik heb schoon genoeg van je, Julia,' zei hij terwijl hij wegliep.

Ze zette de motor af en legde haar hoofd op het stuur. 'Wat doe ik hier?'

Anthony liep over een kinderspeelplaatsje naar het benzinestation. Even later kwam hij terug met een grote tas met proviand in zijn armen. Hij opende het portier en zette de tas op de achterbank.

'Ga je even opfrissen, ik heb wat te eten voor je gekocht. Ik blijf wel bij de auto.'

Julia gehoorzaamde. Ze liep om de schommels heen, langs de

zandbak en ging ook bij het benzinestation naar binnen. Toen ze naar buiten kwam, lag Anthony languit op het onderste gedeelte van een glijbaan, zijn ogen naar de hemel gericht.

'Gaat het?' vroeg ze ongerust.

'Denk je dat ik daarboven ben?'

Ontdaan door de vraag ging Julia in het gras naast hem zitten. Ze keek ook omhoog naar de hemel.

'Ik heb geen idee. Ik heb heel lang naar Tomas gezocht in die wolken. Ik wist zeker dat ik hem een aantal keer herkend had, maar toch leeft hij nog.'

'Je moeder geloofde niet in God, maar ik wel. Nou, wat denk je, ben ik in het paradijs of niet?'

'Het spijt me, maar ik kan die vraag niet beantwoorden, het lukt me niet.'

'Om in God te geloven?'

'Te accepteren dat jij hier bent, naast me, dat ik met je praat terwijl...'

'Terwijl ik dood ben! Zoals ik je al zei, je moet proberen niet bang te zijn voor woorden. Eerlijke woorden zijn heel belangrijk. Als jij me bijvoorbeeld veel eerder naar het hoofd had geslingerd: papa, je bent een klootzak en een imbeciel die nooit iets van me begrepen heeft, een egoïst die mijn leven naar zijn eigen idee wilde vormen; een vader zoals er zo veel zijn, die me kwaad deed door te zeggen dat het voor mijn eigen bestwil was, terwijl het voor zíjn bestwil was, dan had ik je misschien gehoord. Dan hadden we misschien niet al die tijd verloren, waren we vrienden geweest. Geef toe dat het fijn zou zijn geweest om bevriend te zijn.'

Julia zweeg.

'Kijk, dit zijn bijvoorbeeld eerlijke woorden: ik heb gefaald als vader, maar ik was graag je vriend geweest.'

'We moeten weer verder,' zei Julia met onzekere stem.

'Laten we nog heel even wachten, ik heb de indruk dat mijn accu's niet meer zo vol zijn als in de handleiding stond. Ik vrees dat onze reis niet zo lang zal duren als gedacht als ik ze zo blijf belasten.'

'We hebben alle tijd. Het is niet zo heel ver meer naar Berlijn en bovendien, na twintig jaar maken die paar uur ook niet uit.'

'Zeventien, Julia, niet twintig.'

'Dat maakt nauwelijks verschil.'

'Drie jaar? Jawel hoor, dat is heel veel. Geloof me, ik kan het weten.'

Zo bleven vader en dochter onbeweeglijk naar de hemel liggen staren, hun armen onder hun hoofd, zij in het gras, hij op de glijbaan.

Er was een uur verstreken, Julia was ingedommeld en Anthony keek naar haar. Ze leek rustig te slapen. Af en toe fronste ze haar wenkbrauwen, als de wind haar haren in haar gezicht blies. Anthony aarzelde en duwde heel voorzichtig een lok naar achter. Julia deed haar ogen weer open, de hemel begon al de donkere kleur van de avond aan te nemen. Anthony lag niet meer naast haar. Ze keek om zich heen en zag dat hij voor in de auto was gaan zitten. Ze trok haar schoenen aan, hoewel ze zich niet kon herinneren dat ze ze uitgetrokken had en rende naar de parkeerplaats.

'Heb ik lang geslapen?' vroeg ze terwijl ze wegreed.

'Twee uur, misschien iets langer. Ik heb niet echt opgelet.'

'En wat heb jij dan gedaan?'

'Ik zat te wachten.'

De auto reed de parkeerplaats af en ging de snelweg weer op. Het was nog maar tachtig kilometer naar Potsdam.

'Als we aankomen is het al donker,' zei Julia. 'Ik heb geen idee hoe ik Tomas moet gaan vinden. Ik weet niet eens of hij daar nog wel woont. Uiteindelijk heb je me natuurlijk in een opwelling meegesleept, wie zegt dat hij nog steeds in Berlijn woont?'

'Ja, inderdaad, die kans bestaat, met de stijging van de huizenprijzen is hij misschien met zijn vrouw, zijn drieling en zijn schoonfamilie in een gezellig chalet ergens op het platteland gaan wonen.'

Julia keek haar vader woedend aan, die wederom gebaarde dat ze op de weg moest blijven letten.

'Fascinerend, hoe angst de geest kan vertroebelen,' zei hij.

'Wat bedoel je daarmee te zeggen?'

'Niks, gewoon een gedachte. Trouwens, ik wil me nergens mee bemoeien hoor, maar je moet Adam echt iets van je laten horen. Doe het anders voor mij, ik kan die Gloria Gaynor niet meer aanhoren, ze bleef maar blèren in je tas toen je lag te slapen.'

Anthony zette een wilde imitatie in van 'I Will Survive'. Julia deed haar best om serieus te blijven, maar hoe harder Anthony zong, hoe moeilijker het werd om haar lachen in te houden. Toen ze de buitenwijken van Berlijn binnenreden zaten ze allebei te lachen.

Anthony wees Julia de weg naar het Brandenburger Hof Hotel. Bij aankomst werden ze meteen ontvangen door een kruier, die meneer Walsh groette terwijl hij uit de auto stapte. 'Goedenavond meneer Walsh,' zei ook de portier, terwijl hij de draaideur liet draaien. Anthony liep de hal door naar de receptie, waar de receptionist hem bij zijn naam gedag zei. Hoewel ze niet gereserveerd hadden en het etablissement in deze tijd van het jaar volgeboekt zat, verzekerde hij hem dat er twee van hun beste kamers tot hun beschikking stonden. Tot zijn spijt lagen die niet op dezelfde etage. Anthony zei dat dat niks uitmaakte en bedankte hem. Terwijl hij de sleutels aan de kruier gaf vroeg de receptionist aan Anthony of hij een tafel voor ze vrij moest houden in het gastronomisch restaurant van het hotel.

'Wil je hier eten?' vroeg Anthony terwijl hij zich naar Julia omdraaide.

'Heb je aandelen in dit hotel, of zo?' vroeg Julia.

'Want anders weet ik een fantastisch Aziatisch restaurant twee minuten hiervandaan,' antwoordde Anthony. 'Ben je nog steeds zo dol op Chinees eten?'

Omdat Julia geen antwoord gaf verzocht Anthony de receptionist om voor twee personen te reserveren op het terras van China Garden.

Nadat ze zich had opgefrist zocht Julia haar vader weer op en gingen ze te voet op pad.

'Ben je boos?'

'Idioot zoals alles veranderd is,' antwoordde Julia.

'Heb je Adam gesproken?'

'Ja, ik heb hem vanaf mijn kamer gebeld.'

'Wat zei hij?'

'Dat hij me miste, en niet begreep waarom ik zomaar vertrokken was, of waarnaar ik op zoek was, dat hij naar Montréal was gereisd om me te zoeken, maar dat we elkaar op een uur na gemist hadden.'

'Moet je je zijn gezicht voorstellen als hij ons samen had aangetroffen!'

'Hij heeft me ook wel vier keer gevraagd hem te verzekeren dat ik alleen was.'

'En?'

'Ik heb vier keer gelogen!'

Anthony duwde de deur van het restaurant open en liet zijn dochter voorgaan.

'Je krijgt de smaak nog te pakken, als je zo doorgaat,' zei hij lachend.

'Ik snap niet wat daar zo grappig aan is!'

'Het grappige is dat wij nu in Berlijn op zoek zijn naar je eerste liefde, en dat jij je schuldig voelt tegenover je verloofde omdat je hem niet kunt vertellen dat je in Montréal met je vader was. Misschien dwaal ik een beetje af, maar ik vind dat komisch. Typisch iets voor vrouwen, maar wel komisch.'

Anthony gebruikte de maaltijd om een plan in elkaar te draaien. Zodra ze wakker waren zouden ze een bezoek brengen aan de journalistenvakbond, om na te gaan of een zekere Tomas Meyer nog steeds een perskaart bezat. Op de terugweg trok Julia haar vader mee naar het Tiergarten-park.

'Daar heb ik geslapen,' zei ze wijzend naar een grote boom in de verte. 'Idioot, het voelt alsof het gisteren was.'

Anthony keek zijn dochter schalks aan. Hij vouwde zijn handen in elkaar en strekte zijn armen.

'Wat doe je?'

'Kom, ik geef je een kontje, schiet op, er is nu niemand te zien.'

Julia bedacht zich geen seconde, zette haar voet in zijn handen en klom over het hek.

'En jij dan?' vroeg ze en ze kwam aan de andere kant overeind.

'Ik ga via het hekje,' zei hij terwijl hij naar de toegang wees, iets verderop. 'Het park gaat pas om middernacht dicht, op mijn leeftijd is dat wat gemakkelijker.'

Toen hij weer bij Julia was trok hij haar mee het gras op en ging onder de grote linde zitten die ze had aangewezen.

'Grappig, ik heb ook een aantal middagdutjes onder deze boom gedaan toen ik in Duitsland zat. Het was mijn lievelingsplek. Tijdens elk verlof ging ik hier met een boek zitten en kijken naar de meisjes die voorbij wandelden. We zaten dus op dezelfde leeftijd op dezelfde plek, er zitten alleen een paar decennia tussen. Met die toren in Montréal hebben we nu dus twee plekken waar we gedeelde herinneringen hebben, dat vind ik fijn.'

'Hier kwamen Tomas en ik altijd,' zei Julia.

'Ik begin die jongen aardig te vinden.'

In de verte klonk het getrompetter van een olifant. De dierentuin van Berlijn begon maar een paar meter achter hen, aan de rand van het park.

Anthony stond op en gebood zijn dochter hem te volgen.

'Als kind had je een hekel aan dierentuinen. Je vond het naar dat de dieren in kooien zaten opgesloten. Dat was in de tijd dat je nog dierenarts wilde worden. Je zult het wel vergeten zijn, maar voor je zesde verjaardag gaf ik je een groot knuffeldier, een otter, als ik me niet vergis. Ik zal hem wel niet goed hebben uitgezocht, want hij was de hele tijd ziek en jij was hem continu aan het verzorgen.'

'Je wilt toch niet beweren dat ik dankzij jou op het idee gekomen ben van die…'

'Hoe kom je daar nou bij! Alsof onze jeugd ook maar van enige invloed is op ons volwassen leven… Met alle verwijten die je me maakt zou dat mijn zaak weinig goed doen.'

Anthony meldde dat hij zijn krachten in hoog tempo voelde afnemen, en dat hem dat zorgen baarde. Het was tijd om terug te gaan, ze namen een taxi.

Weer in het hotel zei Anthony Julia gedag toen ze de lift uitstapte en vervolgde zijn weg naar de bovenste etage waar zijn kamer was.

Julia lag languit op het bed en bladerde in het telefoonboek van haar mobieltje. Ze besloot Adam nog een keer te bellen, maar toen ze zijn voicemail kreeg hing ze op en toetste meteen het nummer van Stanley.

'En, heb je gevonden wat je zocht?' vroeg haar vriend.

'Nog niet, ik ben net aangekomen.'

'Ben je gaan lopen?'

'Met de auto vanuit Parijs, dat is een lang verhaal.'

'Mis je me een beetje?' vroeg hij.

'Je denkt toch niet dat ik je alleen maar bel om even wat van me te laten horen!'

Stanley bekende dat hij bij haar langs was gelopen toen hij uit zijn werk kwam. Het lag niet echt op zijn route maar ongemerkt hadden zijn benen hem naar de hoek van Horatio en Greenwich Street gevoerd.

'Een troosteloze buurt als jij er niet bent.'

'Dat zeg je alleen maar om me een plezier te doen.'

'Ik kwam je buurman nog tegen, de schoenenverkoper.'

'Heb je hem gesproken, meneer Zimoure?'

'Sinds jij en ik bezig zijn hem te betoveren... Hij stond voor zijn zaak en groette me, dus heb ik hem teruggegroet.'

'Ik kan je ook geen moment alleen laten, hè, een paar dagen weg en je trekt meteen naar de verkeerde mensen.'

'Je bent een etter. Uiteindelijk is hij echt niet zo onaardig, hoor...'

'Stanley, probeer je me soms iets te vertellen?'

'Wat haal je je nu weer in je hoofd?'

'Ik ken je beter dan wie dan ook. Als jij iemand ontmoet die je niet meteen onsympathiek vindt is het direct verdacht, dus "best aardig" voor meneer Zimoure: ik ben geneigd morgen naar huis terug te komen!'

'Dan zul je een ander excuus moeten bedenken, schat, we hebben elkaar gedag gezegd, meer niet. Adam is ook bij me langs geweest.'

'Natuurlijk! Jullie kunnen geen moment meer zonder elkaar!'

'Het lijkt er meer op dat jij wel zonder hem kunt. En trouwens, ik kan het ook niet helpen dat hij twee straten bij mijn winkel vandaan woont. Mocht het je nog interesseren, ik vond niet dat hij er erg goed uitzag. Sowieso, als hij bij me langskomt zal het wel niet zo goed met hem gaan. Hij mist je, Julia, hij maakt zich zorgen en ik denk dat hij daartoe reden heeft.'

'Ik zweer je, Stanley, dat het dat niet is, het is juist precies andersom.'

'O nee, niet zweren! Geloof je zelf wel wat je net allemaal gezegd hebt?'

201

'Ja!' antwoordde ze zonder aarzelen.

'Je maakt me echt waanzinnig verdrietig als je zo dom doet. Weet je echt waar die geheimzinnige reis van je naartoe voert?'

'Nee,' mompelde Julia in de hoorn.

'Nou, hoe kan hij het dan weten? Ik moet ophangen, het is hier al na zevenen en ik moet me gaan omkleden voor een etentje.'

'Met wie?'

'En jij, met wie heb jij gegeten?'

'In mijn eentje.'

'Ik heb er zo'n godsgruwelijke hekel aan als je tegen met liegt, dus ik ga je ophangen. Bel me morgen. Kusje.'

Julia kreeg geen kans om het gesprek voort te zetten, ze hoorde een klik. Stanley was er al vandoor, waarschijnlijk richting zijn garderobe.

~

Ze werd gewekt door een belletje. Julia rekte zich uit en pakte de telefoon op maar hoorde alleen de kiestoon. Ze kwam uit bed, liep de kamer door, realiseerde zich dat ze naakt was en griste een badjas van het voeteneind die ze daar de vorige avond had laten liggen. Ze schoot hem haastig aan.

In de gang stond een jongen van het hotel te wachten. Julia deed haar deur voor hem open en hij duwde een serveerwagen de kamer in met daarop een Frans ontbijtje en twee zachtgekookte eitjes.

'Ik heb helemaal niks besteld,' zei ze tegen de jongen die het salontafeltje begon te dekken.

'Drieënhalve minuut, zo hebt u uw zachtgekookte ei het liefst, klopt dat?'

'Als een bus,' antwoordde Julia terwijl ze door haar haren woelde.

'Dat heeft meneer Walsh ons verteld!'

'Maar ik heb helemaal geen trek…' vervolgde ze toen de jongen de eitjes onthoofdde.

'Meneer Walsh had me al gewaarschuwd dat u dat zou zeggen. O ja, nog één ding voor ik vertrek: hij wacht om acht uur op u in de hal beneden. Dat is dus over zevenendertig minuten,' zei hij op zijn horloge kijkend. 'Ik wens u een prettige dag, mevrouw Walsh, het is prachtig weer, u zult een prettig verblijf hebben in Berlijn.'

Onder de verbouwereerde blik van Julia maakte de jonge man zich uit de voeten.

Ze keek naar de tafel. Jus d'orange, muesli, verse broodjes, alles was er. Ze was vastbesloten dit ontbijt te negeren en liep naar de badkamer, maakte rechtsomkeert en ging op de bank zitten. Ze doopte een vinger in het ei en schrokte uiteindelijk bijna alles wat er voor haar stond op.

Ze nam een snelle douche, kleedde zich aan terwijl ze haar haren droogde, trok hinkend een paar schoenen aan en verliet de kamer.

Het was acht uur stipt!

Anthony stond bij de receptie op haar te wachten.

'Je bent te laat!' zei hij toen ze de lift uit kwam.

'Drieënhalve minuut?' antwoordde ze terwijl ze hem weifelend aankeek.

'Zo vind je je eitje het lekkerst, toch? Laten we gaan, over een half uur hebben we een afspraak en dat redden we net met die ochtendspits.'

'Waar hebben we een afspraak en met wie?'

'Op het hoofdkantoor van de Duitse vakbond van journalisten. We moeten toch ergens beginnen met zoeken, nietwaar?'

Anthony verdween door de draaideur en vroeg om een taxi.

'Hoe heb je dat geregeld?' vroeg Julia terwijl ze in de gele Mercedes stapte.

'Ik heb vanochtend vroeg gebeld, toen jij nog sliep.'

'Spreek je Duits dan?'

'Ik zou je kunnen vertellen dat een van de geweldige technologische snufjes waarmee ik ben uitgerust is dat ik zo'n vijftien talen vloeiend spreek; misschien zou dat indruk op je maken, of juist helemaal niet. Maar volsta maar met de uitleg van de paar jaar dat ik hier gelegerd was, als je dat tenminste nog niet vergeten bent. Ik heb daar wat grondbeginselen van het Duits aan overgehouden waarmee ik me verstaanbaar kan maken als het nodig is. En jij wilde hier nog wel gaan wonen, beheers jij de taal van Goethe een beetje?'

'Ik ben alles vergeten!'

De taxi reed over Stülerstrasse, sloeg bij de volgende kruising linksaf en reed door het park. De schaduw van een grote linde viel op het gras.

De auto reed nu langs de opgeknapte oevers van de Spree. Aan weerszijden wedijverden allerlei gebouwen, het een nog moderner dan het ander, om transparantie; gewaagde architectuur die getuigde van de veranderde tijden. De wijk die ze bezochten grensde aan de oude scheidslijn waar zich vroeger de onheilspellende Muur verhief. Maar daar was tegenwoordig niks meer van te zien. Voor hen verrees een gigantische glazen hal waarin een conferentiecentrum gehuisvest was. Iets verderop overbrugde een nog beroemder gebouw de rivier. Via een witte loopbrug die deed denken aan een slurf op het vliegveld kwam je het gebouw binnen. Ze duwden een deur open en vervolgden hun weg naar het kantoor van de journalistenvakbond. Bij de receptie werden ze ontvangen door een medewerker. In bovengemiddeld goed Duits legde Anthony uit dat hij een zekere Tomas Meyer wilde spreken.

'Waarover?' vroeg de medewerker zonder van zijn tijdschrift op te kijken.

'Ik heb vertrouwelijke informatie voor hem,' antwoordde Anthony vriendelijk.

Omdat die opmerking eindelijk de aandacht van de ander leek te wekken voegde hij er meteen aan toe dat hij de vakbond zeer erkentelijk zou zijn als het hem een adres zou kunnen geven waar hij meneer Meyer kon bereiken. Niet zijn privégegevens, natuurlijk, maar die van het persorgaan waar hij werkzaam was.

De receptionist verzocht hem even te blijven wachten en ging zijn meerdere halen.

De adjunct-directeur ontving Anthony en Julia in zijn kamer. Ze gingen op een bank zitten onder een enorme foto waarop duidelijk hun gastheer stond die met gestrekte armen een enorme vis vasthield. Anthony herhaalde zijn verhaal nog een keer van het begin tot het eind. De man keek Anthony met een indringende blik onderzoekend aan.

'U zoekt die Tomas Meyer om hem wat voor soort informatie precies te geven?' vroeg hij, aan zijn snor draaiend.

'Dat kan ik u juist niet vertellen, maar u kunt ervan uitgaan dat het voor hem van essentieel belang is,' verzekerde Anthony hem zo oprecht mogelijk.

'Ik kan me geen belangrijke artikelen van ene Tomas Meyer herinneren,' zei de adjunct-directeur twijfelend.

'Daar kan nu juist verandering in komen, als we dankzij u met hem in contact kunnen komen.'

'En wat heeft mevrouw met dit hele verhaal te maken?' vroeg de adjunct-directeur terwijl hij zijn stoel naar het raam draaide.

Anthony keek Julia aan die sinds hun aankomst nog geen woord gezegd had. 'Helemaal niks,' antwoordde hij. 'Julia is mijn assistente.'

'Ik mag u geen enkele informatie geven over onze leden,' besloot de adjunct-directeur. Hij stond op.

Anthony stond ook op, liep naar hem toe en legde zijn hand op de schouder van de man. 'Wat ik meneer Tomas Meyer te vertellen heb, en hem alleen, kan zijn leven veranderen, ten goede, welteverstaan, zeer ten goede,' zei hij op barse toon. 'U gaat me toch niet vertellen dat een vakbondsbestuurder van uw kaliber de carrièrekansen van een van zijn leden in de weg zou willen staan? Want in dat geval heb ik er geen enkele moeite mee een dergelijke handelswijze openbaar te maken.'

De man peuterde aan zijn snor en ging weer zitten. Hij tikte op het toetsenbord van zijn computer en draaide het scherm naar Anthony. 'Kijk, we hebben geen Tomas Meyer in ons bestand. Het spijt me. En stel dat hij geen perskaart heeft, wat onmogelijk is: hij komt ook niet voor in de beroepsgids, dat kunt u zelf nagaan. Goed, als niemand anders dan die meneer Meyer iets met uw waardevolle en vertrouwelijke informatie kan doen, vraag ik u om nu te vertrekken, ik heb werk te doen.'

Anthony stond op en gebaarde Julia hem te volgen. Hij bedankte zijn gesprekspartner uiterst vriendelijk voor de tijd die hij voor hen had vrijgemaakt, en ze verlieten het vakbondsgebouw.

'Waarschijnlijk had jij gelijk,' mopperde hij toen ze buiten liepen.

'Je assistente?' vroeg Julia met gefronste wenkbrauwen.

'O, alsjeblieft, niet zo'n gezicht opzetten, ik moest toch iets zeggen.'

'Assistente Julia! Ach, wat maakt het ook uit…'

Anthony riep een taxi die aan de overkant reed.

'Misschien heeft die Tomas van je inmiddels een ander beroep?'

'Zeker niet, verslaggever was geen beroep voor hem, het was een roeping. Ik kan me niet voorstellen wat hij anders zou doen.'

'Maar hijzelf misschien wel. Hoe heet die gore straat ook alweer, waar jullie samen woonden?' vroeg hij aan zijn dochter.

'Comeniusplatz, achter de Karl-Marx-Allee.'

'Nou!'

'Wat nou?'

'Alleen maar goeie herinneringen, toch?'

Anthony noemde de chauffeur het adres. De auto doorkruiste de stad. Er waren geen controleposten meer, geen sporen van de Muur, niks dat eraan herinnerde waar het Westen eindigde en het Oostblok begon. Ze reden langs de Fernsehturm, een stijlvolle mast met een bol en een antenne die naar de hemel wezen. Naarmate ze verder reden veranderde het decor. Toen ze hun bestemming bereikten herkende Julia niks van de wijk waar ze gewoond had. Alles was destijds zo anders dat haar herinneringen uit een ander leven leken te stammen.

'Dus in deze fantastische omgeving hebben de mooiste momenten uit je jonge leven zich afgespeeld?' vroeg Anthony spottend. 'Ik moet toegeven dat het zijn charme heeft.'

'Zo is het genoeg!' schreeuwde Julia.

Anthony was verrast door de plotselinge woede-uitbarsting van zijn dochter. 'Wat heb ik nu weer verkeerd gezegd?'

'Hou alsjeblieft je mond.'

De oude gebouwen en huizen van vroeger hadden plaatsgemaakt voor nieuwe panden. Niks van wat Julia zich herinnerde was er nog, behalve het park.

Ze liep naar huisnummer 2. Vroeger stond hier een krakkemikkig gebouw, achter de groene deur liep een houten trap naar boven. Julia hielp de oma van Tomas altijd de laatste treden omhoog. Ze deed haar ogen dicht en zag het weer voor zich; de geur van was als je in de buurt van de ladekast kwam, de vitrage die altijd gesloten was en waar het daglicht doorheen schemerde, en die beschermde tegen blikken van buiten; het eeuwige molton kleed over de tafel, de drie stoelen in de eetkamer; iets verderop de oude bank, recht voor het zwart-wittoestel. Tomas' oma had het niet meer aangezet sinds de uitzendingen zich niet langer beperkten tot het goede nieuws dat de regering wilde geven. De dunne wand achterin, die hun kamer van de woonkamer scheidde. Hoe vaak had Tomas Julia niet bijna met het kussen laten stikken als ze moest lachen om zijn onhandige aanrakingen?

'Je haar was toen langer,' haalde Anthony haar uit haar gedachten.

'Wat?' vroeg Julia. Ze draaide zich om.

'Op je achttiende had je langer haar.' Anthony keek om zich heen. 'Er is niet veel van over, hè?'

'Er is helemaal niks van over, zul je bedoelen,' stamelde ze.

'Kom, laten we even op dat bankje daar tegenover gaan zitten, je bent helemaal wit weggetrokken, je moet even bijkomen.'

Ze gingen zitten aan de rand van een grasveld, dat vertrapt was door de vele kindervoetjes.

Julia zweeg. Anthony tilde zijn arm op, alsof hij die om haar schouder wilde slaan, maar zijn hand viel op de rugleuning van de bank.

'Er waren hier nog meer huizen. De gevels waren afgebladderd, ze zagen er niet uit, maar binnen was het gezellig, het was…'

'Mooier in je herinneringen, ja, dat is vaak zo,' zei Anthony geruststellend. 'Het geheugen is een vreemd mechanisme, het kleurt het leven mooier, vlakt het lelijke uit om alleen de mooiste, aangrijpendste lijnen te bewaren.'

'Aan het eind van de straat, waar nu die afschuwelijk lelijke bibliotheek staat, was een klein cafeetje. Ik had nog nooit zo iets armoedigs gezien: een sombere ruimte, neonverlichting aan het plafond, formicatafeltjes, de meeste wankel. Maar je moest eens weten wat we gelachen hebben in dat gore tentje, hoe gelukkig we er waren. Je kon er alleen wodka krijgen en een of ander smerig biertje. Ik hielp de eigenaar vaak als het druk was, dan knoopte ik een schort voor en deed de bediening. Kijk, daar zat het,' besloot Julia terwijl ze naar de plek wees waar nu een bibliotheek stond.

Anthony kuchte. 'Weet je zeker dat het niet aan de andere kant van de straat zat? Ik zie daar een klein tentje dat lijkt op jouw beschrijving.'

Julia draaide haar hoofd. Op de hoek van de straat, precies de andere kant op dan die zij aangewezen had, knipperde een uithangbord tegen de vergane gevel van een oud kroegje.

Julia stond op, Anthony volgde haar. Ze liep de straat uit en begon te rennen toen er aan de laatste meters geen eind leek te komen. Hijgend duwde ze de deur van het café open en ging naar binnen.

De ruimte was geschilderd, de neonverlichting was vervangen door twee kroonluchters, maar de formicatafeltjes waren dezelfde, waardoor het geheel op en top in retro-stijl was. Achter de bar, die niet veranderd was, stond een man met grijze haren die haar herkende.

Er zat maar één klant, helemaal achter in de kroeg. Vanaf de rug gezien leek hij een krant te lezen. Met ingehouden adem liep Julia naar hem toe.

'Tomas?'

XVI

*I*n Rome had de Italiaanse regeringsleider zojuist zijn aftreden aangekondigd. Na de persconferentie was hij bereid om voor de laatste keer mee te doen met het circus van de fotografen. Het geluid van flitslicht weerklonk van alle kanten en verlichtte het podium. Achter in de zaal stond een man tegen de verwarming geleund zijn apparatuur op te bergen.

'Wil jij het tafereel niet vereeuwigen?' vroeg een jonge vrouw naast hem.

'Nee, Marina, het is van weinig belang om dezelfde foto te maken als vijftig anderen. Dat is nou niet wat ik verslaggeving noem.'

'Oei, wat ben jij vals, gelukkig werkt je mooie kop misleidend!'

'Dat is ook een manier om te zeggen dat ik gelijk heb. Zal ik je mee uit lunchen nemen, in plaats van aan te horen hoe je me de les leest?'

'Had je iets in gedachten?' vroeg de journaliste.

'Nee, maar jij toch zeker wel?'

Er liep een verslaggever van RAI langs die Marina's hand greep en er een kus op drukte voordat hij zich uit de voeten maakte.

'Wie is dat?'

'Een eikel,' antwoordde Marina.

'Een eikel die geen hekel aan jou lijkt te hebben, dan toch.'

'Precies, dat bedoel ik. Zullen we gaan?'

'Laten we onze papieren ophalen bij de ingang en 'm smeren.'

Gearmd verlieten ze de grote zaal waar de persconferentie had plaatsgevonden en liepen naar de uitgang van het gebouw.

'Wat zijn je plannen?' vroeg Marina terwijl ze haar perskaart aan de beveiligingsbeambte liet zien.

'Ik wacht op bericht van de redactie. Ik ben al drie maanden bezig onbelangrijke zaken te verslaan, net als vandaag, maar ik hoop elke dag groen licht te krijgen voor Somalië.'

'Dat klinkt leuk voor mij!'

De verslaggever gaf op zijn beurt zijn perskaart aan de beveiligingsbeambte die hem zijn identiteitsbewijs teruggaf dat iedere bezoeker verplicht moest afstaan om het Palazzo Montecitorio te mogen betreden.

'Meneer Ullmann?' vroeg de beambte.

'Ja, ik weet het, mijn journalistennaam is anders dan die in mijn paspoort, maar kijk maar naar de foto op mijn perskaart en naar mijn voornaam, die zijn hetzelfde.'

De beambte vergeleek de gezichten en zonder verder nog vragen te stellen gaf hij het paspoort terug aan zijn eigenaar.

'Vanwaar dat idee om je artikelen niet met je eigen naam te ondertekenen? Zijn dat sterallures?'

'Nee, het ligt fijngevoeliger,' antwoordde de journalist terwijl hij zijn arm om Marina's middel sloeg. Ze staken de piazza Colonna over onder een verzengende zon. Veel toeristen aten een ijsje ter verkoeling.

'Gelukkig heb je wel dezelfde voornaam gehouden.'

'Wat zou dat hebben uitgemaakt?'

'Ik vind Tomas leuk en hij past heel goed bij, je hebt een echt Tomas-hoofd.'

'O? Hebben voornamen tegenwoordig een hoofd? Wat een merkwaardig idee!'

'Perfect,' vervolgde Marina. 'Je had niet anders kunnen heten. Ik zie je niet als een Massimo of een Alfredo, en ook niet als Karl. Tomas past precies bij je.'

'Je zegt maar wat. Nou, waar gaan we heen?'

'Door die hitte en al die mensen die ijsjes lopen te eten heb ik zin gekregen in een granita, dus laten we naar Tazza d'oro gaan, dat zit op het plein voor het Pantheon, hier niet zo ver vandaan.'

Tomas bleef staan aan de voet van de zuil van Marcus Aurelius. Hij maakte zijn schoudertas open, koos een body uit waar hij een lens op klikte, ging gehurkt zitten en maakte een foto van Marina die het beeldhouwwerk bekeek dat gemaakt was ter ere van Marcus Aurelius.

'En dat is zeker geen foto die door vijftig anderen gemaakt is?' vroeg ze lachend.

'Ik wist niet dat je zo veel bewonderaars had,' zei Tomas glimlachend terwijl hij nog een keer op de ontspanner drukte, nu voor een close-up.

'Ik had het over de zuil! Ben je mij aan het fotograferen?'

'Die zuil lijkt op de Siegessäule in Berlijn, maar jij bent uniek.'

'Ik zei het toch, je moet het echt van je mooie kop hebben. Je bent een aandoenlijke charmeur, Tomas, in Italië zou je geen schijn van kans maken. Kom op, het is hier veel te heet.'

Marina pakte Tomas' hand en ze lieten de zuil van Antonius Aurelius achter zich.

Julia's blik gleed van boven naar beneden langs de Siegessäule die de Berlijnse hemel in stak. Anthony zat aan de voet en haalde zijn schouders op.

'We konden ook niet meteen in de roos schieten,' verzuchtte hij.

'Geef toe, Het zou wel heel erg toevallig zijn geweest als die gast in de bar Tomas was.'

'Ik weet het, ik heb me vergist, meer niet.'

'Misschien omdat je graag wilde dat hij het was.'

'Van achter had hij hetzelfde postuur, hetzelfde kapsel, dezelfde manier om door de krant te bladeren, van achter naar voren.'

'Waarom keek de eigenaar zo moeilijk toen we hem vroegen of hij zich hem nog herinnerde? Hij was anders behoorlijk charmant toen je alle herinneringen ophaalde.'

'Het was in ieder geval aardig van hem om te zeggen dat ik niet veranderd was, ik had nooit gedacht dat hij me zou herkennen.'

'Wie zou jou nou kunnen vergeten, mijn lieve kind.'

Julia gaf haar vader een plagerig stootje.

'Ik weet zeker dat hij tegen ons loog en dat hij prima wist wie jouw Tomas was. Pas toen jij zijn naam noemde klapte hij dicht.'

'Hou op met dat "jouw Tomas". Ik weet niet eens meer wat we hier eigenlijk doen, laat staan wat het nut ervan is.'

'Mij er nog één keer aan te herinneren dat ik een goed moment heb uitgekozen om vorige week te overlijden!'

'Hou daar nou eens over op! Als je denkt dat ik bij Adam wegga om achter een hersenschim aan te rennen dan vergis je je lelijk!'

'Lieve dochter van me, je zult wel nog bozer worden, maar mag ik je er even op wijzen dat ik de enige hersenschim in je leven ben? Dat heb je me duidelijk genoeg laten merken, dus in de huidige omstandigheden ga je me dat voorrecht niet ontnemen.'

'Je bent niet grappig…'

'Ik ben niet grappig nee, zodra ik iets wil zeggen kap je me af… Oké, ik ben niet leuk en jij wilt niet naar me luisteren, maar gezien je reactie in dat café, toen je Tomas dacht te herkennen, zou ik niet graag in Adams schoenen staan. En durf nou maar eens te beweren dat ik me vergis!'

'Je vergist je!'

'Goed, dan is dat in ieder geval een gewoonte die ik trouw gebleven ben!' antwoordde Anthony scherp terwijl hij zijn armen over elkaar sloeg.

Julia glimlachte.

'Wat heb ik nou weer gedaan?'

'Niks, niks,' antwoordde Julia.

'O, alsjeblieft!'

'Je bent toch een beetje van de oude stempel, dat wist ik niet.'

'Dat is kwetsend, hoe daar mee op alsjeblieft,' reageerde Anthony. Hij stond op. 'Kom, we gaan lunchen, het is drie uur en je hebt niks meer gegeten sinds vanochtend.'

～

Op weg naar zijn werk was Adam langs een slijterij gegaan. De verkoper adviseerde hem een cru uit Californië met weinig tannine, een mooie kleur, een beetje zwaar misschien. Het klonk verleidelijk, maar Adam zocht iets subtielers dat paste bij degene voor wie de fles bestemd was. De winkelier begreep wat zijn klant in gedachten had en verdween naar achteren om terug te komen met een voortreffelijke bordeaux. Zo'n zeldzaam jaar zat natuurlijk wel in een andere prijsklasse, maar kwaliteit kent toch geen prijs? Had Julia hem niet verteld dat haar beste vriend geen weerstand kon bieden aan de geneugten van een goede wijn? Dat Stanley geen grenzen meer kende als het om een bijzondere wijn ging? Twee flessen moesten genoeg zijn om hem dronken te voeren, en of hij het nou wilde of niet, uiteindelijk zou hij verklappen waar Julia was.

～

'Laten we even recapituleren,' zei Anthony, toen ze op het terras van een broodjeszaak zaten. 'We hebben de vakbond geprobeerd, hij staat nergens ingeschreven. Jij weet zeker dat hij nog steeds verslaggever is, dus laten we op jouw intuïtie vertrouwen, ook al wijst alles op het tegendeel. We zijn teruggegaan naar de plek waar hij woonde, het pand is gesloopt. Dat is tenminste wat je noemt schoon schip met het verleden maken. Ik begin me af te vragen of het allemaal toeval is.'

'Boodschap ontvangen. En wat wil je precies zeggen? Tomas heeft alle banden verbroken met de tijd dat wij samen waren; wat doen we hier dan? Laten we teruggaan, als je er echt zo over denkt,' zei Julia driftig terwijl ze de cappuccino terugstuurde die de ober haar kwam brengen.

Anthony gebaarde naar de jongen dat hij hem toch neer moest zetten.

'Ik weet dat je niet van koffie houdt, maar hier is hij heerlijk.'

'Wat kan het je eigenlijk schelen dat ik liever thee drink?'

'Niks. Ik zou het alleen leuk vinden als je het probeerde, dat is toch niet te veel gevraagd!'

Julia nam een slok en trok een heel vies gezicht.

'Je hoeft niet zo vies te kijken hoor, ik heb het al begrepen. Maar, zoals ik al zei, op een gegeven moment proef je die bittere smaak niet meer die je ervan weerhoudt te genieten van de smakelijke dingen des levens. En verder, als jij denkt dat je vriend geprobeerd heeft alle banden met jullie verleden te verbreken, dan dicht je jezelf te veel belang toe. Misschien heeft hij gewoon gebroken met zijn eigen verleden en niet met het jouwe. Ik denk niet dat jij je realiseert tegen welke moeilijkheden hij allemaal is aangelopen om zich aan te passen aan een wereld waarin alles tegenovergesteld was aan wat hij gewend was. Een systeem waar elke vrijheid werd verkregen door ontkenning van de waarden uit zijn jeugd.'

'Neem jij het nu voor hem op? Ga jij hem nu zitten verdedigen?'

'Beter ten halve gekeerd, dan ten hele gedwaald. Het vliegveld is hier dertig minuten vandaan, we kunnen langs het hotel, onze spullen ophalen en de laatste vlucht nemen. Dan slaap je vannacht in je geweldige appartement in New York. Op het gevaar af in herhaling te vervallen: beter ten halve gekeerd, dan ten hele gedwaald. Denk er maar even goed over na voor het te laat is. Wil je naar huis of wil je verder zoeken?'

Julia stond op, dronk de cappuccino zonder een spier te vertrekken in één teug op, veegde haar mond af met de rug van haar hand en zette het kopje met een klap op tafel terug.

'Oké, Sherlock, heb je nog een nieuw spoor bedacht om na te trekken?'

Anthony legde wat muntgeld op het schoteltje en stond ook op.

'Heb je me niet ooit verteld over een goeie vriend van Tomas, met wie jullie ook veel optrokken?'

'Knapp? Dat was zijn beste vriend, maar ik kan me niet herinneren dat ik jou iets over hem verteld heb.'

'Nou, laten we het er dan maar op houden dat mijn geheugen beter is dan het jouwe. En wat deed die Knapp ook alweer? Was hij niet journalist?'

'Ja, natuurlijk!'

'Was het dan niet slim geweest zijn naam te noemen toen we vanochtend toegang hadden tot de database van de beroepsvereniging?'

'Daar heb ik geen moment aan gedacht...'

'Zie je wel, ik zei het toch, je bent een beetje traag aan het worden! Kom op!'

'Gaan we terug naar de vakbond?'

'Hartstikke sloom!' zei Anthony terwijl hij zijn ogen ten hemel sloeg. 'Ik geloof niet dat we daar hartelijk ontvangen zullen worden.'

'Waarheen dan?'

'Moet een man van mijn leeftijd nou de wondere wereld van internet gaan uitleggen aan een jonge vrouw die haar dagen slijt achter een computerscherm? Dat is toch erg! Laten we in de buurt een internetcafé zoeken, en doe alsjeblieft je haar vast, met die wind is je gezicht niet meer te zien.'

∿

Marina had erop gestaan Tomas te trakteren. Ze waren per slot van rekening op haar terrein en als zij bij hem op bezoek was in Berlijn betaalde hij altijd. Omdat het maar twee ijskoffie waren had Tomas haar laten begaan.

'Moet je vandaag nog werken?' vroeg hij.

'Heb je gezien hoe laat het al is? De middag is al bijna voorbij, bovendien ben jij mijn werk. Zonder foto geen artikel!'

'Nou, wat wil je doen dan?'

'Voordat het avond is zou ik graag wat wandelen, het is eindelijk zacht weer, we zijn in het oude centrum, laten we daarvan profiteren.'

'Ik moet Knapp even bellen voordat hij van de redactie weg is.'

Marina aaide Tomas over zijn wang. 'Ik weet dat je tot alles bereid bent om me zo snel mogelijk achter te laten, maar wees niet zo ongeduldig, naar Somalië ga je toch wel. Knapp heeft je daar nodig, dat heb je me al tig keer uitgelegd. Ik ken het verhaal uit mijn hoofd. Hij wil graag hoofdredacteur worden, jij bent zijn beste verslaggever en jouw werk is van levensbelang voor zijn promotie. Geef hem toch de tijd om alles goed voor te bereiden.'

'Hij is verdomme al drie weken aan het voorbereiden!'

'Misschien neemt hij meer voorzorgsmaatregelen omdat jij het bent? En dan nog? Je kunt hem niet verwijten dat hij ook je vriend is! Kom op, wandel met me door mijn stad.'

'Ben je niet per ongeluk bezig de rollen om te draaien?'

'Ja, maar met jou vind ik dat heerlijk.'

'Je zit me in de zeik te nemen, hè?'

'Zeker!' antwoordde Marina, en ze barstte in lachen uit.

Ze trok hem mee naar de trappen van de piazza di Spagna en wees hem de twee koepels van de Trinità dei Monti.

'Bestaat er een mooiere dan deze?' vroeg Marina.

'Berlijn!' antwoordde Tomas zonder enige aarzeling.

'Ondenkbaar! Als je ophoudt met onzin uitkramen neem ik je straks mee naar café Greco. Dan neem je een cappuccino en vertelt me daarna of ze in Berlijn ook zulke lekkere serveren!'

Met zijn ogen strak op het beeldscherm gericht probeerde Anthony de aanwijzingen te ontcijferen die op het scherm verschenen.

'Ik dacht dat je vloeiend Duits sprak?' merkte Julia op.

'Spreken, ja, maar lezen en schrijven is een ander verhaal. Bovendien heeft het niks met de taal te maken, ik begrijp gewoon niks van deze apparaten.'

'Aan de kant!' beval Julia. Ze ging achter het toetsenbord zitten.

Ze begon in hoog tempo van alles in te toetsen, en de zoekmachine verscheen in beeld. Ze tikte de naam Knapp in en hield toen plotseling op.

'Wat is er?'

'Ik weet zijn naam niet meer. Eerlijk gezegd weet ik niet eens of Knapp zijn voor- of achternaam is. We noemden hem altijd gewoon Knapp.'

'Aan de kant!' zei Anthony op zijn beurt. Achter Knapp toetste hij 'journalist'.

Er verscheen meteen een lijst met elf namen. Zeven mannen en vier vrouwen luisterden naar de naam Knapp en ze oefenden allemaal hetzelfde beroep uit.

'Dat is hem!' riep Anthony uit. Hij wees naar de derde regel. 'Jürgen Knapp!'

'Waarom hij speciaal?'

'Omdat *Hauptredakteur* ongetwijfeld eindredacteur betekent.'

'Ga weg!'

'Als ik me goed herinner hoe je over die jongen sprak kan ik me voorstellen dat hij op zijn veertigste slim genoeg is geweest om carrière te maken, anders was hij vast iets anders gaan doen, zoals Tomas. Complimenteer me liever met mijn scherpzinnigheid, in plaats van zo verbaasd te kijken.'

'Ik weet niet wanneer ik je over Knapp verteld heb en al helemaal niet waar jij zijn psychologische profiel op baseert,' antwoordde Julia stomverbaasd.

'Wil je het echt over de scherpte van je geheugen hebben? Wil je me nog eens vertellen aan welk eind van de straat het café zat waar je zo veel mooie momenten had beleefd? Jouw Knapp werkt op de redactie van *Tagesspiegel*, afdeling buitenlands nieuws. Zullen we hem een bezoekje gaan brengen of wil je hier blijven kletsen?'

Het kostte ze veel tijd om Berlijn te doorkruisen op het tijdstip dat alle kantoren dicht gingen, het hele verkeer stond vast. De taxi zette ze af voor de Brandenburger Tor. Na de drukte in het verkeer moesten ze zich een weg banen door de menigte mensen die van hun werk naar huis gingen en de drommen toeristen die deze beroemde plek waren komen bezoeken. Daar had ooit een Amerikaanse president, over de Muur heen, een oproep gedaan aan zijn Russische collega tot wereldvrede, tot het neerhalen van die betonnen grens die destijds achter de zuilen van de grote boog verrees. De twee staatshoofden hadden naar elkaar geluisterd en waren overeengekomen het Oostblok met het Westen te herenigen.

Julia ging sneller lopen, Anthony had moeite haar te volgen. Een aantal keer riep hij haar naam, in de overtuiging dat hij haar was kwijtgeraakt, maar uiteindelijk herkende hij steeds weer haar gestalte in de drukke menigte op Pariserplatz.

Ze stond op hem te wachten bij de ingang van het gebouw. Ze meldden zich samen bij de receptie. Anthony vroeg of hij Jürgen Knapp kon spreken. De receptioniste was in gesprek. Ze zette haar telefoontje in de wacht en vroeg of ze een afspraak hadden.

'Nee, maar ik weet zeker dat hij ons heel graag wil ontvangen,' beweerde Anthony.

'Wie kan ik zeggen dat er is?' vroeg de receptioniste met een bewonderende blik op de sjaal die het haar bijeen hield van de vrouw die tegen haar balie geleund stond.

'Julia Walsh,' antwoordde de laatste.

Van achter zijn bureau op de tweede etage vroeg Jürgen Knapp of de receptioniste die naam alsjeblieft nog een keer wilde herhalen. Hij verzocht haar om aan de lijn te blijven, klemde de hoorn in zijn handpalmen en liep naar het grote raam dat uitkeek op het glazen koepeldak beneden.

Vanaf hier had hij een goed uitzicht op de hal, en in het bijzonder op de receptie. De vrouw die haar sjaal afdeed om een hand door haar haren te halen, ook al waren die haren korter dan in zijn herinnering, die vrouw met die natuurlijke elegantie die nu liep te ijsberen onder zijn raam, was zonder enige twijfel de vrouw die hij achttien jaar geleden had leren kennen.

Hij bracht de hoorn weer naar zijn oor.

'Zeg dat ik er niet ben, dat ik deze week op reis ben, zeg zelfs maar dat ik niet voor het einde van de maand terug ben. En wees alsjeblieft geloofwaardig!'

'Uitstekend,' antwoordde de receptioniste, ervoor wakend zijn naam niet te noemen. 'Ik heb een correspondent voor u aan de lijn, zal ik die doorverbinden?'

'Wie is het?'

'Ik had geen tijd hem dat te vragen.'

'Verbind maar door.'

De receptioniste hing op en speelde haar rol perfect.

∾

'Jürgen?'

'Met wie spreek ik?'

'Tomas, herken je mijn stem niet meer?'

'Ja, natuurlijk wel, ik was een beetje afwezig.'

'Ik sta al minstens vijf minuten in de wacht, ik bel je vanuit het buitenland! Zat je met een minister aan de lijn of zo, dat je me zo lang liet wachten?'

'Nee, nee, het spijt me, niks belangrijks. Ik heb goed nieuws voor je, ik had het je vanavond willen vertellen, ik heb groen licht, je gaat naar Somalië.'

'Geweldig!' riep Tomas uit. 'Ik kom even naar Berlijn en ga dan meteen door.'

'Dat is niet nodig, blijf in Rome, ik zorg wel voor een elektronisch ticket en we sturen je alle benodigde documenten per expresspost op, dan heb je die morgenochtend.'

'Weet je zeker dat ik niet beter even bij je langs kan komen op de redactie?'

'Nee, vertrouw me maar, we hebben al lang genoeg op toestemming gewacht, me mogen geen dag meer verliezen. Je vlucht naar

Afrika vertrekt vanaf Fiumicino aan het eind van de middag, ik bel je morgenochtend met alle details.'

'Gaat het goed met je? Je klinkt zo vreemd…'

'Het kan niet beter. Je kent me toch, ik was graag bij je geweest om je vertrek te vieren.'

'Ik weet niet hoe ik je moet bedaken, Jürgen. Ik zal voor mezelf een Pulitzerprijs in de wacht slepen en voor jou een promotie naar hoofdredacteur buitenlands nieuws!'

Tomas hing op. Knapp zag Julia en de man die bij haar was door de hal lopen en het gebouw verlaten.

Hij ging weer achter zijn bureau zitten en legde de hoorn terug op de houder.

XVII

*T*omas ging terug naar Marina, die boven aan de hoge trappen op de piazza di Spagna op hem zat te wachten. Het plein was afgeladen vol.

'En, heb je hem gesproken?' vroeg Marina.

'Kom, het is hier veel te druk en benauwd. Laten we lekker gaan winkelen, en als we die winkel kunnen terugvinden waar je die gekleurde sjaal zag dan krijg je die van me.'

Marina liet haar zonnebril op het puntje van haar neus zakken en kwam zonder iets te zeggen overeind.

'Dat is helemaal niet in de richting van die winkel,' riep Tomas naar zijn vriendin die gehaast naar de fontein beneden liep.

'Nee, dat is precies de andere kant op, maar ik hoef die sjaal van je tóch niet!'

Tomas rende achter haar aan en haalde haar onder aan de trap in.

'Gisteren vond je hem nog zo mooi!'

'Precies, dat was gisteren, en vandaag hoef ik hem niet meer! Zo zijn vrouwen nu eenmaal, die kunnen zomaar van mening veranderen, en mannen zijn allemaal eikels!'

'Wat is er aan de hand?' vroeg Tomas.

'Wat er aan de hand is? Als jij me echt een cadeau had willen geven dan had je dat zelf moeten uitzoeken en leuk moeten laten inpakken en moeten verstoppen als een verrassing, want dan was het ook een verrassing geweest. Dat noemen we "attent zijn", Tomas, een zeldzame eigenschap waar vrouwen erg van houden. En mocht het je geruststellen, dat wil heus niet zeggen dat je meteen een ring om je vinger krijgt.'

'Het spijt me, ik dacht dat je het leuk zou vinden.'

'Nou, integendeel. Ik wil geen cadeau als goedmakertje.'

'Maar ik heb helemaal niks goed te maken!'

'O nee? Je lijkt Pinokkio wel, je neus wordt steeds langer. Kom, laten we liever je vertrek vieren in plaats van ruzie te maken. Dat heeft Knapp je toch door de telefoon verteld, of niet soms? Je kunt maar beter een goed restaurant uitzoeken om me vanavond mee uit eten te nemen.'

Marina liep verder zonder op Tomas te wachten.

∾

Julia deed het portier van de taxi open, Anthony liep al naar de draaideur van het hotel.

'Er is ongetwijfeld een oplossing. Jouw Tomas kan niet in het niets verdwenen zijn. Hij moet ergens zijn en wij zullen hem vinden, het is gewoon een kwestie van geduld.'

'Binnen vierentwintig uur? We hebben alleen morgen nog, zaterdag vliegen we terug. Dat ben je toch niet vergeten?'

'Voor mij zijn de dagen geteld, Julia, jij hebt je hele leven nog voor je. Als je tot het uiterste wilt gaan met dit avontuur dan kom je terug, alleen, maar je komt terug. Deze reis heeft ons in ieder geval allebei weer verzoend met deze stad, dat is al heel wat.'

'Heb je me daarom hiernaartoe gesleept? Om een gerust geweten te hebben?'

'Je bent vrij om de dingen zo te zien. Ik kan je niet dwingen me te vergeven wat ik onder dezelfde omstandigheden misschien weer zou doen. Maar laten we geen ruzie maken, laten we voor één keer samen ons best doen. Het is allemaal nog mogelijk in een dag, geloof me.'

Julia wendde haar blik af. Haar hand streek langs die van Anthony, hij aarzelde even maar vermande zich, liep de hal door en bleef stilstaan bij de liften.

'Ik vrees dat ik je vanavond geen gezelschap kan houden,' zei hij tegen zijn dochter. 'Het spijt me, maar ik ben moe. Het lijkt me verstandig wat op te laden voor morgen – ik had nooit gedacht deze zin in zijn letterlijke betekenis uit te spreken.'

'Ga maar rusten. Ik ben ook bekaf, ik laat wel wat te eten op mijn kamer komen. Dan zien we elkaar bij het ontbijt, dan kom ik bij je zitten als je wilt.'

'Dat is goed,' zei Anthony glimlachend.

De lift bracht ze omhoog, Julia stapte als eerste uit. Toen de deuren dichtgingen zwaaide ze even naar haar vader, daarna bleef ze op de overloop staan kijken naar de rode cijfers die voorbijkwamen op het schermpje boven de lift.

Zodra ze in haar kamer was liet Julia een heet bad vollopen, goot er twee flacons etherische olie in leeg die op de badrand stonden en liep terug om bij de roomservice een kom muesli en een bord fruit te bestellen. In de tussentijd zette ze het plasmascherm aan dat aan de muur recht tegenover het bed hing, gooide haar kleren op bed en ging terug naar de badkamer.

❧

Knapp bekeek zichzelf lang in de spiegel. Hij trok de knoop van zijn das recht en wierp een laatste blik in de spiegel voordat hij de toiletten verliet. Stipt om acht uur zou de expositie in het Museum für Fotografie, waarvan hij de initiatiefnemer was, feestelijk geopend worden door de minister van Cultuur. Het project had veel extra werk opgeleverd voor hem, maar de inzet was van cruciaal belang voor zijn carrière. Als het een geslaagde avond zou worden, als zijn collega's van de geschreven pers zich de volgende dag in hun krant lovend zouden uitlaten over het resultaat van al zijn inspanningen, dan kon hij zich binnen afzienbare tijd installeren in het grote glazen kantoor bij de ingang van de redactieruimte. Knapp keek naar de klok in de hal van het gebouw; hij had nog een kwartier, ruim genoeg tijd om Pariserplatz over te wandelen en zich beneden aan de traptreden, aan het begin van de rode loper, op te stellen om de minister en de televisiecamera's op te wachten.

∾

Adam maakte een prop van het cellofaanpapier dat om zijn sandwich had gezeten en mikte op de prullenbak die aan een lantaarnpaal in het park hing. Hij miste, en stond op om het vette propje op te rapen. Zodra hij het grasveld naderde keek er een eekhoorn op en ging op zijn achterpootjes staan.

'Het spijt me, jongen,' zei Adam, 'ik heb geen nootjes in mijn zak en Julia is de stad uit. Ze heeft ons allebei laten stikken.'

Het diertje keek hem aan en bewoog bij elk woord zijn kopje.

'Volgens mij houden eekhoorns niet van vlees,' zei hij terwijl hij een stukje ham dat tussen de witte boterhammen uitstak zijn kant op gooide.

Het knaagdiertje weigerde het aangebodene en klom met sprongetjes langs een boomstam omhoog. Ter hoogte van Adam bleef een hardloopster stilstaan.

'Praat u met eekhoorns? Ik ook, ik vind het enig als ze komen aanrennen en hun kleine snuitjes alle kanten op bewegen.'

'Ik weet het, vrouwen vinden ze onweerstaanbaar. Maar het is directe familie van de rat,' bromde Adam.

Hij gooide zijn sandwich in de prullenbak en liep met zijn handen in zijn zakken weg.

∾

Er werd op de deur geklopt. Julia pakte het washandje en veegde in alle haast de crème van haar gezicht. Ze kwam uit bad, trok de ochtendjas van het haakje en schoot hem aan. Ze liep de kamer door, deed open voor de hotelbediende en vroeg hem het blad op bed te zetten. Ze pakte een bankbiljet uit haar tas, tekende de rekening, stak het geld ertussen en gaf het aan de jongen terug. Zodra hij vertrokken was installeerde ze zich in bed en begon in het bord muesli te roeren. Met de afstandsbediening in de hand zapte ze langs de kanalen, op zoek naar een programma dat niet in het Duits was.

Na drie Spaanse, een Zwitserse en twee Franse zenders zapte ze voorbij de oorlogsbeelden op CNN (te gewelddadig), de beursberichten op Bloomberg (interesseerden haar geen biet, ze was slecht in wiskunde), een spelprogramma op RAI (de presentatrice was in haar ogen veel te ordinair) en begon ze weer van voor af aan.

∾

De auto van de minister werd voorgegaan door twee motoren. Knapp ging op zijn tenen staan. Zijn buurman probeerde voor hem te gaan staan, maar hij duwde hem met zijn elleboog weg; dan had die collega maar eerder moeten komen. De zwarte auto was er al en stopte precies voor hem. Een lijfwacht deed het portier open en de minister stapte uit. Hij werd ontvangen door een menigte camera's. Samen met de directeur van het museum deed Knapp een stap naar voren en boog licht naar voren om de hoge functionaris te begroeten en hem over de rode loper te begeleiden.

Julia bekeek peinzend het menu. Van de muesli was alleen een rozijn blijven liggen, en van het verse fruit twee pitten. Het was moeilijk een keuze te maken, ze twijfelde tussen chocolademousse, strudel, flensjes en een clubsandwich. Ze bestudeerde aandachtig haar buik en heupen, en gooide het menu de kamer in. Het televisiejournaal eindigde met beelden van de vernissage van een vreselijk glamourachtige en mondaine expositie. Mannen en vrouwen, notabelen in avondkleding, betraden een rode loper onder het geflits van de camera's. Haar aandacht werd getrokken door een actrice of zangeres, waarschijnlijk een Berlijnse, in een lange rode jurk. Er was geen enkel gezicht in deze club van beroemdheden dat haar bekend voorkwam, behalve één! Ze kwam met een sprong overeind, waarbij ze haar bord omgooide, en ging met haar neus boven op de televisie staan. Ze wist zeker dat ze degene herkend had die net het museum in kwam, glimlachend in de camera die op hem gericht werd. Toen draaide de camera weg naar de zuilen van de Brandenburger Tor.

'De gore klootzak!' riep Julia uit terwijl ze naar de badkamer rende.

De receptionist verzekerde haar dat de bewuste avond alleen maar in de Stiftung Brandenburger Tor kon zijn. Het gebouw maakte deel uit van de nieuwste architectonische hoogstandjes van Berlijn, en vanaf de trappen had je inderdaad een prachtig zicht op de Brandenburger Tor. De vernissage die Julia bedoelde was ongetwijfeld van de expositie die door *Tagesspiegel* georganiseerd was. Het was helemaal niet nodig om er zo op stel en sprong heen te gaan, mevrouw Walsh had nog ruimschoots de tijd om de tentoonstelling van persfoto's te bekijken, hij zou doorlopen tot de verjaardag van de val van de Muur, dat was dus nog vijf maanden. Als mevrouw Walsh het wilde kon hij vast en zeker nog voor twaalf uur 's middags de volgende dag aan twee kaartjes komen. Maar Julia wilde weten hoe ze stante pede aan een avondjurk kon komen.

'Het is al bijna negen uur, mevrouw Walsh!'

Julia deed haar tas open, gooide de inhoud op de balie, sorteerde alles wat erin zat – dollars, euro's, kleingeld, ze herkende zelfs een oude Duitse mark waar ze nooit afstand van had kunnen doen – deed haar horloge af en duwde alles met twee handen naar hem toe, als een gokker op het groene gelukskleed.

'Maakt niet uit of hij rood, paars of geel is, maar regel alstublieft een avondjurk voor mij.'

De receptionist keek haar verbijsterd aan. Hij trok zijn linker wenkbrauw op. Zijn beroepsmatige geweten verplichtte hem, hij moest de dochter van meneer Walsh helpen. Hij zou een oplossing voor haar bedenken.

'Stopt u die troep maar weer in uw tas en kom met mij mee,' zei hij, terwijl hij Julia meetrok naar de linnenkamer.

Zelfs in het schemerdonker was de jurk die hij haar liet zien wonderschoon. Hij was van een dame uit suite 1206. Het modehuis had hem afgeleverd op een tijdstip dat de gravin niet meer gestoord kon worden, legde de receptionist uit. Het sprak voor zich dat er geen enkele vlek op mocht komen en dat Julia hem, net als Assepoester, voor klokslag twaalf uur die avond moest inleveren.

Hij liet haar alleen in de linnenkamer en zei dat ze haar kleren op een hangertje kwijt kon.

Julia kleedde zich uit en trok de geraffineerde haute-couturejurk uiterst behoedzaam aan. Omdat er geen enkele spiegel was probeerde ze haar weerschijn te bekijken in het metaal van een klerenstandaard, maar de ronde buizen vervormden het beeld. Ze deed haar haren los, maakte zich op goed geluk op, liet haar tas met haar broek en trui achter en stapte de donkere gang in die naar de hal leidde.

De receptionist wenkte haar naar zich toe. Julia deed wat haar gevraagd werd. Tegen de muur achter hem hing een grote spiegel, maar net op het moment dat Julia wilde kijken hoe ze eruitzag ging hij voor haar staan.

'Nee, nee, nee!' zei hij toen Julia een nieuwe poging deed. 'Als mevrouw me toestaat…'

Hij pakte een papieren zakdoekje uit een la en poetste een veeg lippenstift naast haar lippen weg.

'Nu mag u zichzelf bewonderen!' besloot hij terwijl hij een stap opzij deed.

Julia had nog nooit zo'n mooie jurk gezien. Nog veel mooier dan al die jurken waarvan ze gedroomd had voor de etalages van de beroemdste couturiers.

'Ik weet niet hoe ik u moet bedanken,' mompelde ze verbaasd.

'U strekt de ontwerper tot eer, ik weet zeker dat hij u honderd keer beter staat dan de gravin,' fluisterde hij. 'Ik heb een auto voor u besteld, hij zal daar op u blijven wachten om u weer naar het hotel te brengen.'

'Ik had toch een taxi kunnen nemen.'

'Met zo'n jurk? Dat meent u niet! Beschouw het maar als uw koets, en als mijn waarborg. Komt u mee, Assepoester? Ik wens u een prettige avond, mevrouw Walsh,' zei de receptionist, terwijl hij haar naar de limousine begeleidde.

Toen ze buiten waren ging Julia op het puntje van haar tenen staan om hem een zoen te geven.

'Mevrouw Walsh, nog een laatste verzoek…'

'U roept maar!'

'Gelukkig is deze jurk lang, heel lang zelfs. Maar alstublieft, trek

hem niet meer zo op, uw espadrilles passen totaal niet bij deze kleding!'

∞

De ober zette een schaal met antipasti op tafel. Tomas schepte Marina wat gegrilde groentes op.

'Mag ik weten waarom je een zonnebril draagt in een restaurant
waar het zo donker is dat ik de kaart niet eens kon lezen?'

'Daarom!' antwoordde Marina.

'Nou, dat is een duidelijk antwoord,' reageerde Tomas spottend.

'Omdat ik niet wil dat je de blik ziet.'

'Welke blik?'

'Dé blik.'

'O. Sorry, hoor, maar ik begrijp helemaal niks van wat je zegt.'

'Ik bedoel de blik die jullie mannen in de ogen van vrouwen zien
die het naar hun zin hebben bij jullie.'

'Ik wist niet dat daar een speciale blik voor was.'

'Jawel, jij bent net als alle andere mannen, jij herkent die blik heel
goed!'

'Oké, als jij het zegt. En waarom zou ik die blik, waaruit voor één
keer zou blijken dat je het leuk vindt met mij, niet mogen zien?'

'Omdat je dan meteen zou gaan bedenken hoe je me het snelst
weer kon dumpen.'

'Wat is dit nou weer voor onzin?'

'Tomas, de meeste mannen die hun eenzaamheid verdrijven met
een affaire zonder verplichtingen, met lieve woorden, maar nooit
verliéfde woorden, al die mannen vrezen op een dag dat ze bij hun
scharrel dé blik zien!'

'Maar wélke blik dan toch?'

'De blik waardoor jullie denken dat we smoorverliefd op jullie zijn! Dat we meer willen. Stomme dingen als vakantieplannen maken, een toekomst, kortom! En als we per ongeluk glimlachen als we op straat een kinderwagen tegenkomen, dan heb je de poppen aan het dansen!'

'En die blik zou achter die donkere zonnebril schuilgaan?'

'Dat had je gewild! Ik heb zere ogen, meer niet. Wat verbeeld je je eigenlijk?'

'Waarom vertel je me dit allemaal, Marina?'

'Wanneer ga je me vertellen dat je naar Somalië vertrekt, voor of na je tiramisu?'

'Wie zegt dat ik tiramisu ga nemen?'

'Die twee jaar dat ik je ken en dat we samenwerken, heb ik gezien hoe je bent.'

Marina schoof de bril naar het puntje van haar neus en liet hem op haar bord vallen.

'Oké, ik vertrek morgen! Maar dat weet ik zelf ook pas net.'

'Ga je morgen al terug naar Berlijn?'

'Knapp heeft liever dat ik direct vanaf hier naar Mogadishu vlieg.'

'Je wacht al drie maanden op dit vertrek, drie maanden wacht je tot hij erover begint, en je vriend hoeft maar met zijn vingers te knippen en je gehoorzaamt!'

'Het gaat om een dag winst, we hebben al genoeg tijd verloren.'

'Jij bent door hem tijd verloren en jij doet precies wat hij wil. Hij heeft je nodig voor zijn promotie, maar jij hebt hem niet nodig om een prijs in de wacht te slepen. Met jouw talent kun je die zelfs krijgen met een foto van een hond die tegen een lantaarn staat te piesen!'

'Waar wil je heen?'

'Kom op, Tomas, hou op met vluchten voor mensen van wie je houdt en ga de uitdaging aan. Begin maar met mij. Zeg bijvoor-

beeld dat ik je de keel uithang met mijn gelul, dat we gewoon min-
naars zijn en dat ik je niet de les hoef te lezen en zeg tegen Knapp dat
je niet naar Somalië vertrekt zonder eerst naar huis te zijn gekomen,
een koffer te hebben gepakt en je vrienden gedag te hebben gezegd!
Vooral omdat je geen idee hebt wanneer je weer terugkomt.'

'Misschien heb je gelijk.'

Tomas pakte zijn mobiel.

'Wat ga je doen?'

'Nou, ik stuur Knapp een sms dat hij mijn ticket naar zaterdag
moet verzetten, en dat ik vanuit Berlijn vertrek.'

'Ik geloof je pas als je het verstuurd hebt!'

'En mag ik dan dé blik zien?'

'Misschien…'

De limousine stopte voor de rode loper. Julia moest zich in allerlei
bochten wringen om uit te stappen zonder haar schoenen te laten
zien. Ze liep de trap op, bovenaan werd ze ontvangen door een serie
flitslichten.

'Ik ben niemand!' zei ze tegen de fotograaf die geen Engels ver-
stond. Bij de ingang keek de portier vol bewondering naar de
prachtige jurk van Julia. Verblind door het licht van de camera die
haar binnenkomst filmde leek het hem onnodig om naar haar uitnodiging te vragen.

Het was een immense zaal. Julia liet haar blik langs de mensenmenigte glijden. Met een glas in de hand flaneerden de genodigden
rond terwijl ze de enorme foto's bekeken. Julia glimlachte gemaakt
naar gasten die ze niet kende, maar die haar wel begroetten, zoals
gebruikelijk in die kringen. Een stukje verderop zat een harpist op
een verhoging Mozart te spelen. Julia wandelde rond door de me-

nigte – die meer weg had van een belachelijk ballet – op zoek naar haar prooi.

Haar aandacht werd getrokken door een foto van zo'n drie meter hoog die naast haar oprees. De foto was genomen in de bergen van Kandahar of Tadzjikistan, of misschien aan de grens van Pakistan? Het uniform van de soldaat die in de kuil lag gaf daarover geen uitsluitsel, en het kind naast hem, dat hem leek te troosten, leek op ongeacht welk kind ter wereld met blote voeten.

Ze schrok op toen er een hand op haar schouder werd gelegd.

'Je bent niets veranderd. Wat doe je hier? Ik wist niet dat je op de gastenlijst stond. Wat een leuke verrassing, ben je op doorreis in onze stad?' vroeg Knapp.

'En jij, wat doe jij hier? Ik dacht dat je tot het eind van de maand op reis was. Tenminste, dat is me verteld toen ik vanmiddag bij je op kantoor was. Hebben ze je dat niet gezegd?'

'Ik ben eerder dan verwacht teruggekomen. Ik ben rechtstreeks van het vliegveld hierheen gekomen.'

'Je zult moeten oefenen, je bent een slechte leugenaar, Knapp. En ik kan het weten, ik heb de afgelopen dagen wat ervaring opgedaan.'

'Oké, goed. Maar hoe had ik moeten weten dat jij degene was die naar me vroeg? Ik heb twintig jaar niks van je gehoord.'

'Achttien! Ken je nog meer mensen die Julia Walsh heten dan?'

'Ik was je achternaam vergeten, Julia, je voornaam natuurlijk niet, maar ik heb die link niet gelegd. Ik heb inmiddels een belangrijke baan, en er zijn zo veel mensen die bij me aankloppen met hun nietszeggende verhalen dat ik selectief moet zijn.'

'Dank je wel voor het compliment!'

'Wat kon je doen in Berlijn, Julia?'

Ze keek omhoog naar de foto aan de muur. Hij was gesigneerd door een zekere T. Ullmann.

'Deze foto had door Tomas genomen kunnen zijn, hij past bij hem,' zei Julia terneergeslagen.

'Maar Tomas is al jaren geen verslaggever meer! Hij woont niet eens meer in Duitsland. Hij heeft een streep onder zijn verleden gezet.'

Julia incasseerde de klap en probeerde onbewogen te reageren.

'Hij woont in het buitenland,' vervolgde Knapp.

'Waar?'

'In Italië, met zijn vrouw, we spreken elkaar niet zo vaak meer. Eén keer per jaar, vaker niet, en niet eens elk jaar.'

'Hebben jullie ruzie?'

'Nee, helemaal niet, zo gaan die dingen gewoon. Ik heb mijn uiterste best gedaan om hem te helpen met het realiseren van zijn droom, maar toen hij uit Afghanistan terugkwam was hij een ander mens. Dat zou jij beter moeten weten dan ik, toch? Hij is een andere weg ingeslagen.'

'Nee, daar wist ik niets van!' reageerde Julia met opeengeklemde kaken.

'Het laatste wat ik weet is dat hij met zijn vrouw een restaurant heeft in Rome. Als je me nu wilt excuseren, er zijn nog meer gasten met wie ik me bezig moet houden. Ik vond het ontzettend leuk om je weer te zien, jammer dat het zo kort is. Vertrek je alweer snel?'

'Morgenochtend!' antwoordde Julia.

'Je hebt me nog steeds niet verteld waarom je in Berlijn bent, zakenreis?'

'Tot ziens, Knapp.'

Julia liep weg zonder zich om te draaien. Ze versnelde haar pas, en zodra ze de grote glazen deuren gepasseerd was begon ze over de rode loper naar de auto te rennen die op haar stond te wachten.

∾

Terug in het hotel liep Julia gehaast door de hal en nam de verborgen deur die toegang gaf tot de gang naar de linnenkamer. Ze trok de jurk uit, hing hem terug op het hangertje en trok haar spijkerbroek en trui weer aan. Achter zich hoorde ze een kuchje.

'Mag ik kijken?' vroeg de receptionist die met één hand zijn ogen bedekte en met de andere een doos Kleenex vasthield.

'Nee!' hikte Julia.

De receptionist trok een papieren zakdoekje uit de doos en gaf hem haar over haar schouder aan.

'Dank u,' zei ze.

'Ik dacht daarnet toen u langskwam te zien dat uw make-up een beetje uitgelopen was. Voldeed de avond niet aan uw verwachtingen?'

'Dat is nog zwak uitgedrukt,' antwoordde Julia snuivend.

'Dat kan soms helaas gebeuren… Het onverwachte is nooit zonder risico!'

'Maar alles is onverwacht, verdomme! Deze reis, dit hotel, deze stad, al dit zinloze gedoe! Ik had mijn leven op orde, dus waarom…'

De receptionist deed een pas naar voren zodat ze zich op zijn schouder kon laten vallen, en hij klopte zachtjes op haar rug in een poging haar zo goed en zo kwaad als hij kon te troosten.

'Ik weet niet waarom u zo verdrietig bent, maar als ik iets mag zeggen: u moet uw verdriet met uw vader delen, hij zal u ongetwijfeld tot steun zijn. U hebt geluk dat hij er nog is en u lijkt zo vertrouwd met elkaar. Ik weet zeker dat hij iemand is die kan luisteren.'

'Ach, u moest eens weten, u hebt het helemaal mis, maar dan ook helemaal. Mijn vader en ik dik met elkaar? Iemand die kan luisteren, hij? Ik denk dat u het over iemand anders heeft.'

'Ik heb het genoegen gehad meneer Walsh een aantal keer van dienst te mogen zijn en ik kan u verzekeren dat hij altijd een gentleman is geweest!'

'Er is geen grotere individualist dan hij!'

'We hebben het inderdaad niet over dezelfde man. Degene die ik ken is altijd vriendelijk geweest. Hij heeft het over u als zijn enige succes.'

Julia was sprakeloos.

'Ga naar uw vader, ik weet zeker dat hij een luisterend oor biedt.'

'Niks in mijn leven lijkt te zijn wat het was. Hoe dan ook, hij slaapt, hij was doodmoe.'

'Dan is hij blijkbaar weer wakker geworden, ik heb net een maaltijd bij hem laten bezorgen.'

'Heeft mijn vader iets te eten besteld?'

'Dat is precies wat ik u zojuist vertel, mevrouw.'

Julia trok haar espadrilles aan en bedankte de receptionist met een zoen op zijn wang.

'Het spreekt voor zich dat dit gesprek nooit heeft plaatsgevonden, kan ik op u rekenen?' vroeg de receptionist.

'We hebben elkaar niet eens gezien!' beloofde Julia.

'En we kunnen de hoes gewoon weer over deze jurk trekken zonder bang te hoeven zijn dat er vlekken op zitten?'

Julia hief haar rechterhand op en glimlachte naar de receptionist, die haar duidelijk maakte dat ze moest wegwezen.

Ze liep door de hal en nam de lift. De cabine stopte op de zesde verdieping, Julia aarzelde en drukte op de knop voor de bovenste etage.

Vanaf de gang was het geluid van de televisie te horen. Julia klopte op de deur en haar vader deed meteen open.

'Je zag er fantastisch uit in die jurk,' zei hij terwijl hij weer languit op bed ging liggen.

Julia zag op de tv journaalbeelden van de vernissage voorbijkomen.

'Zo'n verschijning kun je haast niet missen. Zo elegant heb ik je nog nooit gezien, maar het bevestigt maar weer wat ik al vermoed-de: het is de hoogste tijd dat je die spijkerbroeken vol gaten weg-gooit, daar ben je nu te oud voor. Als ik van je plannen geweten had was ik met je mee gegaan. Ik zou apetrots zijn geweest met jou aan mijn arm.'

'Ik had helemaal geen plannen, ik keek naar hetzelfde program-ma als jij en toen zag ik opeens Knapp op de rode loper verschijnen, dus toen ben ik erheen gegaan.'

'Interessant!' zei Anthony. Hij kwam overeind. 'Voor iemand die beweerde tot het eind van de maand afwezig te zijn… Of hij heeft ons voorgelogen, of hij heeft de gave overal tegelijk te kunnen zijn. Ik hoef je zeker niet te vragen hoe jullie ontmoeting verliep? Je lijkt me niet in beste doen.'

'Ik had gelijk, Tomas is getrouwd. En jij had ook gelijk, hij is geen journalist meer…' vertelde Julia terwijl ze in een stoel neerplofte. Ze keek naar het dienblad met eten op de salontafel voor haar.

'Heb je avondeten besteld?'

'Dat heb ik voor jou besteld.'

'Wist je dat ik bij je langs zou komen, dan?'

'Ik weet meer dan jij denkt. Toen ik je op die opening zag – en ik weet hoe dol je bent op het society-leven – vermoedde ik meteen dat er iets aan de hand was. Ik had bedacht dat Tomas was versche-nen, dat je er zo laat op de avond vandoor ging. Tenminste, dat dacht ik toen de receptionist me belde om te vragen of hij een limousine voor je mocht bestellen. Ik had iets lekkers voor je laten maken, voor als de avond niet verliep zoals je gewenst had. Til die deksel maar op, het zijn gewoon flensjes, hoor, die kunnen de liefde niet vervangen, maar met een beetje suikerstroop uit dat potje er-naast kun je je verdriet in ieder geval voor even vergeten.'

In de naastgelegen suite keek ook een gravin naar het late journaal op televisie. Zij verzocht haar man haar eraan te helpen herinneren dat ze morgen haar vriend Karl moest bellen om hem te complimenteren. Ze zou hem echter wel moeten vertellen dat de volgende exclusieve jurk die hij voor haar zou ontwerpen bij voorkeur ook echt uniek moest zijn. Niet dat ze er een andere vrouw in zou zien, die bovendien ook nog eens knapper was dan zij. Karl zou ongetwijfeld begrijpen dat ze de jurk zou terugsturen; hoewel het een prachtig design was, had ze er geen belangstelling meer voor!

Julia vertelde haar vader alles over die avond. Het onverwachte vertrek naar dat vervloekte bal, haar gesprek met Knapp en haar onbeholpen terugkeer, zonder te begrijpen of te willen toegeven waarom ze zo aangeslagen was. Niet omdat ze gehoord had dat Tomas zijn eigen leven had, dat had ze al vanaf het begon vermoed en hoe had het ook anders kunnen zijn? Het moeilijkste vond ze het bericht dat hij gestopt was met de journalistiek. Anthony luisterde zonder haar in de rede te vallen, zonder ook maar enig commentaar te geven. Terwijl ze de laatste hap van haar flensje doorslikte bedankte ze haar vader voor deze verrassing. Het had niet geholpen om haar gedachten op een rijtje te krijgen, maar ze was in ieder geval wel een kilo aangekomen. Het had geen enkele zin meer om hier nog langer te blijven. Levensteken of niet, ze hoefde nergens meer naar op zoek, ze moest alleen haar eigen leven weer een beetje op orde zien te krijgen. Ze zou haar tas inpakken voordat ze ging slapen en dan konden ze morgenochtend meteen samen op het vliegtuig stappen. Ditmaal, voegde ze er nog aan toe voordat ze vertrok, had zíj een gevoel van déjà vu, van déjà-te-veel-vu, om eerlijk te zijn.

In de gang deed ze haar schoenen uit en ze ging via de diensttrap naar beneden.

Zodra Julia vertrokken was pakte Anthony zijn telefoon. In San Francisco was het vier uur 's middags, aan de andere kant werd de telefoon na één keer overgaan meteen opgenomen.

'Pilguez!'

'Stoor ik? Met Anthony.'

'Oude vrienden storen nooit. Waar heb ik dit genoegen aan te danken, wat een tijd geleden!'

'Ik wil je vragen iets voor me te doen, een klein onderzoekje, als je dat nog steeds doet, tenminste.'

'Je moest eens weten hoe ik me verveel sinds ik met pensioen ben. Al bel je me omdat je je sleutels bent verloren, ik ga met liefde op zoek!'

'Heb jij nog steeds connecties bij de douane, iemand bij de afdeling visums die iets kan uitzoeken voor ons?'

'Ik heb nog overal mijn mensen, wat denk je!'

'Oké, goed, die zul je nodig hebben, het gaat om het volgende…'

Het gesprek tussen de twee oude vrienden duurde ruim een halfuur. Inspecteur Pilguez beloofde Anthony de gevraagde informatie zo snel mogelijk te verstrekken.

∾

In New York was het acht uur 's avonds. Een klein bordje op de deur van het antiekwinkeltje gaf aan dat het tot de volgende dag gesloten was. Binnen was Stanley bezig met het inrichten van een negentiende-eeuwse boekenkast die hij die middag ontvangen had. Adam klopte op het raam.

'Wat een plakker!' verzuchtte Stanley terwijl hij zich achter een dressoir verschuilde.

'Stanley, ik ben het, Adam! Ik weet dat je er bent!'

Stanley ging op zijn hurken zitten en hield zijn adem in.

'Ik heb twee flessen Château-Lafite!'

Stanley keek langzaam op.

'1989!' schreeuwde Adam van buiten.

De deur van de winkel ging open.

'Sorry, ik was aan het opruimen, ik had je niet gehoord,' zei Stanley terwijl hij zijn bezoek binnenliet. 'Heb je al gegeten?'

XVIII

Tomas rekte zich uit en liet zich zachtjes uit bed glijden, zodat hij Marina, die naast hem lag, niet wakker zou maken. Hij ging de wenteltrap af en liep de woonkamer door van het appartement dat zich over twee verdiepingen uitstrekte. Achter het barretje in de keuken zette hij een kopje onder de uitloop van de espressomachine, dekte het apparaat af met een handdoek om het geluid te dempen en drukte op de knop. Hij schoof de glazen pui open en stapte het balkon op om van de eerste zonnestralen te genieten die langs de daken van Rome streken. Hij liep naar de balustrade en keek naar de straat beneden. Een leverancier was bezig kratjes groenten uit te laden voor de winkel naast het café, op de begane grond van het pand waarin Marina woonde.

Een sterke geur van geroosterd brood ging vooraf aan een scheldkanonnade in het Italiaans. Marina verscheen in ochtendjas met een chagrijnig gezicht.

'Twee dingen!' zei ze. 'Ten eerste: je bent naakt, en ik vraag me af of mijn overburen dat tafereel waarderen bij hun ontbijt.'

'En het tweede?' vroeg Tomas zonder zich om te draaien.

'Wij gaan beneden ontbijten want er is niks meer te eten in huis.'

'Hadden we gisteravond niet ciabatta's gekocht?' vroeg Tomas spottend.

'Kleed je aan,' antwoordde Marina terwijl ze weer naar binnen liep.

'Ook goedemorgen,' bromde Tomas.

Een oude dame die haar plantjes water gaf was zwaaide hartelijk naar hem vanaf haar balkon aan de overkant van het straatje. Tomas glimlachte naar haar en verliet het balkon.

Het was nog niet eens acht uur, en nu al was het warm. De eigenaar van de *trattoria* was met zijn terras bezig. Tomas hielp hem de parasols op de stoep te zetten. Marina ging aan een tafeltje zitten en pakte een croissant uit een mandje met luxebroodjes.

'Was je van plan de hele dag zo'n gezicht op te zetten?' vroeg Tomas, en hij pakte ook een broodje. 'Ben je boos omdat ik wegga?'

'Ik weet inmiddels wat ik zo aantrekkelijk aan je vindt: je gevatheid.'

De eigenaar van de zaak zette twee dampende cappuccino's voor ze neer. Hij keek naar de hemel, sprak zijn hoop uit dat er voor het eind van de dag onweer zou losbarsten, en vertelde Marina hoe mooi ze was in de ochtend. Hij gaf Tomas een knipoog en ging weer naar binnen.

'Laten we deze ochtend nou niet verpesten,' begon Tomas weer.

'Nee, inderdaad, laten we dat vooral niet doen. Waarom eet je je croissant niet op, en dan gaan we naar boven en kun jij me bespringen, dan neem je een lekkere douche in mijn badkamer terwijl ik je stomme huisvrouwtje speel en je tas inpak. Nog een kusje bij de deur en dan verdwijn je twee, drie maanden, of voorgoed. O, en reageer maar niet, alles wat je nu zegt is idioot.'

'Kom dan met me mee!'

'Ik ben correspondent, geen verslaggever.'

'We gaan samen, we brengen de avond in Berlijn door en morgen als ik naar Mogadishu vlieg ga jij terug naar Rome.'

Marina gebaarde de eigenaar dat ze nog een koffie wilde.

'Je hebt gelijk, afscheid nemen op het vliegveld is veel beter, een beetje pathos kan geen kwaad, toch?!'

'Het zou geen kwaad kunnen als jij je eens kwam voorstellen op de redactie van de krant,' zei Tomas.

'Drink je koffie op voor hij koud is.'

'Als je nou gewoon ja zei, in plaats van dat gemopper, dan zou ik een ticket voor je regelen.'

∾

Er werd een envelop onder de deur door geschoven. Anthony grijnsde terwijl hij zich bukte om hem op te rapen. Hij scheurde hem open en las de fax die ter attentie van hem verstuurd was. 'Sorry, ik heb nog geen antwoord, maar ik ga door. Hoop later vandaag resultaten te hebben.' Het bericht was ondertekend met GP, de initialen van George Pilguez.

Anthony Walsh ging achter het bureau in zijn kamer zitten en krabbelde een berichtje voor Julia. Hij belde de receptie en verzocht om een auto met chauffeur. Hij verliet zijn kamer en maakte een korte tussenstop op de zesde verdieping. Hij sloop naar de kamerdeur van zijn dochter, schoof het briefje onder de deur door en maakte meteen rechtsomkeert.

'Karl-Liebknecht-Strasse 31, alstublieft,' zei hij tegen de chauffeur.

De zwarte auto reed direct weg.

∾

Nadat Julia snel een kop thee gedronken had, pakte ze haar spullen uit de kast en legde ze op bed. Ze begon haar kleren op te vouwen maar besloot al snel om ze gewoon zo in haar koffer te proppen. Ze onderbrak de voorbereidingen van haar vertrek en liep naar het raam. Er viel een fijne regen op de stad. Beneden in de straat reed een zwarte auto weg.

'Breng even je toilettas als je wilt dat ik hem in je tas stop!' schreeuwde Marina vanuit de slaapkamer.

Tomas stak zijn hoofd om de hoek van de badkamer. 'Ik kan mijn
tas zelf wel inpakken, hoor.'

'Ja, maar niet goed, jij doet dat niet goed en in Somalië ben ik er
niet om je spullen te strijken.'

'Want dat heb je al vaker gedaan?' vroeg Tomas bijna verontrust.

'Nee, maar het had gekund!'

'Heb je al een besluit genomen?'

'Of ik je vandaag of morgen dump? Je boft, ik heb besloten dat
het goed is voor mijn carrière om onze toekomstige hoofdredacteur
te ontmoeten. Dat is mazzel voor jou, maar je moet niet denken dat
het iets te maken heeft met jouw vertrek naar Berlijn, jij hebt gewoon geluk dat je nog één nacht met mij mag doorbrengen.'

'Dat vind ik hartstikke leuk,' beaamde Tomas.

'Echt?' vroeg Marina terwijl ze haar tas dicht ritste. 'We moeten
voor twaalf uur Rome uit zijn, ga je de badkamer de hele ochtend
bezet houden?'

Marina duwde Tomas opzij om de badkamer in te kunnen,
knoopte de ceintuur van haar ochtendjas los en trok hem mee onder de douche.

∾

De zwarte Mercedes sloeg af en stopte op een parkeerplaats voor
een rij hoge, grijze gebouwen. Anthony vroeg of de chauffeur zo
vriendelijk zou willen zijn om te blijven wachten, hij hoopte binnen
een uur terug te zijn.

Hij liep de paar treden onder een overkapping op en ging het gebouw binnen waar tegenwoordig de Stasi-archieven bewaard werden.

Anthony meldde zich bij de receptioniste en vroeg waar hij zijn moest. De lange gang waar hij doorheen liep deed je het bloed in de aderen stollen. Her en der stonden vitrines met verschillende modellen microfoons, filmcamera's, fototoestellen, stoomapparaten om post te openen en lijmmachines om ze, na het lezen, kopiëren en archiveren, weer dicht te plakken. Allerlei soorten instrumenten om het dagelijks leven van een complete bevolking, gevangen in een politiestaat, te bespioneren. Pamfletten, propagandateksten, afluisterapparatuur die met het verstrijken der jaren steeds geavanceerder werd. Miljoenen mensen waren op die manier in de gaten gehouden en beoordeeld, hun leven vastgelegd in dossiers om de onfeilbaarheid van een absolute staat te garanderen. Anthony bleef in gedachten verzonken voor de foto van een verhoorcel staan.

Ik weet dat ik ongelijk had. Toen de Muur eenmaal gevallen was, was de ontwikkeling onomkeerbaar, maar wie had daar een eed op durven zweren, Julia? Degenen die de Praagse Lente hadden meegemaakt? Onze democraten, die daarna hun ogen hebben gesloten voor talloze misdaden en allerlei onrecht? En wie zou nu kunnen beloven dat Rusland voorgoed bevrijd is van zijn vroegere despoten? Dus ja, ik was bang, doodsbang dat de dictatuur de deuren naar de vrijheid, die op een kiertje stonden, weer dicht zou doen en jou zou gevangen houden in zijn totalitaire greep. Ik was bang voorgoed een vader te zijn die van zijn dochter afgesneden is, niet omdat zij daarvoor gekozen had, maar omdat een dictatuur dat voor haar had besloten. Ik weet dat je het me altijd kwalijk zult nemen, maar als het verkeerd was gelopen zou ik het mezelf nooit vergeven hebben dat ik je niet was komen zoeken en eerlijk gezegd ben ik ergens wel blij dat ik het mis had.

'Kan ik u misschien helpen?' klonk een stem aan het eind van de gang.

'Ik zoek de archieven,' stamelde Anthony.

'Die zijn hier, meneer, wat kan ik voor u doen?'

Een paar dagen na de val van de Muur waren de medewerkers van de staatspolitie van de DDR, die de onvermijdelijke ondergang van hun regime voelden aankomen, begonnen met het vernietigen van alles wat kon getuigen van hun manipulatieve praktijken. Maar hoe verscheurde je zo snel mogelijk miljoenen dossiers met persoonsgebonden informatie, die in bijna veertig jaar totalitarisme waren verzameld? Al in december 1989 kreeg de bevolking daar lucht van en werden de kantoren van de staatsveiligheidsdienst overmeesterd. In elke stad in Oost-Duitsland bezetten de bewoners de Stasi-burelen en verhinderden daarmee de vernietiging van allerlei rapporten die een totale lengte van honderdtachtig kilometer vertegenwoordigden. Tegenwoordig waren die documenten toegankelijk voor het publiek.

Anthony vroeg of hij het dossier mocht inzien van een zekere Tomas Meyer, die destijds op huisnummer 2 van het Comeniusplatz in Oost-Berlijn woonde.

'Ik kan helaas niet aan uw verzoek voldoen, meneer,' zei de medewerker verontschuldigend.

'Ik dacht dat er een wet was die de toegang tot de archieven mogelijk maakte?'

'Dat klopt, maar die wet voorziet ook in de bescherming van onze burgers tegen elke vorm van openbaarmaking van hun persoonlijke gegevens die hun privacy zou schaden,' antwoordde de beambte, die het riedeltje afdraaide dat hij uit zijn hoofd leek te kennen.

'Op dat punt gaat de interpretatie van teksten een belangrijke rol spelen! Als ik me niet vergis is het eerste doel van die wet die ons beiden zo interesseert wel degelijk om de toegang tot de Stasi-dossiers voor een ieder te vergemakkelijken, zodat hij de invloed die de staatspolitie op zijn eigen leven gehad heeft inzichtelijk te maken. Toch?' vervolgde Anthony, een tekst citerend van een bord bij de ingang van de instantie.

'Ja, natuurlijk,' beaamde de medewerker die niet begreep waar de bezoeker heen wilde.

'Tomas Meyer is mijn schoonzoon,' loog Anthony met een stalen gezicht. 'Hij woont tegenwoordig in de Verenigde Staten en ik kan u vol trots mededelen dat ik binnenkort opa word. Het is heel belangrijk, dat zult u begrijpen, dat hij zijn eigen kinderen ooit over zijn verleden kan vertellen. Wie zou dat niet willen? Hebt u kinderen, meneer?'

'Hans Dietrich!' antwoordde de beambte. 'Ik heb twee geweldige meisjes, Emma en Anna, vijf en zeven jaar.'

'Ach, wat prachtig!' riep Anthony uit terwijl hij zijn handen in elkaar sloeg. 'Wat zult u gelukkig zijn!'

'Ik ben stapeldol op ze!'

'Arme Tomas, de tragische gebeurtenissen die zijn jeugd bepaald hebben zijn nog te pijnlijk voor hem om zelf deze stap te ondernemen. Ik ben van heel ver gekomen, namens hem, om hem de kans te geven zich te verzoenen met zijn verleden en wie weet, misschien op een dag de kracht te vinden zijn dochter mee hiernaartoe te nemen – want even onder ons, ik weet dat het een meisje wordt – haar mee te nemen, zei ik dus, naar het land van haar voorouders, waar haar wortels liggen. Beste Hans,' vervolgde Anthony ernstig, 'dit is een toekomstig opa die praat met de papa van twee lieve, kleine meisjes, help me alsjeblieft, help de dochter van je landgenoot Tomas Meyer; wees degene die haar door een ruimhartig gebaar dat geluk schenkt waar wij voor haar van dromen.'

Hans Dietrich was zo aangeslagen dat hij niet meer wist wat hij moest denken. De tranen in de ogen van de bezoeker trokken hem over de streep. Hij bood Anthony een zakdoek aan.

'Tomas Meyer, zei u?'

'Helemaal goed!' antwoordde Anthony.

'Gaat u maar aan een tafel in de zaal zitten, ik ga kijken of we iets van hem hebben.'

Een kwartier later zette Hans Dietrich een ijzeren ordner op het bureau waaraan Anthony Wals zat te wachten.

'Ik geloof dat ik het dossier van uw schoonzoon gevonden heb,' deelde hij stralend mee. 'We hebben geluk dat hij niet behoort tot de dossiers die vernietigd zijn. De reconstructie van de verscheurde bestanden is nog lang niet voltooid, we wachten nog altijd op het benodigde budget.'

Anthony dankte hem hartelijk en liet hem met een quasi gegeneerde blik merken dat hij nu behoefte had aan een beetje privacy om het verleden van zijn schoonzoon te bestuderen. Hans maakte zich meteen uit de voeten en Anthony stortte zich op een omvangrijk dossier dat in 1980 was aangelegd van een jonge man die negen jaar lang in de gaten was gehouden. Tientallen pagina's deden verslag van gebeurtenissen en daden, relaties, gewoontes, literaire keuzes, gedetailleerde verslagen van zowel gesprekken thuis als op straat, meningen, loyaliteit aan de waarden van de staat. Ambities, verwachtingen, eerste liefdesperikelen, eerste ervaringen en eerste teleurstellingen, niets wat de persoonlijkheid van Tomas zou vormen leek te zijn overgeslagen. Omdat hij de taal bij lange na niet goed genoeg beheerste besloot Anthony de hulp in te roepen van Hans Dietrich om de documenten achter in het dossier te begrijpen, waarin de synthese stond die voor het laatst was bijgewerkt op 9 oktober 1989.

Tomas Meyer, ouderloos, was een verdacht student. Zijn beste vriend en buurjongen, met wie hij al van jongs af aan omging, was erin geslaagd naar het Westen te vluchten. Deze Jürgen Knapp was de Muur gepasseerd, waarschijnlijk verstopt onder de achterbank van een auto, en was nooit naar de DDR teruggekeerd. De medeplichtigheid van Tomas Meyer was nooit bewezen, en uit de oprechtheid waarmee hij met de spion van de veiligheidsdienst over de plannen van zijn vriend sprak bleek zijn vermoedelijke onschuld. De beambte die het dossier had aangevuld had op die manier de voorbereidingen voor de vlucht weten te achterhalen, maar helaas te laat om Jürgen Knapp te kunnen arresteren. Desalniettemin kon Tomas, vanwege de nauwe banden die hij onderhield met degene die zijn land had verraden, en vanwege het feit dat hij de vluchtpoging van zijn vriend niet eerder had aangegeven, onmogelijk beschouwd worden als een veelbelovend element van de Demokratische Republik. Gezien de feiten uit het dossier werd niet overgegaan tot vervolging, maar uiteraard zou hij nooit in aanmerking komen voor een belangrijke overheidsbetrekking. Het dossier besloot met de aanbeveling hem onder actieve surveillance te houden om zeker te stellen dat hij in de toekomst geen enkel contact met zijn vroegere vriend zou onderhouden, of met wie dan ook uit het Westen. Er werd geadviseerd tot zijn dertigste een proeftijd in te stellen voordat het dossier herzien dan wel gesloten kon worden.

Hans Dietrich was klaar met voorlezen. Stomverbaasd las hij, om zeker te weten dat hij zich niet vergiste, twee keer de naam van de spion die het dossier van informatie had voorzien. Hij kon zijn verwarring nauwelijks verbergen.

'Wie had zoiets nou kunnen bedenken?' zei Anthony starend naar de naam onder aan het bestand. 'Wat een treurnis!'

Hans Dietrich, minstens zo geschokt, was het volkomen met hem eens.

Anthony bedankte zijn gastheer voor diens waardevolle medewerking. De aandacht van de archiefmedewerker werd nog door een detail getrokken, en na een korte aarzeling zei hij: 'Ik denk dat u moet weten, in het kader van de moeite die u zich getroost, dat uw schoonzoon ongetwijfeld dezelfde treurige ontdekking heeft gedaan als wij. Achter op het dossier staat namelijk een aantekening waaruit blijkt dat hij het zelf ook geraadpleegd heeft.'

Anthony verzekerde Dietrich van zijn grote dankbaarheid. Hij zou naar bescheiden vermogen een bijdrage doen aan de financiering van het herstel van de archieven. Hij realiseerde zich nu maar al te goed hoe belangrijk het was voor een mens om zijn verleden te begrijpen om de toekomst te kunnen bevatten.

Toen Anthony het gebouw verliet had hij behoefte aan frisse lucht om zijn gedachten te ordenen. Hij ging even op een bankje zitten in een parkje naast de parkeerplaats.

Hij dacht terug aan de ontboezeming van Dietrich, sloeg zijn ogen ten hemel en riep uit: 'Waarom heb ik daar niet eerder aan gedacht?'

Hij stond op en liep naar de auto. Zodra hij zat pakte hij zijn mobiele telefoon en toetste een nummer in San Francisco in.

'Bel ik je wakker?'

'Natuurlijk niet, het is drie uur 's nachts!'

'Het spijt me, maar ik denk dat ik belangrijke informatie heb.'

George Pilguez deed zijn bedlampje aan, trok het laatje van het nachtkastje open en zocht iets waarmee hij kon schrijven.

'Ik luister,' zei hij.

'Ik heb inmiddels alle reden om aan te nemen dat onze man van zijn achternaam af wilde, dat hij hem nooit meer wilde gebruiken, of er in ieder geval zo min mogelijk aan herinnerd wilde worden.'

'Waarom?'

'Dat is een lang verhaal...'

'En heb je enig idee hoe hij tegenwoordig heet?'

'Nee, geen idee!'

'Geweldig, heel goed idee om me midden in de nacht te bellen, dit gaat mijn onderzoek enorm helpen!' antwoordde Pilguez sarcastisch voordat hij ophing.

Hij deed het lampje uit, legde zijn handen onder zijn hoofd en probeerde de slaap weer te vatten. Een halfuur later sommeerde zijn vrouw hem om aan het werk te gaan. Het maakte niets uit dat het nog geen licht was, ze kon er niet meer tegen dat hij zo naast haar lag te woelen en ze wilde graag nog wat slapen.

George Pilguez trok een ochtendjas aan en scharrelde mopperend naar de keuken. Eerst ging hij een boterham maken. Hij besmeerde de twee sneetjes rijkelijk met boter – Natalia was er toch niet om hem de les te lezen over zijn cholesterol. Hij nam de sandwich mee en ging achter zijn bureau zitten. Sommige inlichtingendiensten waren vierentwintig uur per dag bereikbaar, hij pakte de telefoon en belde een vriend die bij de douane werkte.

'Als iemand legaal zijn achternaam veranderd heeft en ons land in komt, staat zijn oorspronkelijke naam dan in onze bestanden?'

'Welke nationaliteit?'

'Duits, geboren in de DDR.'

'O, om bij een van onze consulaten een visum te verkrijgen is het in dat geval meer dan waarschijnlijk, dat moet ongetwijfeld ergens terug te vinden zijn.'

'Heb je pen en papier?'

'Ik zit achter mijn computer, man,' antwoordde zijn vriend Rick Bram, beambte bij de immigratiedienst op vliegveld John Fitzgerald Kennedy.

∾

De Mercedes zette koers naar het hotel. Anthony keek door het raampje naar buiten. Op de gevel van een apotheek verscheen in lichtgevende letters afwisselend de datum, het tijdstip en de temperatuur. Het was bijna twaalf uur 's middags in Berlijn, eenentwintig graden Celsius…

'En nog maar twee dagen te gaan,' mompelde Anthony Walsh.

∽

Julia liep met haar koffer te ijsberen in de hal.

'Eerlijk waar, mevrouw Walsh, ik heb echt geen idee waar uw vader naartoe is. Hij heeft vanochtend vroeg een auto bij ons besteld zonder verdere aanwijzingen. Sindsdien hebben we hem hier niet meer gezien. Ik heb geprobeerd de chauffeur te bellen, maar zijn telefoon staat uit.'

De receptionist keek naar de koffer van Julia.

'Meneer Walsh heeft me ook niet gevraagd uw vlucht te wijzigen of gezegd dat u vandaag al zou vertrekken. Weet u zeker dat hij dat besloten had?'

'Ik heb dat besloten! Ik had vanochtend met hem afgesproken, het vliegtuig vertrekt om drie uur en dat is de laatste vlucht die we kunnen nemen als we in Parijs de aansluiting naar New York willen halen.'

'U kunt ook via Amsterdam vliegen, dat scheelt tijd. Ik wil dat met alle plezier voor u regelen.'

'Nou, als u dat zou willen doen,' antwoordde Julia terwijl ze in haar zakken begon te zoeken.

Wanhopig liet ze haar hoofd op de balie vallen, onder de verbaasde blik van de receptionist.

'Is er een probleem, mevrouw?'

'Mijn vader heeft de tickets!'

'Ik weet zeker dat hij ieder moment hier kan zijn. Maakt u zich geen zorgen, als u vanavond absoluut in New York moet zijn hebt u nog wel wat tijd.'

Voor het hotel stopte een zwarte auto. Anthony Walsh stapte uit en liep de draaideur door.

'Waar was je nou?' vroeg Julia terwijl ze hem tegemoet liep. 'Ik was hartstikke ongerust.'

'Dat is dan ook voor het eerst dat je je zorgen maakt over mijn bezigheden, of over wat er met me gebeurd kon zijn, wat een prachtige dag.'

'Nee, ik maak me zorgen over de vlucht die we gaan missen!'

'Welke vlucht?'

'We hadden gisteravond afgesproken om vandaag terug te gaan, weet je nog?'

De receptionist onderbrak hun gesprek door Anthony een envelop te overhandigen met daarin een fax die zojuist was binnengekomen. Anthony Walsh maakte de envelop open en keek naar Julia terwijl hij het bericht las.

'Ja, natuurlijk, maar dat was gisteravond,' antwoordde hij vrolijk.

Hij wierp een blik op de bagage van Julia en vroeg aan de kruier of hij die alsjeblieft weer naar de kamer van zijn dochter wilde brengen.

'Kom, ik nodig je uit voor de lunch, we moeten praten.'

'Waarover?' vroeg ze bezorgd.

'Over mij! Kom, kom, niet zo'n gezicht, wees gerust, ik maakte maar een grapje...'

Ze gingen in het restaurant zitten.

❧

Het alarm van de wekker haalde Stanley uit een nare droom. Zodra hij zijn ogen open deed werd hij overvallen door een vreselijke hoofdpijn; het gevolg van een avond waarop de wijn rijkelijk gevloeid had. Hij stond op en wankelde naar de badkamer.

Toen hij zijn gezicht in de spiegel zag, nam hij zich heilig voor tot het eind van de maand geen druppel alcohol meer aan te raken, wat eigenlijk heel redelijk was aangezien het al de negenentwintigste was. Los van de hamer die tekeer leek te gaan tegen zijn slapen, leek het best een mooie dag te worden. Rond lunchtijd zou hij Julia voorstellen om haar van kantoor op te komen halen voor een wandeling langs de rivier. Met gefronste wenkbrauwen bedacht hij zich toen dat zijn beste vriendin de stad uit was en dat hij gisteravond niks van haar gehoord had. Maar hij kon zich niet herinneren waar het gesprek de vorige avond over gegaan was, tijdens het etentje met veel te veel wijn. Pas later, nadat hij een grote kop thee had gedronken, vroeg hij zich af of hij niet heel misschien het woord 'Berlijn' had laten vallen tijdens zijn ontmoeting met Adam. Toen hij een douche had genomen vroeg hij zich af of het verstandig was om Julia te informeren over zijn groeiende twijfel. Misschien moest hij haar bellen... of niet!

∾

'Eens een leugenaar, altijd een leugenaar!' riep Anthony uit terwijl hij Julia het menu aanreikte.

'Heb je het over mij?'

'Het draait niet allemaal om jou in de wereld, liefje! Ik doelde op je vriend Knapp!'

Julia legde de menukaart op tafel en wimpelde de ober die hun kant op kwam weer weg.

'Waar heb je het over?'

'Waar denk je dat ik het over heb in een restaurant in Berlijn waar ik met jou zit te lunchen?'

'Wat heb je ontdekt?'

'Tomas Meyer, alias Tomas Ullmann, verslaggever voor de *Tagesspiegel*. Ik durf te wedden dat hij elke dag met die kleine klootzak werkt die ons heeft lopen voorliegen.'

'Waarom zou Knapp gelogen hebben?'

'Dat moet je hem zelf maar vragen. Hij zal wel zijn redenen hebben.'

'Hoe heb je dat ontdekt?'

'Ik heb ongekende gaven! Dat is een van de voordelen als je gereduceerd bent tot een machine.'

Julia keek haar vader verbouwereerd aan.

'Waarom zou dat niet kunnen?' vervolgde Anthony. 'Jij bedenkt slimme dieren die met kinderen praten, en dan zou ik van mijn dochter niet wat uitzonderlijke kwaliteiten mogen hebben?'

Anthony bracht zijn hand naar die van Julia maar bedacht zich op het laatste moment en pakte een glas dat hij naar zijn mond bracht.

'Dat is water!' riep Julia uit.

Anthony schrok op.

'Ik weet niet zeker of dat aan te bevelen is voor je elektronische systeem,' fluisterde ze enigszins gegeneerd omdat ze de aandacht van het tafeltje naast hen had getrokken.

Anthony keek verschrikt. 'Ik geloof dat je net mijn leven gered hebt…' zei hij terwijl hij het glas weer neerzette. 'Nou ja, bij wijze van spreken dan!'

'Hoe heb je dat allemaal ontdekt?' vroeg Julia opnieuw.

Anthony keek zijn dochter lang aan en besloot haar niks te vertellen over zijn bezoek aan de Stasi-archieven die ochtend. Uiteindelijk ging het alleen om het resultaat van zijn onderzoek.

'Je kunt een andere naam onder je artikelen zetten, maar naar het buitenland gaan is een ander verhaal! Aangezien we in Montréal die bewuste tekening aantroffen moet dat betekenen dat hij daar geweest is. Ik stelde me zo voor dat hij met een beetje mazzel ook in de Verenigde Staten moet zijn geweest.'

'Nou, je hebt inderdaad bovennatuurlijke krachten!'

'Ik heb vooral een oude vriend die bij de politie heeft gewerkt.'

'Dank je wel,' mompelde Julia.

'Wat wil je nu doen?'

'Dat zit ik me af te vragen. Ik ben gewoon blij dat Tomas geworden is wat hij graag wilde.'

'Hoe weet je dat?'

'Hij wilde verslaggever worden.'

'En dat was zijn enige droom? Denk je echt dat als hij op een dag op zijn leven terugkijkt, dat hij dan naar een fotoalbum met persfoto's kijkt? Een carrière, alsof dat alles is! Weet je hoeveel mensen zich in tijden van eenzaamheid realiseren dat ze door dat geslaagde leven dat ze voor ogen hadden heel ver verwijderd zijn geraakt van hun familie en vrienden, om niet te zeggen van zichzelf?'

Julia keek haar vader aan en zag het verdriet dat schuilging achter zijn glimlach.

'Ik vraag het je nog een keer, Julia, wat ben je van plan te doen?'

'Het zou ongetwijfeld het verstandigst zijn om naar Berlijn terug te gaan.'

'Een freudiaanse verspreking! Je zei Berlijn, maar je bedoelde New York.'

'Gewoon een stomme vergissing.'

'Grappig, gisteren zou je het nog een teken genoemd hebben.'

'Maar zoals jij daarstraks al zei, dat was gisteren!'

'Vergis je niet, Julia, je kunt niet leven met herinneringen die gepaard gaan met een gevoel van spijt. Geluk heeft een aantal zekerheden nodig, hoe klein ook. De keuze is nu aan jou. Ik zal er niet meer zijn om voor jou te kunnen beslissen, dat is trouwens al heel lang niet meer het geval, maar pas op voor eenzaamheid, dat is gevaarlijk gezelschap.'

'Ben jij eenzaam geweest?'

'We hebben veel samen opgetrokken, ja, vele jaren, als je dat weten wilt. Maar ik hoefde alleen maar aan jou te denken om hem te verdrijven. Laten we zeggen dat ik me van een aantal dingen bewust geworden ben, een beetje aan de late kant, dat wel. En dan nog mag ik niet klagen, de meeste sufferds zoals ik kunnen geen aanspraak maken op reservetijd, ook al duurt die maar een paar dagen. Kijk, dat zijn weer wat eerlijke woorden: ik heb je gemist, Julia, en ik kan niets meer doen om die verloren jaren in te halen. Ik ben gewoon zo stom geweest om ze voorbij te laten gaan, omdat ik moest werken, omdat ik dacht dat ik verplichtingen had, een rol moest spelen, terwijl jij het enige theaterstuk in mijn leven was. Zo, genoeg gebazeld, dit is niks voor ons, noch voor jou, noch voor mij. Ik zou graag met je meegegaan zijn om die Knapp een schop onder zijn hol te geven en hem uit te horen, maar ik ben te moe, en buiten dat, het is jouw leven, zoals ik al zei.'

Anthony boog opzij om een krant te pakken van een tafeltje naast hem. Hij sloeg het dagblad open en begon het door te nemen.

'Ik dacht dat je geen Duits las?' zei Julia met een brok in de keel.

'Ben je daar nou nog?' reageerde Anthony snedig terwijl hij een pagina omsloeg.

Julia vouwde haar servet dubbel, duwde haar stoel naar achteren en stond op.

'Ik bel je zodra ik hem gesproken heb,' zei ze terwijl ze wegliep.

'Kijk, ze voorspellen opklaringen aan het eind van de middag!' merkte Anthony op met een blik door het raam.

Maar Julia stond al buiten en hield een taxi aan. Anthony sloeg zijn krant dicht en slaakte een zucht.

De auto stopte voor de terminal van luchthaven Rome-Fiumicino. Tomas betaalde de rit en liep om het voertuig heen om het portier voor Marina open te doen. Toen ze hadden ingecheckt en voorbij de douane waren keek Tomas, tas om de schouder, op zijn horloge. De vlucht zou over een uur vetrekken. Marina liep langs de winkeletalages, hij pakte haar hand en trok haar mee naar de bar.

'Wat wil je vanavond doen?' vroeg hij, terwijl hij aan de bar twee koffie bestelde.

'Jouw appartement zien, ik ben al heel lang benieuwd hoe het bij jou is.'

'Een grote ruimte met een werktafel bij het raam en daartegenover een bed tegen de muur.'

'Dat lijkt me prima, meer heb ik niet nodig,' zei Marina.

∾

Julia duwde de voordeur van het gebouw van *Tagesspiegel* open en meldde zich bij de receptie. Ze wilde Jürgen Knapp spreken. De receptioniste pakte de telefoon.

'Zeg maar dat ik in de hal op hem wacht, desnoods de hele middag.'

Knapp leunde tegen de glazen wand van de liftcabine die langzaam naar de begane grond zakte en verloor zijn bezoekster geen moment uit het oog. Julia liep te ijsberen langs de vitrines waarin de krant van die dag hing.

De liftdeuren gingen open. Knapp liep de hal door.

'Wat kan ik voor je doen, Julia?'

'Om te beginnen zou je me kunnen vertellen waarom je tegen me gelogen hebt.'

'Kom, laten we even naar een rustiger plek gaan.'

Knapp trok haar mee in de richting van de trap. Hij nodigde haar uit plaats te nemen in een kamertje naast de cafetaria en zocht in zijn zakken naar kleingeld.

'Koffie, thee?' vroeg hij terwijl hij naar de koffieautomaat liep.

'Niks!'

'Wat kom je doen in Berlijn, Julia?'

'Heb je echt geen idee?'

'We hebben elkaar bijna twintig jaar niet gezien, hoe zou ik moeten weten wat je hier brengt?'

'Tomas!'

'Je zult toch moeten toegeven dat dat na al die jaren op zijn zachtst gezegd verrassend is.'

'Waar is hij?'

'Dat heb ik je al verteld, in Italië.'

'Ja, met zijn vrouw en kinderen en hij is geen verslaggever meer. Maar dat mooie verhaal is geheel of gedeeltelijk onjuist. Hij heeft zijn naam veranderd, maar hij is nog altijd verslaggever.'

'Dat weet je dus al, wat loop je je tijd hier dan te verdoen?'

'Als je het vraag- en antwoordspel wilt spelen, beantwoord dan eerst mijn vraag. Waarom heb je me niet de waarheid verteld?'

'Wil je dat we elkaar echte vragen stellen? Dan heb ik er ook wat voor jou: heb jij je eigenlijk afgevraagd of Tomas jou wel wil zien? Wat geeft jou het recht om hier zomaar te verschijnen? Omdat jíj besloten hebt dat dit het juiste moment is? Omdat jíj daar opeens zin in had? Opeens duik je op uit een ander tijdperk, maar er is geen Muur meer om neer te halen, geen revolutie meer te voeren, geen extatische verrukking, geen waanzin! Er is alleen nog maar ratio, van volwassenen die hun best doen om vooruit te komen in het leven, carrière te maken. Sodemieter op hier, Julia, ga weg uit Berlijn, ga naar huis. Je hebt al genoeg kapot gemaakt.'

'Ik verbied je zo tegen me te praten,' reageerde Julia fel. Haar lippen trilden.

'O, mag ik dat niet? Laten we verdergaan met het vragenspel. Waar was jij toen Tomas op een mijn sprong? Stond jij bij de slurf van het vliegtuig op hem te wachten toen hij kreupel uit Kaboel kwam? Ging jij elke ochtend met hem mee naar revalidatie? Was jij er om hem te troosten als hij wanhopig was? Doe geen moeite, ik weet het antwoord, want het was jouw afwezigheid waar hij kapot aan ging! Heb je enig idee hoeveel verdriet je hem hebt aangedaan? De eenzaamheid die jij veroorzaakt hebt? Weet je wel hoe lang dat geduurd heeft? Weet je dat die idioot zo beschadigd was dat hij nóg kans zag om het voor je op te nemen, terwijl ik alles deed om te zorgen dat hij je eindelijk zou gaan haten.'

Ook al stroomden de tranen over Julia's wangen, Knapp liet zich niet het zwijgen opleggen.

'Heb je enig idee hoeveel jaar het geduurd heeft voor hij het verleden eindelijk kon laten rusten, zich eindelijk los kon maken van jou? Er was geen plekje in Berlijn waar wij 's avonds liepen of hij had wel weer een of andere herinnering aan jou. Een café, een bankje in een park, een tafel in een restaurantje, de oever van een kanaal. Je moest eens weten hoeveel ontmoetingen vergeefs waren, hoeveel vrouwen geprobeerd hebben van hem te houden, maar die tegen jouw parfum opliepen, of tegen de echo van jouw achterlijke woorden die hem aan het lachen maakten.

Ik heb alles over jou moeten aanhoren: hoe zacht je huid was, je ochtendhumeuren die hij zo schattig vond, waarom begrijp ik ook niet, wat je 's morgens at, de manier waarop je je haren vastbond, je ogen opmaakte, de kleren die je het liefst droeg, aan welke kant van het bed je sliep. Ik heb duizenden keren moeten luisteren naar de stukken die je woensdags op pianoles speelde, omdat hij ze, verscheurd door verdriet, bleef spelen, week in week uit, jaar in jaar uit.

Ik heb al die aquarel- en kleurpotloodtekeningen van je moeten bekijken, van die achterlijke dieren die hij allemaal bij naam kende. Voor hoeveel etalages heb ik hem niet zien stilstaan, omdat die jurk je prachtig gestaan zou hebben, omdat je dat schilderij of die bloemen mooi zou hebben gevonden. En hoe vaak heb ik me niet afgevraagd wat je met hem gedaan had, dat hij je zo ontzettend miste.

En toen het eindelijk beter ging met hem was ik bang dat we iemand zouden tegenkomen die op je leek, een geestverschijning waardoor alle ellende weer van voren af aan zou beginnen. Het was een lange weg naar die nieuwe vrijheid. Je vroeg me waarom ik tegen je gelogen had? Ik hoop dat je het antwoord begrepen hebt.'

'Ik heb hem nooit pijn willen doen, Knapp, nooit,' stamelde Julia, overmand door emoties.

Knapp pakte een papieren servetje en gaf het aan haar.

'Waarom moet je huilen? Wat doe jij tegenwoordig? Getrouwd, of ben je soms gescheiden? Kinderen? Recentelijk overgeplaatst naar Berlijn?'

'Je hoeft niet zo gemeen te doen!'

'Ga jij mij nou vertellen dat ik gemeen ben?'

'Je weet helemaal niks…'

'Maar ik kan raden! Je bent van mening veranderd, na twintig jaar, is dat het? Het is te laat. Hij heeft je geschreven toen hij uit Kaboel terug kwam, dat kun je niet ontkennen, ik heb hem zelf geholpen bij het vinden van de juiste woorden. Ik was er, als hij terneergeslagen van het vliegveld terugkwam, iedere laatste dag van de maand dat hij daar op je wachtte. Jij hebt een keuze gemaakt, hij heeft die keuze gerespecteerd zonder je ooit iets kwalijk te nemen, is dat wat je wilde horen? Goed, dan kun je nu rustig vertrekken.'

'Ik heb helemaal geen keuze gemaakt, Knapp, die brief van Tomas heb ik eergisteren ontvangen.'

Het vliegtuig vloog over de Alpen. Marina was met haar hoofd op Tomas' schouder in slaap gedommeld. Hij schoof het scherm van het raampje naar beneden en sloot zijn ogen in een poging wat te slapen. Over een uur zouden ze in Berlijn zijn.

~

Julia had haar hele verhaal verteld zonder dat Knapp haar ook maar één keer had onderbroken. Ook zij had heel lang getreurd om een man van wie ze dacht dat hij dood was. Toen ze klaar was stond ze op, excuseerde zich nogmaals voor het verdriet dat ze hem ongewild had aangedaan, zonder ooit iets te weten. Ze zei de vriend van Tomas gedag en liet hem beloven nooit tegen Tomas te zeggen dat ze in Berlijn geweest was. Knapp keek haar na terwijl ze wegliep door de lange gang naar de trap. Toen ze haar voet op de eerste tree zette riep hij haar. Julia draaide zich om.

'Ik kan die belofte niet houden, ik wil mijn beste vriend niet kwijtraken. Tomas zit in het vliegtuig, zijn vlucht landt over drie kwartier, hij komt uit Rome.'

XIX

Ze had vijfendertig minuten om bij het vliegveld te komen. Toen Julia in de taxi stapte had ze de chauffeur beloofd de ritprijs te verdubbelen als ze er op tijd zouden zijn. Bij het twee kruispunt had ze plotseling haar portier opengegooid om naast hem plaats te nemen terwijl het licht op groen sprong.

'Passagiers moeten achterin blijven zitten!' had de chauffeur uitgeroepen.

'Misschien, maar het spiegeltje zit voorin,' zei ze terwijl ze de zonneklep naar beneden klapte. 'Kom op, *schnell, schnell!*'

Wat ze zag beviel haar geenszins. Dikke oogleden, ogen en neus nog rood van het huilen. Twintig jaar wachten om in de armen van een albinokonijn te vallen, dan konden ze net zo goed rechtsomkeert maken. De auto scheurde een bocht door zodat een eerste poging om make-up aan te brengen mislukte. Julia mopperde en de chauffeur merkte op dat het kiezen of delen was: of ze waren er over een kwartier, of hij stopte langs de kant van de weg zodat ze haar gezicht kon volplamuren!

'We rijden door!' had ze geroepen terwijl ze haar mascara weer ter hand nam.

Het was hartstikke druk op de weg. Ze vroeg de bestuurder om in te halen, ondanks de doorgetrokken streep. Hij liep het risico zijn rijbewijs kwijt te raken door zo'n overtreding, zei hij. Julia beloofde dat ze zou doen alsof ze moest bevallen als ze gepakt zouden worden. De chauffeur zei dat ze niet de vereiste omvang had om een dergelijke leugen geloofwaardig te maken. Julia blies haar buik op en begon met haar handen in haar rug te kreunen. 'Al goed, al goed!' zei de chauffeur terwijl hij het gas intrapte.

'Ik ben toch iets dikker geworden, hè?' informeerde Julia met een blik op haar taille.

Om 18.22 uur sprong ze op de stoep nog voordat de auto goed en wel stilstond. De terminal strekte zich in al zijn lengte voor haar uit.

Julia vroeg waar de internationale vluchten aankwamen. De steward die toevallig langsliep wees haar naar het uiterste westelijke deel. Ze rende er als een bezetene heen en keek buiten adem op het mededelingenbord. Geen enkele vlucht afkomstig uit Rome. Julia trok haar schoenen uit en hervatte de race tegen de klok in tegengestelde richting. Daar stond een mensenmenigte te wachten bij de passagiersuitgang. Julia baande zich er een weg doorheen tot ze vooraan bij het hek stond. Er verscheen een eerste stroom mensen, de schuifdeuren gingen open en dicht en de reizigers kwamen met hun bagage naar buiten. Toeristen, vakantiegangers, handelaren, zakenmensen, iedereen in bijpassende outfit. Er gingen handen omhoog, er werd gezwaaid, sommige mensen omhelsden en kusten elkaar, anderen gaven elkaar gewoon een hand; eerst werd er Frans gesproken, daarna Spaans, vervolgens Engels, en bij de vierde lichting klonk er eindelijk Italiaans. Twee studenten met gekromde ruggen kwamen gearmd naar buiten, als een stel schildpadden; een priester met zijn bijbel in de hand geklemd zag eruit als een ekster; een copiloot en een stewardess wisselden adressen uit, zij waren in een vorig leven vast giraf geweest; een congresganger met een uilenkop rekte zijn hals uit om zijn groep te zoeken; een klein sprinkhaanmeisje rende in de uitgestrekte armen van haar moeder; een mannetjesbeer zag zijn vrouwtje terug en opeens, tussen honderd andere gezichten, verscheen de blik van Tomas, zoals twintig jaar geleden.

Een paar rimpels rond de ogen, het kuiltje in zijn kin iets geprononceerder, een lichte baardgroei, maar zijn ogen, zacht als zand, die blik die haar over de daken van Berlijn had gevoerd, haar ondersteboven had gekeerd onder de volle maan in het Tiergarten-park, die blik was dezelfde. Met ingehouden adem ging Julia op het puntje van haar tenen staan, drukte zich tegen het hek en stak haar arm de lucht in. Tomas draaide zijn hoofd om iets tegen de jonge vrouw te zeggen die haar arm om zijn middel had geslagen; ze liepen vlak langs Julia die weer met beide voeten stevig op de grond was geland. Het stel liep de terminal uit en verdween uit het zicht.

ॐ

'Wil je eerst bij mij langs?' vroeg Tomas terwijl hij de deur van de taxi dichttrok.

'Ach, dat hok van jou kan ik ook straks nog zien. We kunnen beter naar de krant gaan. Het is al laat, straks is Knapp er al vandoor en het was toch zo belangrijk voor mijn carrière dat hij me zou zien, dat was het excuus om met je mee te gaan naar Berlijn, toch?'

'Potsdamerstrasse,' zei Tomas tegen de chauffeur.

Tien auto's achter hen stapte een vrouw in een andere taxi om naar haar hotel terug te keren.

ॐ

De receptionist deelde Julia mee dat haar vader op haar zat te wachten in de bar. Ze trof hem aan een tafeltje bij het buffet.

'Zo te zien is het niet zo goed verlopen,' zei hij terwijl hij opstond om haar te verwelkomen.

Julia plofte op een stoel neer. 'Zeg maar dat er niks verlopen is. Knapp had niet helemaal gelogen.'

'Heb je Tomas gezien?'

'Op het vliegveld, hij kwam uit Rome… samen met zijn vrouw.'

'Hebben jullie elkaar gesproken?'

'Hij heeft me niet gezien.'

Anthony riep de ober. 'Wil je iets drinken?'

'Ik zou graag naar huis willen.'

'Droegen ze trouwringen?'

'Ze had haar arm om zijn middel, ik heb ze niet naar hun huwelijksakte gevraagd.'

'Nog maar een paar dagen geleden hield iemand jou ook om je middel vast, stel ik me zo voor. Ik was er niet bij om het te kunnen zien, omdat het op mijn begrafenis was, dus jawel, in zekere zin was ik er wel bij… sorry, maar dat vind ik grappig om te zeggen.'

'Ik zie niet in wat daar zo grappig aan is. We zouden die dag trouwen. Deze belachelijke reis eindigt morgen en waarschijnlijk is het ook maar beter zo. Knapp had gelijk, wat geeft mij het recht om weer in zijn leven te verschijnen?'

'Het recht op een tweede kans, misschien?'

'Voor hem, voor mij of voor jou? Het was een egoïstische vergissing die gedoemd was te mislukken.'

'Wat wil je nu gaan doen?'

'Mijn koffer pakken en slapen.'

'Ik bedoel, als we weer thuis zijn.'

'De balans opmaken, lijmen wat er te lijmen valt, alles vergeten en mijn leven weer oppakken, ik zie nu geen andere oplossing.'

'Maar natuurlijk wel! Je hebt de keuze om tot het uiterste te gaan, om precies te weten hoe het zit.'

'Ga jij me nu vertellen hoe de liefde werkt?'

Anthony keek zijn dochter aandachtig aan en schoof dichterbij.

'Herinner jij je nog wat je bijna elke avond deed toen je klein was, dat wil zeggen, tot je omviel van vermoeidheid?'

'Ik las onder mijn dekens met een zaklamp.'

'Waarom deed je niet het licht in je kamer aan?'

'Om voor jou te doen alsof ik sliep, terwijl ik stiekem aan het lezen was…'

'Heb je je nooit afgevraagd of het een toverlamp was?'

'Nee, hoezo dat?'

'Is hij er in al die jaren ook maar één keer mee opgehouden?'

'Nee,' antwoordde Julia, in verwarring gebracht.

'En toch heb je nooit de batterijen vervangen… Lieve Julia, wat weet jij nou van de liefde. Jij hebt alleen maar gehouden van degenen die je een mooi beeld van jezelf voorhielden. Kijk me aan en vertel over je huwelijk, je toekomstplannen; verzeker me dat, los van deze onvoorziene reis, niets je liefde voor Adam had kunnen verstoren. En jij zou alles weten van de gevoelens van Tomas, de zin van zijn leven, terwijl je geen idee hebt welke kant het jouwe op moet, simpelweg omdat een vrouw haar arm om zijn middel geslagen had? Je wilde openhartig praten? Dan zou ik je graag iets vragen en dan moet je beloven daar eerlijk antwoord op te geven. Hoe lang heeft je langste relatie geduurd? En dan heb ik het niet over Tomas of over ingebeelde gevoelens, maar over een échte relatie. Twee jaar, drie, vier, vijf misschien? Het doet er niet toe, er wordt gezegd dat liefde zeven jaar duurt. Dus kom op, eerlijk antwoord geven. Ben jij in staat om er zeven jaar lang onvoorwaardelijk voor iemand te zijn, alles te geven, zonder voorbehoud, zonder angst of twijfel, in de wetenschap dat diegene van wie je meer houdt dan van wat ook ter wereld bijna alles zal gaan vergeten wat jullie samen hebben meegemaakt? Kun jij accepteren dat al je goede zorgen, je liefkozingen uit het geheugen gewist worden en dat de natuur, die een hekel heeft aan leegte, die ruimte op een gegeven moment zal opvullen met verwijten en ongenoegen? Als je weet dat dit onvermijdelijk gaat gebeuren, heb je dan nog de kracht om midden in de nacht op te staan omdat degene van wie je houdt dorst heeft, of gewoon een nachtmerrie? Heb jij dan elke dag zin om ontbijt te maken, haar dagen te vullen, haar te vermaken, verhalen voor te lezen als ze zich verveelt, liedjes te zingen, naar buiten te gaan om een frisse neus te halen, ook als het ijskoud is; en als het dan avond is, kun je dan je vermoeidheid negeren, ga je dan aan het voeteneind van haar bed zitten om haar gerust te stellen, haar te vertellen over later, als ze natuurlijk heel ver bij je vandaan woont? Als het antwoord op al deze vragen ja is, dan spijt het me, dan heb ik je verkeerd beoordeeld, dan weet je echt wat het is om lief te hebben.'

'Heb je het over mama?'

'Nee, lieverd, over jou. De liefde die ik je net beschrijf is die van een vader of een moeder voor zijn of haar kinderen. Hoeveel dagen en nachten is er niet over jullie gewaakt, beducht voor het kleinste gevaar, dagen en nachten waarin er naar jullie gekeken werd, waarin jullie geholpen werden om groot te worden, jullie tranen gedroogd werden, jullie aan het lachen werden gemaakt; hoeveel parken in de winter en stranden in de zomer, hoeveel afgelegde kilometers, herhaalde woorden, hoeveel tijd is er wel niet aan jullie besteed. En toch, toch… vanaf welke leeftijd heb jij je eerste herinneringen?

Kun je je voorstellen hoeveel je van iemand moet houden om jezelf volledig weg te cijferen, in de wetenschap dat jullie die eerste jaren compleet zullen vergeten, en dat de jaren die volgen gekenmerkt zullen worden door alles wat we niet goed gedaan zouden hebben, dat er onvermijdelijk een dag zal komen dat jullie ons verlaten, trots op jullie vrijheid.

Jij verwijt me mijn afwezigheid; weet je wel hoe zwaar het is als je kinderen vertrekken? Heb je je ooit proberen voor te stellen wat die breuk betekent? Ik zal je vertellen wat er gebeurt: je staat als een of andere debiel in de deuropening te kijken hoe je kind vertrekt, en je probeert jezelf ervan te overtuigen dat je blij moet zijn met dat noodzakelijke vertrek, moet houden van de zorgeloosheid die jullie voortstuwt en ons onteigent van ons eigen vlees en bloed. Als de deur dichtvalt moet je alles opnieuw leren: de lege kamers meubileren, niet meer wachten op het geluid van voetstappen, het geruststellende gekraak van de trap als jullie laat thuiskwamen vergeten, zodat je eindelijk rustig kon slapen, terwijl je voortaan de slaap niet kunt vatten omdat jullie niet meer thuiskomen. Begrijp je, Julia, en toch zal geen enkele vader of moeder zich daarop beroemen. Dat is wat liefde is, en we hebben geen andere keuze, want we houden van jullie. Je zult het me altijd kwalijk nemen dat ik je bij Tomas vandaan gehaald heb, vergeef me dat ik je die brief niet gegeven heb.'

Anthony stak zijn hand op en vroeg de ober om een karaf water te brengen. Er parelden zweetdruppeltjes op zijn voorhoofd, hij pakte een zakdoek uit zijn zak.

'Vergeef me,' herhaalde hij, nog altijd met zijn hand in de lucht, 'vergeef me, vergeef me, vergeef me.'

'Gaat het wel?' vroeg Julia bezorgd.

'Vergeef me,' zei Anthony nog drie keer.

'Papa?'

'Vergeef me, vergeef me…'

Hij stond op, wankelde, en viel weer terug op zijn stoel.

Julia riep de ober te hulp. Anthony gebaarde dat dat niet nodig was.

'Waar zijn we?' vroeg hij versuft.

'In Berlijn, in de bar van het hotel!'

'Maar wat voor dag is het dan? Wat doe ik hier?'

'Hou op!' smeekte Julia in paniek. 'Het is vrijdag, we zijn hier samen naartoe gegaan. We zijn vier dagen geleden uit New York vertrokken om Tomas te vinden, weet je nog? Vanwege die stomme tekening die ik op de pier in Montréal zag. Jij hebt hem voor me gekocht, jij wilde hierheen, zeg me dat je het je herinnert. Je bent moe, dat is alles, je moet zuinig zijn met je accu's; ik weet dat het absurd is, maar je hebt het me zelf uitgelegd. Je wilde dat we over alles zouden praten en we hebben het alleen maar over mij gehad. Je moet even bijkomen, we hebben nog twee dagen, helemaal voor ons alleen, om elkaar alles te zeggen wat we elkaar nooit gezegd hebben. Ik wil alles horen wat ik vergeten ben, alle verhalen die je me vertelde. Dat verhaal over die vliegenier die verdwaald was aan de oevers van een rivier in het Amazonegebied, toen hij zijn vliegtuig aan de grond had moeten zetten omdat de brandstof op was, over de otter die hem de weg had gewezen. Ik herinner me de kleur van zijn vacht, die was blauw, een soort blauw dat alleen jij kon omschrijven, alsof je woorden kleurpotloden waren.'

Julia pakte haar vader bij de arm om hem naar zijn kamer te helpen.

'Je ziet er slecht uit, ga wat slapen, dan voel je je morgen weer beter.'

Anthony weigerde op bed te gaan liggen. De stoel bij het raam was prima.

'Weet je,' zei hij terwijl hij ging zitten, 'het is grappig, we bedenken van alles om niet van iemand te hoeven houden, uit angst dat het pijn doet als we op een dag verlaten worden. Maar toch houden we van het leven, terwijl we weten dat dat op een dag ook ophoudt.'

'Dat moet je niet zeggen…'

'Kijk niet alleen maar vooruit, Julia, er valt niks te lijmen, er valt alleen maar te beleven, en het leven loopt nooit zoals je het bedacht had. Maar ik kan je wel vertellen dat het verbijsterend snel voorbij gaat. Wat doe je hier met mij in deze kamer, ga naar buiten, duik je verleden in. Je wilde de balans opmaken, nou, schiet op dan. Je was hier twintig jaar geleden, ga die jaren terugvinden nu je nog tijd hebt. Tomas is vanavond in dezelfde stad als jij, het maakt niet uit of je hem tegenkomt of niet. Jullie ademen dezelfde lucht in. Je weet dat hij er is, dichterbij dan hij ooit zal zijn. Ga naar buiten, blijf bij elk verlicht raam staan, kijk omhoog, vraag jezelf af wat je zou voelen als je hem achter een gordijn zou denken te herkennen. En als je denkt dat hij het is, schreeuw dan zijn naam door de straat, hij zal je horen, al of niet naar buiten komen, zeggen dat hij van je houdt of dat je op moet sodemieteren, maar dan weet je in ieder geval waar je aan toe bent.'

Hij vroeg Julia hem alleen te laten. Ze liep naar hem toe en er verscheen een glimlach op Anthony's gezicht.

'Het spijt me dat ik je daarstraks in de bar heb laten schrikken, dat had ik niet moeten doen,' zei hij schijnheilig.

'Je hebt toch zeker niet gedaan alsof?'

'Dacht je dat ik je moeder niet miste toen ze begon weg te zakken? Niet alleen jij bent haar kwijtgeraakt. Ik heb vier jaar lang met haar samengewoond terwijl ze geen idee had wie ik was. Wegwezen nu, dit is je laatste avond in Berlijn!'

∾

Julia ging naar haar kamer en liet zich op het bed vallen. Er was niks op televisie, de tijdschriften op de salontafel waren allemaal Duits. Ze kwam overeind en besloot toch maar van de zwoele avond te gaan genieten. Wat had het voor zin om daar te blijven, dan kon ze beter wat door de stad wandelen en genieten van de laatste momenten in Berlijn. Ze zocht in haar koffer naar iets warms om aan te trekken. Onderin voelde ze de blauwe envelop die ze vroeger tussen de pagina's van een geschiedenisboek bewaarde dat op een boekenplank in haar kinderkamer stond. Ze keek naar het handschrift en stak de brief in haar zak.

Voordat ze het hotel verliet ging ze nog even naar de bovenste verdieping en klopte op de deur van de suite waar haar vader zat uit te rusten.

'Ben je iets vergeten?' vroeg Anthony toen hij de deur had opengedaan.

Julia gaf geen antwoord.

'Ik weet niet waar je naartoe gaat, en dat is waarschijnlijk maar beter ook, maar vergeet niet, morgen om acht uur sta ik in de hal op je te wachten. Ik heb een auto gereserveerd, we mogen die vlucht niet missen, je moet me naar New York terugbrengen.'

'Denk jij dat er een dag komt dat liefde geen pijn meer doet?' vroeg Julia in de deuropening.

'Als je geluk hebt, nooit!'

'Dan is het mijn beurt om te zeggen dat het me spijt; ik had dit eerder met je moeten delen. Hij was van mij en ik wilde hem voor mezelf houden, maar hij gaat jou ook aan.'

'Wat is het dan?'

'De laatste brief die mama me geschreven heeft.'

Ze gaf hem aan haar vader en liep weg.

Anthony keek zijn dochter na. Zijn blik gleed naar de envelop die hij gekregen had, hij herkende direct het handschrift van zijn vrouw, ademde diep in en ging bedrukt in een stoel zitten om hem te lezen.

Julia,

Je komt deze kamer binnen, je gestalte verschijnt in het licht dat naar binnen valt door de deur die je op een kier opendoet. Ik hoor hoe je voetstappen mijn kant op komen. Ik ken je gelaatstrekken maar al te goed, soms moet ik zoeken naar je naam, ik ken je vertrouwde geur, want daar hou ik van. Alleen die zeldzame geur helpt me te ontvluchten aan het gevoel van angst die me dagen achtereen verstikt. Jij moet dat jonge meisje zijn dat vaak aan het begin van de avond komt; als jij naar mijn bed komt betekent dat dus dat het bijna avond is. Je woorden zijn lief, rustiger dan die van de middagman. Ik geloof hem ook als hij zegt dat hij van me houdt, want hij lijkt het beste met me voor te hebben. Hij is lief in zijn manier van doen. Soms staat hij op en loopt naar het andere licht, dat over de bomen schijnt aan de andere kant van het raam. Soms legt hij zijn hoofd ertegenaan en huilt om een verdriet dat ik niet begrijp. Hij noemt me bij een naam die ik ook niet ken, maar waar ik wel steeds naar luister om hem een plezier te doen. Ik moet je eerlijk zeggen dat hij zorgelozer lijkt als ik glimlach wanneer ik de naam hoor die hij me gegeven heeft. Dus ik glimlach ook om hem te bedanken voor het eten dat hij me brengt.

Je bent bij me gaan zitten, op de rand van het bed. Ik volg met mijn ogen de dunne vingertjes van je hand die over mijn voorhoofd aaien. Ik ben niet bang meer. Je blijft me maar mama noemen en ik zie in je ogen dat je wilt dat ik jou ook een naam geef. Maar in jouw ogen is geen verdriet meer, daarom ben ik blij met je bezoek. Ik doe mijn ogen dicht als je pols over mijn neus glijdt. Je huid ruikt naar mijn kindertijd, of was het de jouwe? Je bent mijn dochter, mijn liefje, nu weet ik het en ik zal het nog een paar seconden onthouden. Zo veel wat ik je moet zeggen, en zo weinig tijd. Ik wou dat je lachte, mijn hartje, dat je tegen je vader zou zeggen, die zich verschuilt bij het raam om te huilen, dat hij ophoudt, dat ik hem soms herken, zeg tegen hem dat ik weet wie hij is, zeg hem dat ik me herinner hoeveel we van elkaar hielden, want ik hou steeds opnieuw van hem, elke dag dat hij bij me op bezoek komt.

Slaap lekker, mijn schat, ik slaap hier, en wacht.

Je mama

XX

*K*napp stond bij de receptie te wachten. Tomas had hem gebeld toen ze het vliegveld verlieten om hem te zeggen dat ze eraan kwamen. Nadat hij Marina had begroet en zijn vriend omhelsd nam hij ze beiden mee naar zijn kantoor.

'Wat goed dat je er bent,' zei hij tegen Marina. 'Je komt als geroepen. Jullie premier is vanavond op bezoek in Berlijn, de journaliste die verslag zou doen van het evenement en de gala-avond die ter ere van hem is georganiseerd, is ziek geworden, We hebben drie kolommen gereserveerd voor de editie van morgen, kleed je om en ga er meteen heen. Ik moet je stuk uiterlijk om twee uur vannacht hebben, dan is er nog tijd voor de correctie. Alles moet voor drie uur op de persen liggen. Het spijt me als dit inbreuk maakt op jullie plannen voor vanavond, als jullie die hadden, maar het is dringend en de krant gaat voor alles!'

Marina stond op, zei Knapp gedag, gaf Tomas een zoen op zijn voorhoofd en fluisterde in zijn oor: '*Arrivederci*, gekkie van me.' Toen maakte ze zich uit de voeten.

Tomas excuseerde zich bij Knapp en rende haar achterna door de gang.

'Je gaat hem toch niet blindelings gehoorzamen? En ons etentje dan?'

'En jij, gehoorzaam jij hem niet blindelings? Hoe laat vertrekt je vliegtuig naar Mogadishu ook alweer? Tomas, je hebt het me wel honderd keer gezegd: carrière gaat voor alles, toch? Jij zult morgen vertrokken zijn, wie weet voor hoe lang. Zorg goed voor jezelf. Met een beetje geluk komen we elkaar wel weer eens tegen in de een of andere stad.'

'Neem dan op z'n minst de sleutel van mijn appartement mee, kom dat stuk bij mij thuis schrijven.'

'Ik kan beter naar een hotel gaan. Ik denk dat ik me moeilijk zou kunnen concentreren, de verleiding om je appartement te komen bekijken zou onweerstaanbaar zijn.'

'Het is maar één ruimte, hoor, die heb je zo gezien.'

'Je bent echt mijn lievelingsgek, ik bedoelde dat ik je dan wil bespringen, idioot. Een volgende keer, Tomas, en mocht ik van gedachte veranderen dan maak ik je met plezier wakker door bij je aan te bellen. Tot snel!'

Marina zwaaide even en liep weg.

∾

'Gaat het goed met je?' vroeg Knapp toen Tomas zijn kantoor weer binnen kwam en de deur dichtsloeg.

'Jij bent echt een lul! Kom ik voor één nacht met Marina naar Berlijn, de laatste nacht voor ik vertrek, moet jij die weer zo nodig verpesten. Moet ik geloven dat je niemand anders achter de hand had? Wat is er, verdomme? Vind je haar leuk en ben je jaloers? Ben je zo ambitieus geworden dat alleen je krant nog telt? Wilde je deze avond met mij alleen doorbrengen?'

'Ben je klaar?' vroeg Knapp terwijl hij weer achter zijn bureau ging zitten.

'Wat ben je toch een ongelooflijk eikel!' ging Tomas woedend verder.

'Ik betwijfel of we deze avond samen zullen doorbrengen. Ga zitten, ik moet je wat vertellen, en ik denk dat je beter kunt zitten, gezien de inhoud daarvan.'

∾

Het Tiergarten-park was ondergedompeld in het avondlicht. Oude straatlantaarns verspreidden hun gelige licht langs de betegelde paden. Julia liep door tot het kanaal. Langs de oever meerden binnenvaartschippers hun schepen zij aan zij aan. Ze vervolgde haar weg tot aan de dierentuin. Iets verderop was een brug over de rivier. Ze sneed af tussen de bomen door, zonder bang te zijn om te verdwalen, alsof ze elk paadje, elke boom kende. Voor haar rees de Siegessaüle op. Ze liep onbewust langs de rotonde in de richting van de Brandenburger Tor. Opeens herkende ze de plek waar ze was en bleef staan. Bijna twintig jaar geleden stond daar, in de bocht van de straat, een muur. Hier had ze Tomas voor het eerst gezien. Tegenwoordig stond er een bankje onder een linde voor voorbijgangers.

'Ik wist wel dat je hier zou zijn,' klonk een stem achter haar. 'Je hebt nog altijd datzelfde loopje.'

Julia schrok op, haar hart sloeg over. 'Tomas?'

'Ik weet niet wat we in dit geval moeten doen, elkaar een hand geven, een zoen?' zei de stem aarzelend.

'Dat weet ik ook niet,' zei ze.

'Toen Knapp me vertelde dat je in Berlijn was, zonder me te kunnen vertellen waar ik je kon vinden, wilde ik in eerste instantie alle jeugdherbergen in de stad afbellen, maar dat zijn er tegenwoordig echt heel veel. Toen bedacht ik dat je met een beetje mazzel hiernaartoe zou gaan.'

'Je stem is hetzelfde, iets zwaarder,' zei ze met een voorzichtige glimlach.

Hij kwam een stap dichterbij.

'Als je wilt klim ik in deze boom en spring van die tak, dat is ongeveer dezelfde hoogte als de eerste keer dat ik op je viel.'

Hij kwam nog een stap dichterbij en nam haar in zijn armen.

'De tijd is snel gegaan, en tegelijkertijd zo langzaam,' zei hij terwijl hij haar nog steviger tegen zich aandrukte.

'Huil je?' vroeg Julia. Ze aaide hem over zijn wang.

'Nee hoor, er zit een vuiltje in mijn oog, en jij?'

'Bij mij ook, stom hè, er staat niet eens wind.'

'Doe je ogen dan dicht.'

Net als vroeger streek hij met zijn vingertoppen langs de lippen van Julia en kuste haar beide oogleden.

'Dat was de allerliefste manier om me gedag te zeggen.' Julia drukte haar gezicht in de holte van Tomas' hals. 'Je ruikt nog steeds hetzelfde, die geur zou ik nooit vergeten.'

'Kom,' zei hij. 'Het is koud, je rilt.'

Tomas pakte Julia's hand en trok haar mee naar de Brandenburger Tor.

'Was je daarstraks op het vliegveld?'

'Ja, hoe weet je dat?'

'Waarom heb je niet gezwaaid?'

'Ik had geloof ik niet echt zin om je vrouw gedag te zeggen.'

'Ze heet Marina.'

'Dat is een leuke naam.'

'Ik heb een half om half relatie met haar.'

'Je bedoelt dat jullie elkaar af en toe zien?'

'Zoiets ja, ik spreek je taal nog steeds niet perfect.'

'Nou, je weet je anders best te redden.'

Ze liepen het park uit en staken het plein over. Tomas nam haar mee naar een terras bij een café. Ze gingen aan een tafeltje zitten en zaten elkaar een tijdje zwijgend aan te kijken, niet in staat om de juiste woorden te vinden.

'Gek is dat, je bent echt niet veranderd,' begon Tomas.

'Jawel hoor, ik kan je verzekeren dat ik in twintig jaar tijd echt wel veranderd ben. Als je me bij het wakker worden zou zien dan zie je wel dat er wat jaartjes verstreken zijn.'

'Dat weet ik zo ook wel, ik heb ze allemaal geteld.'

De ober ontkurkte de fles witte wijn die Tomas besteld had.

'Tomas, die brief van jou, hè, je moet weten...'

'Knapp heeft me alles al verteld over jullie ontmoeting. Je vader was tamelijk volhardend in zijn ideeën!'

Hij hief zijn glas op en proostte zachtjes. Voor hen bleef een stel op het plein stilstaan, verrast door de schoonheid van de zuilen.

'Ben je gelukkig?'

Julia zei niks.

'Hoe ziet je leven eruit, waar sta je?' vroeg Tomas.

'In Berlijn, met jou, net zo in de war als twintig jaar geleden.'

'Vanwaar die reis?'

'Ik had geen adres van je om een brief naartoe te sturen. Twintig jaar heeft die brief van jou erover gedaan, ik had geen vertrouwen in de post.'

'Ben je getrouwd, heb je kinderen?'

'Nog niet,' antwoordde Julia.

'Nog niet wat, getrouwd of kinderen?'

'Beide.'

'Plannen?'

'Dat litteken op je kin had je vroeger niet.'

'Vroeger was ik alleen maar van een muur gesprongen, nog niet op een mijn.'

'Je bent wat steviger geworden,' zei Julia glimlachend.

'Bedankt!'

'Het was een compliment, echt waar, het staat je heel goed.'

'Je kunt slecht liegen, maar ik ben ouder geworden, dat staat inderdaad als een paal boven water. Heb je trek?'

'Nee,' antwoordde Julia terwijl ze haar ogen neersloeg.

'Ik ook niet. Zullen we wat lopen?'

'Ik heb het gevoeld dat elk woord dat ik zeg stom klinkt.'

'Nee, helemaal niet, maar je hebt me nog niks verteld over je leven,' zei Tomas bedroefd.

'Ik heb ons cafeetje teruggevonden, wist je dat?'

'Ik ben er nooit meer geweest.'

'De eigenaar herkende me.'

'Zie je wel dat je niet veranderd bent!'

'Ze hebben het oude pand waar wij woonden gesloopt en er nieuwbouw neergezet. In onze straat is alleen dat kleine parkje aan de overkant er nog.'

'Misschien is dat maar beter zo. Ik heb geen goede herinneringen aan die plek, behalve de paar maanden met jou. Tegenwoordig woon ik in West-Berlijn. Voor veel mensen heeft dat geen betekenis meer, maar ik zie vanuit mijn raam nog steeds de grens.'

'Knapp heeft me over je verteld,' ging Julia verder.

'Wat heeft hij gezegd dan?'

'Dat je een restaurant in Italië had en dat je een hele rits koters had die je hielpen bij het pizzabakken,' antwoordde Julia.

'Wat een eikel… hoe komt-ie daar nou weer bij?'

'Vanwege de herinneringen aan het verdriet dat ik je heb aangedaan.'

'Ik kan me voorstellen dat ik jou ook verdriet heb gedaan, want je dacht dat ik dood was…'

Tomas keek Julia met samengeknepen ogen aan.

'Dat is een beetje verwaand om te zeggen, hè?'

'Ja, een beetje wel, maar het is waar.'

Tomas pakte Julia's hand vast.

'We zijn ieder onze weg gegaan, zo gaat dat in het leven. Je vader heeft een flinke hand geholpen, maar het lijkt erop dat het lot ons niet bij elkaar wilde brengen.'

'Of het wilde ons beschermen... Misschien hadden we elkaar uiteindelijk niet meer kunnen uitstaan; zouden we gescheiden zijn, ik zou een gruwelijke hekel aan je hebben gekregen en we zouden deze avond niet samen hebben doorgebracht.'

'Jawel, om over de opvoeding van onze kinderen te praten! En er zijn ook stellen die uit elkaar gaan maar toch bevriend blijven. Heb jij een vriend? En nu niet weer de vraag afwijken!'

'Ontwijken!'

'Hè?'

'Je bedoelde de vraag ontwijken. En je zit te vissen.'

'Je brengt me op een idee. Kom mee!'

Het naastgelegen terras hoorde bij een visrestaurant. Tomas ging lukraak aan een tafeltje zitten, wat hem een paar woedende blikken opleverde van toeristen die op hun beurt stonden te wachten.

'Doe je dat tegenwoordig zo?' vroeg Julia terwijl ze ging zitten. 'Dat is niet zo netjes. Straks worden we nog weggestuurd!'

'In mijn vak moet je een beetje bijdehand zijn. Bovendien is de eigenaar een vriend van me, dus dat zit wel goed.'

Precies op dat moment kwam de bewuste eigenaar van het restaurant Tomas begroeten. 'Of je de volgende keer iets onopvallender wilt binnenkomen, ik krijg gedonder met mijn gasten op deze manier,' fluisterde hij.

Tomas stelde Julia aan zijn vriend voor.

'Wat zou jij aanraden aan twee mensen die geen trek hebben?' vroeg hij hem.

'Ik zal jullie vast een plateau met garnaaltjes brengen, al etende krijgt men trek!'

De eigenaar maakte zich uit de voeten. Voordat hij zijn keuken weer in ging draaide hij zich om en stak met een knipoog zijn duim omhoog om Tomas duidelijk te maken dat hij Julia heel knap vond.

'Ik ben tekenares geworden.'

'Weet ik, ik ben dol op de blauwe otter…'

'Heb je die gezien?'

'Ik zou liegen als ik zou beweren dat ik geen enkele tekenfilm van je mis, maar omdat in mijn vak alles bekend is, ving ik toevallig de naam van de bedenker op. Ik was in Madrid, het was middag en ik had wat tijd over. Ik zag het affiche en ben naar binnen gegaan; ik moet bekennen dat ik niet alle dialogen kon verstaan, mijn Spaans is niet zo goed, maar ik geloof dat ik de hoofdlijnen van het verhaal wel begrepen heb. Mag ik je iets vragen?'

'Wat je maar wilt.'

'Je hebt het personage van die beer toch niet toevallig op mij gebaseerd, hè?'

'Stanley zegt dat de egel meer op je lijkt.'

'Wie is Stanley?'

'Mijn beste vriend.'

'En hoe kan hij weten dat ik op een egel lijk?'

'Hij is waarschijnlijk heel intuïtief, scherpzinnig, of ik heb hem vaak over jou verteld.'

'Nou, hij lijkt nogal wat kwaliteiten te hebben. Wat voor soort vriend is hij?'

'Een weduwnaar, we hebben veel dingen gedaan samen.'

'Wat erg voor hem.'

'Maar leuke dingen, hoor!'

'Ik bedoelde dat hij zijn vrouw verloren is. Is ze al lang dood?'

'Zijn vriend…'

'Dan vind ik het nog erger voor hem.'

'Je bent erg!'

'Ik weet het, het slaat nergens op, maar nu ik weet dat hij van een man hield vind ik hem nog aardiger. En op wie heb je de wezel gebaseerd?'

'Mijn benedenbuurman, hij heeft een schoenenwinkel. Vertel eens over die middag dat je naar mijn tekenfilm ging, hoe was die dag?'

'Treurig, na afloop van de film.'

'Ik heb je gemist, Tomas.'

'Ik jou ook, je hebt geen idee hoe erg. Maar laten we het over iets anders hebben, we kunnen die natte ogen hier niet aan ronddwarrelend stof kwijten.'

'Wijten, zul je bedoelen!'

'Whatever. Dat soort dagen heb ik in Spanje aan de lopende band meegemaakt. En nog steeds overvalt het me van tijd tot tijd. Zie je wel, we moeten het echt over iets anders hebben, anders ga ik het mezelf nog kwalijk nemen dat ik je verveel met mijn melancholie.'

'En in Rome?'

'Je hebt nog steeds niks over jezelf verteld, Julia.'

'Twintig jaar, dat is een lang verhaal, hoor.'

'Heb je een afspraak?'

'Nee, vanavond niet.'

'En morgen?'

'Ja. Ik heb iemand in New York.'

'Is het serieus?'

'Ik zou trouwen... afgelopen zaterdag...'

'Zou?'

'We hebben het huwelijk moeten annuleren.'

'Vanwege hem of vanwege jou?'

'Vanwege mijn vader...'

'Nou, dat is blijkbaar een obsessie bij hem. Heeft hij je aanstaande ook op zijn bek geslagen?'

'Nee, deze keer was het nog verrassender.'

'Dat vind ik naar.'

'Dat geloof ik niet, en ik kan het je niet kwalijk nemen ook.'

'Nee, inderdaad, ik had graag gehad dat hij je verloofde op zijn bek geramd had... Sorry, dat had ik echt niet moeten zeggen.'

Julia kon een giechel niet onderdrukken, en nog een, en toen kreeg ze de slappe lach.

'Wat is er zo grappig?'

'Dat gezicht van jou,' hinnikte Julia. 'Als een kind dat betrapt wordt met de jampot in zijn hand en de aardbeienjam om zijn mond. Nu begrijp ik nog beter waarom jij me geïnspireerd hebt bij al die personages. Niemand anders dan jij kan zo veel gezichten trekken. Ik heb je zo ontzettend gemist!'

'Hou op dat steeds te zeggen, Julia.'

'Waarom?'

'Omdat je afgelopen zaterdag zou trouwen.'

De eigenaar van het restaurant verscheen bij hun tafel met een groot plateau in zijn handen.

'Ik heb iets voor jullie gemaakt,' zei hij opgewekt. 'Twee lichtverteerbare tongetjes met wat gegrilde groente en een saus van verse kruiden, precies wat jullie nodig hebben om de eetlust op te wekken. Zal ik ze voor jullie fileren?'

'Het spijt me,' zei Tomas tegen zijn vriend, 'we gaan weg, breng me de rekening maar.'

'Wat is dat nou? Ik weet niet wat er in de tussentijd met jullie gebeurd is, maar jullie gaan niet bij mij weg zonder van mijn kookkunsten geproefd te hebben. Dus ga maar lekker tegen elkaar tekeer, stort je hart uit, dan maak ik deze twee heerlijkheden klaar en dan kunnen jullie het onder het genot van mijn visjes weer bijleggen. Dat is een bevel, Tomas!'

De chef liep weg om de tongen op een serveerwagen te fileren, zonder Tomas en Julia uit het oog te verliezen.

'Volgens mij heb je geen keus, je zit nog even met me opgezadeld, anders zou je vriend wel eens heel boos kunnen worden,' zei Julia.

'Die indruk heb ik ook, ja,' zei Tomas met een flauwe glimlach. 'Sorry, Julia, ik had dat niet moeten doen.'

'Hou op met dat ge-sorry, dat past niet bij je. Laten we proberen wat te eten, en dan breng je me daarna terug, ik heb zin om naast je te lopen. Mag ik dat zeggen?'

'Ja,' antwoordde Tomas. 'Hoe heeft je vader deze keer je huwelijk weten te voorkomen?'

'Laten we erover ophouden, vertel me liever over jezelf.'

Tomas vertelde over de afgelopen twintig jaar, heel beknopt, en Julia deed hetzelfde. Na het eten moesten ze van de eigenaar nog zijn chocoladesoufflé proeven. Hij had hem speciaal voor hen gemaakt en gaf er twee lepels bij, maar Julia en Tomas gebruikten er maar een.

Diep in de nacht verlieten ze het restaurant en liepen terug door het park. De volle maan weerspiegelde in de vijver waar een paar bootjes aan een meerpaal lagen te dobberen.

Julia vertelde Tomas een Chinese legende. Hij vertelde over zijn reizen maar nooit over de oorlogen, zij sprak over New York, haar werk, haar beste vriend, maar nooit over haar toekomstplannen.

Ze lieten het park achter zich en wandelden de stad in. Bij een plein bleef Julia staan.

'Weet je nog?' vroeg ze.

'Ja, hier vond ik Knapp terug, midden in de mensenmenigte. Wat een ongelooflijke nacht! Wat is er van je Franse vrienden geworden?'

'We hebben elkaar al jaren niet gesproken. Mathias is boekhandelaar, Antoine architect. De een woont in Parijs, en de ander in Londen, geloof ik.'

'Zijn ze getrouwd?'

'En weer gescheiden, volgens de laatste berichten.'

'Kijk,' zei Tomas. Hij wees naar de donkere gevel van een café. Dat is dat eettentje waar we altijd met Knapp naartoe gingen.'

'Weet je, ik weet eindelijk dat percentage waar jullie altijd ruzie over maakten.'

'Welk percentage?'

'Van het aantal inwoners in het Oostblok dat met de Stasi collaboreerde door ze informatie door te spelen. Ik kwam het twee jaar geleden tegen in de bibliotheek, toen ik een tijdschrift doorbladerde waarin een stuk stond over de val van de Muur.'

'Twee jaar geleden interesseerde dat soort nieuws je nog?'

'Twee procent maar, dus je kunt trots zijn op je landgenoten.'

'Mijn oma was een van hen, Julia, ik heb in de archieven mijn dossier bekeken. Ik vermoedde al dat ik er tussen zou zitten, vanwege de vlucht van Knapp. Mijn eigen oma informeerde ze, ik heb pagina's vol gelezen met gedetailleerde informatie over mijn leven, mijn bezigheden, mijn vrienden. Een aparte manier om je jeugdherinneringen op te halen.'

'Je moest eens weten wat ík de afgelopen dagen heb meegemaakt! Misschien deed ze het om je te beschermen, zodat je niet zou worden lastiggevallen.'

'Ik heb het nooit geweten.'

'Heb je daarom je naam veranderd?'

'Ja, om een streep onder mijn verleden te zetten en een nieuw leven te beginnen.'

'En hoorde ik ook bij dat verleden dat je hebt uitgewist?'

'We zijn bij je hotel, Julia.'

Ze keek op. De naam van hotel Brandenburger Hof verlichtte de gevel. Tomas nam haar in zijn armen en glimlachte verdrietig.

'Er is hier geen boom, hoe zeg je elkaar op zo'n moment gedag?'

'Denk je dat het gewerkt had tussen ons?'

'Wie weet?'

'Ik weet niet hoe we afscheid moeten nemen, Tomas, en ook niet of ik dat wel wil.'

'Het was fijn je weer te zien, een onverwacht cadeautje van het leven,' mompelde Tomas.

Julia vlijde haar hoofd tegen zijn schouder. 'Ja, het was fijn.'

'Je hebt nog geen antwoord gegeven op de enige vraag die me bezighoudt. Ben je gelukkig?'

'Nu niet meer.'

'En jij, denk jij dat het gewerkt had tussen ons?' vroeg Tomas.

'Waarschijnlijk wel.'

'Dus je bent veranderd.'

'Hoezo?'

'Omdat je vroeger met je spottende humor geantwoord zou hebben dat het gedoemd was te mislukken, dat je het nooit zou verdragen dat ik ouder werd, dikker zou worden, dat ik de hele tijd op pad zou zijn…'

'Maar later heb ik geleerd te liegen.'

'Kijk, zo ken ik je weer, zoals ik altijd van je ben blijven houden…'

'Ik weet een onfeilbare manier om uit te vinden of we een kans hadden gemaakt… of niet.'

'Hoe dan?'

Julia drukte haar lippen op de mond van Tomas. De kus duurde eindeloos, als die van twee pubers die zo verliefd zijn dat ze de wereld om zich heen vergeten. Ze pakte zijn hand en trok hem mee het hotel in. De receptionist zat in zijn stoel te doezelen. Julia leidde Tomas tot aan de lift. Ze drukte op de knop en hun kus werd voortgezet tot aan de zesde verdieping.

Met hun klamme, naakte lijven tegen elkaar lagen ze onder de lakens, precies zoals in de meest intieme herinneringen. Julia sloot haar ogen. Zijn hand gleed over haar buik, zij sloeg haar armen om zijn hals. Zijn mond gleed over haar schouder, haar hals, de ronding van haar borsten, onwillekeurig zochten zijn lippen hun weg. Ze klauwde haar handen in zijn haar. Zijn tong daalde af en het genot kwam in golven, herinneringen aan ongeëvenaarde wellust. Met verstrengelde benen verbonden hun lichamen zich met elkaar, niets kon ze meer uit elkaar halen. De aanrakingen waren nog hetzelfde, soms wat onhandig, maar altijd teder.

Minuten werden uren, en het vroege ochtendlicht gleed over hun verzadigde, slappe lichamen in de zwoele warmte van het bed.

ॐ

In de verte sloeg een kerkklok acht uur. Tomas rekte zich uit en liep naar het raam. Julia ging zitten en keek naar zijn donkere silhouet dat deels verlicht werd.

'Wat ben je mooi,' zei Tomas toen hij zich omdraaide.

Julia gaf geen antwoord.

'En nu?' vroeg hij liefdevol.

'Ik heb trek!'

'Is die tas op die stoel al ingepakt?'

'Ik vertrek… vanochtend,' antwoordde Julia aarzelend.

'Het heeft me tien jaar gekost om je te vergeten, ik dacht dat het gelukt was; ik dacht dat ik in die oorlogsgebieden geleerd had wat angst was, maar ik heb me overal in vergist, het was niets vergeleken bij wat ik hier naast jou voel, in deze kamer, en het idee dat ik je opnieuw ga kwijtraken.'

'Tomas…'

'Wat ga je me zeggen, Julia, dat het een vergissing was? Misschien. Toen Knapp me vertelde dat je in de stad was verbeeldde ik me dat de tijd de verschillen tussen ons, tussen het meisje uit het Westen en de jongen uit het Oostblok, zou hebben uitgewist. Ik hoopte dat het ouder worden ons in ieder geval dat goede had gebracht. Maar onze levens zijn nog steeds heel verschillend, hè?'

'Ik ben tekenares, jij verslaggever, we hebben allebei onze droom verwezenlijkt…'

'Maar niet de belangrijkste droom, tenminste, ik niet. Je hebt me nog niet verteld waarom je vader je huwelijk afgeblazen heeft. Komt hij straks deze kamer binnen om me weer een dreun te verkopen?'

'Ik was achttien jaar en moest wel met hem meegaan, ik was nog niet eens meerderjarig. Wat mijn vader betreft, hij is dood. Zijn begrafenis was op de dag dat ik zou trouwen. Dan weet je nu waarom.'

'Dat vind ik naar voor hem, en voor jou, als je verdrietig bent.'

'Dat hoef je niet naar te vinden, Tomas.'

'Waarom ben je naar Berlijn gekomen?'

'Dat weet je best, dat heeft Knapp je toch allemaal verteld. Ik kreeg je brief eergisteren, ik ben zo snel mogelijk gekomen…'

'En je kon niet trouwen zonder het zeker te weten, is dat het?'

'Dat is lullig.'

Tomas ging aan het voeteneind van het bed zitten.

'Ik heb leren omgaan met de eenzaamheid, daar is vreselijk veel geduld voor nodig. Ik ben in steden in alle uithoeken van de wereld geweest, op zoek naar de lucht die jij inademde. Ze zeggen dat de gedachten van twee mensen die van elkaar houden uiteindelijk altijd samenkomen, dus ik vroeg me vaak af als ik 's avonds in bed lag of jij ook wel eens aan mij dacht als ik aan jou dacht. Ik ben in New York geweest en dwaalde over straat in de hoop jou tegen te komen, en tegelijkertijd was ik daar bang voor. Honderden keren dacht ik je te zien, het was alsof mijn hart bleef stilstaan als het silhouet van een vrouw me aan jou deed denken. Ik heb gezworen nooit meer zo veel van iemand te houden, het is waanzin, je raakt jezelf volkomen kwijt. De tijd ging voorbij… en onze tijd ook, denk je niet? Heb jij je dat afgevraagd, voordat je in het vliegtuig stapte?'

'Hou op Tomas, je moet niet alles verpesten. Wat wil je dat ik zeg?

Ik heb dagen en nachten naar de hemel gekeken, in de zekerheid dat jij vanaf daar naar mij keek… Dus nee, ik heb me die vraag niet gesteld voordat ik in het vliegtuig stapte.'

'Hoe zie jij het voor je? Dat we vrienden blijven? Dat ik je bel als ik in New York ben? Dat we dan een borrel gaan drinken en goeie herinneringen ophalen, terwijl het onuitgesprokene als een taboe tussen ons in hangt? Jij laat me foto's van je kinderen zien, die niet onze kinderen zijn. Ik zeg dat ze op je lijken en zal proberen niks van hun vader in ze te herkennen. Als ik zo meteen naar de badkamer ga pak jij je telefoon om je aanstaande echtgenoot te bellen en ik zal de kraan openzetten om niet te horen hoe jij dag schat tegen hem zegt. Weet hij überhaupt dat je in Berlijn bent?'

'Hou op!' schreeuwde Julia.

'Wat ga je tegen hem zeggen als je thuiskomt?' vroeg Tomas terwijl hij weer naar het raam liep.

'Ik heb geen idee.'

'Zie je wel, ik had gelijk, je bent niet veranderd.'

'Jawel, Tomas, natuurlijk ben ik veranderd, maar één teken van het lot was genoeg om me hierheen te brengen en me duidelijk te maken dat mijn gevoelens niet veranderd zijn…'

Beneden op straat liep Anthony Walsh heen en weer, continu op zijn horloge kijkend. Al drie keer had hij omhoog gekeken naar het raam van zijn dochters kamer, en zelfs vanaf de zesde etage was het ongeduld van zijn gezicht te lezen.

'Wanneer was je vader ook alweer overleden?' vroeg Tomas terwijl hij de vitrage weer voor het raam liet vallen.

'Dat heb ik je al verteld, ik heb hem afgelopen zaterdag begraven.'

'Oké, zeg maar niks meer. Je hebt gelijk, laten we de herinnering aan deze nacht niet verpesten. Je kunt niet van iemand houden en tegen hem liegen, ik niet, wij niet.'

'Ik lieg niet tegen je…'

'Pak die tas van die stoel en ga naar huis,' bromde Tomas.

Hij trok zijn broek, zijn shirt en zijn jack zonder de tijd te nemen om zijn veters te strikken. Hij liep naar Julia, reikte haar zijn hand aan en trok haar in zijn armen.

'Ik neem vanavond het vliegtuig naar Mogadishu, ik weet nu al dat ik daar continu aan je zal denken. Maak je geen zorgen, je hoeft jezelf niks te verwijten, ik heb hier zo vaak van gedroomd dat ik de tel ben kwijtgeraakt, en het was geweldig, mijn liefste. Dat ik je nog één keer zo kon noemen, een enkel keertje maar, dat was een wens waarvan ik niet meer durfde dromen. Je was en zult altijd de mooiste vrouw in mijn leven zijn, de vrouw aan wie ik de mooiste herinneringen heb, dat is al heel wat. Ik vraag je maar één ding: beloof me dat je gelukkig zult zijn.'

Tomas gaf Julia een liefdevolle kus en vertrok zonder om te kijken.

Toen hij naar buiten kwam liep hij op Anthony af, die nog steeds bij de auto stond te wachten.

'Uw dochter kan ieder moment hier zijn,' zei hij, en hij stak zijn hand op ten afscheid.

Toen liep hij de straat uit.

XXI

Gedurende de hele reis van Berlijn naar New York wisselden Julia en haar vader geen woord met elkaar, alleen Anthony herhaalde een paar keer de zin: 'Ik geloof dat ik weer een stommiteit heb begaan.' Zijn dochter had niet helemaal door wat hij bedoelde. Ze kwamen halverwege de middag aan, het regende in Manhattan.

'Kom op, Julia, je gaat toch nog wel wat zeggen!' zei Anthony mopperend toen ze het appartement in Horatio Street binnen kwamen.

'Nee,' antwoordde Julia terwijl ze haar bagage neerzette.

'Heb je hem gisteravond weer gezien?'

'Nee!'

'Vertel me wat er gebeurd is, misschien kan je ik je helpen.'

'Jij? Dat zou wel een beetje de omgekeerde wereld zijn, hè?'

'Doe niet zo koppig, je bent geen vijf meer en ik heb nog maar vierentwintig uur.'

'Ik heb Tomas niet gezien en ga nu een douche nemen. Punt!'

Anthony ging voor de deur staan om haar de weg te versperren.

'En daarna? Ben je van plan de komende twintig jaar in die badkamer te blijven zitten?'

'Ga opzij!'

'Niet voordat je me antwoord hebt gegeven.'

'Wil je weten wat ik nu ga doen? Ik ga proberen de brokstukken van mijn leven, dat jij in een week tijd vakkundig overhoop hebt weten te halen, bij elkaar te vegen. Waarschijnlijk lukt het me niet om alles weer te lijmen, want er ontbreken nog steeds een paar stukken, en kijk niet alsof je niet begrijpt wat ik bedoel, je hebt het jezelf de hele vlucht lopen verwijten.'

'Ik had het niet over onze reis…'

'Waarover dan?'

Anthony gaf geen antwoord.

'Dat dacht ik al!' zei Julia. 'In de tussentijd trek ik mijn jarretels aan, een strapless beha, de meest sexy die ik heb, ik bel Tomas en laat me bespringen. En als het me nog steeds lukt om tegen hem te liegen zoals ik geleerd heb sinds ik met jou ben, dan is hij misschien weer bereid om over ons huwelijk te praten.'

'Je zei Tomas!'

'Hè?

'Je zou toch met Adam trouwen, je verspreekt je alweer!'

'Ga voor die deur weg of ik vermoord je!'

'Zonde van je tijd, ik ben al dood. En als je denkt dat je me kunt choqueren door over je seksleven te vertellen dan heb je het helemaal mis, lieverd.'

'Zodra ik bij Adam ben duw ik hem tegen de muur,' vervolgde Julia terwijl ze haar vader uitdagend aankeek, 'en dan kleed ik hem uit…'

'Genoeg!' schreeuwde Anthony. 'Ik hoef ook weer niet alle details te weten,' voegde hij er rustiger aan toe.

'Mag ik dan nu gaan douchen?'

Anthony zuchtte en liet haar erlangs. Met zijn oor tegen de deur gedrukt hoorde hij Julia bellen.

Nee, het was niet nodig om Adam te storen als hij in vergadering zat, alleen even doorgeven dat ze net weer in New York was aangekomen. Als hij vanavond vrij was kon hij haar om acht uur oppikken, ze zou bij haar beneden op hem wachten. Mocht hij verhinderd zijn dan kon hij haar altijd bereiken.

Anthony sloop op zijn tenen naar de woonkamer en ging op de bank zitten. Hij pakte de afstandsbediening om de televisie aan te zetten, maar bedacht zich net op tijd, het was de verkeerde. Hij bekeek het vermaarde witte kastje en legde het glimlachend naast zich neer.

Een kwartier later verscheen Julia weer met een regenjas aan.

'Ga je ergens heen?'

'Ja, werken.'

'Op zaterdag? Met dit weer?'

'Er zijn altijd mensen op kantoor in het weekend, ik heb achterstallige post en e-mails.'

Ze stond op het punt om de deur uit te gaan toen Anthony haar terugriep.

'Julia?'

'Wat is er nou weer?'

'Voordat je echt een stommiteit begaat wil ik dat je weet dat Tomas nog steeds van je houdt.'

'En hoe weet jij dat?'

'We kwamen elkaar vanochtend tegen, hij groette me trouwens allervriendelijkst toen hij het hotel uit kwam! Ik vermoed dat hij me gezien had vanuit het raam van jouw kamer.'

Julia keek haar vader vernietigend aan.

'Ga weg! Ik wil dat je hier weg bent als ik terug kom!'

'Waar moet ik dan heen? Naar die smerige zolder?'

'Nee, naar je eigen huis!' zei Julia. Ze sloeg de deur met een knal achter zich dicht.

∾

Anthony pakte de paraplu die aan het haakje bij de voordeur hing en stapte het balkon aan de straatkant op. Gebogen over de reling zag hij hoe Julia naar het kruispunt liep. Zodra ze uit het zicht verdwenen was ging hij naar de slaapkamer van zijn dochter. De telefoon lag op het nachtkastje. Hij pakte hem op en drukte op de herhalingstoets.

Hij stelde zich voor als de assistent van mevrouw Julia Walsh. Hij wist natuurlijk dat ze daarnet gebeld had en dat Adam niet bereikbaar was, maar of ze hem kon doorgeven dat Julia eerder dan gezegd op hem zou wachten, dat was zeer belangrijk, om zes uur bij haar en niet buiten, want het regende. Dat was inderdaad over drie kwartier, en alles bij elkaar was het misschien toch wel wenselijk om hem te storen tijdens de vergadering. Adam hoefde haar niet terug te bellen, haar mobiele telefoon was zo goed als leeg en ze was even de deur uit om een boodschap te doen. Anthony liet zich tot twee keer toe verzekeren dat de boodschap zou worden doorgegeven en hing glimlachend en buitengewoon tevreden over zichzelf op.

Toen de telefoon weer in zijn houder stond verliet hij de kamer, ging in een gemakkelijke stoel zitten en bleef naar de afstandsbediening op de bank staren.

Julia draaide een rondje op haar bureaustoel en zette haar computer aan. Er verscheen een eindeloze lijst met mailberichten. Ze wierp een snelle blik op haar bureau, haar postbakje puilde uit en het lampje op haar telefoon om aan te geven dat er berichten waren knipperde als een bezetene.

Ze pakte haar mobieltje uit de zak van haar regenjas om de hulp van haar beste vriend in te roepen.

'Is het druk in je winkel?' vroeg ze.

'Met die regen hier, geen kip, het is een verloren middag.'

'Ik weet het, ik ben doorweekt.'

'Je bent terug!' riep Stanley uit.

'Net een uur.'

'Je had me wel wat eerder kunnen bellen!'

'Zou jij je zaak dichtdoen om met een oude vriendin af te spreken, bij Pastis?'

'Bestel maar een thee voor me, of nee, een cappuccino, nou ja, wat je wilt, ik kom eraan.'

Tien minuten later voegde Stanley zich bij Julia die aan een tafeltje achter in de oude brasserie op hem zat te wachten.

'Je ziet eruit als een hond die in het water is gevallen,' zei ze terwijl ze hem een zoen gaf.

'En jij als een kat die erachteraan gesprongen is. Wat heb je besteld?' vroeg Stanley terwijl hij ging zitten.

'Kroketten!'

'Ik heb een paar pikante roddels over wie er met wie naar bed is geweest deze week, maar jij eerst: ik wil alles weten. Laat me raden, je hebt Tomas teruggevonden, want ik heb de afgelopen twee dagen helemaal niks van je gehoord, en aan je gezicht te zien is het niet helemaal verlopen zoals je je had voorgesteld.'

'Ik had me helemaal niks voorgesteld…'

'Liegbeest!'

'Als je even wat wilde drinken met een stomme idioot, grijp je kans, hier zit ze!'

Julia vertelde hem bijna alles over haar reis: haar bezoek aan de vakbond voor journalisten, de eerste leugen van Knapp, de vernissage, de auto die in alle haast was besteld door de receptionist om haar erheen te brengen. Toen ze hem vertelde van de schoenen die ze onder de lange jurk gedragen had schoof Stanley gechoqueerd zijn thee opzij en bestelde een glas droge witte wijn. Buiten begon het nog harder te regenen. Julia deed verslag van haar bezoek aan Oost-Berlijn, de straat waar huizen verdwenen waren, het verouderde interieur van een bar die nog bestond, haar gesprek met de beste vriend van Tomas, de krankzinnige rit naar het vliegveld, Marina, en uiteindelijk, voordat Stanley zou bezwijken, het weerzien met Tomas in het Tiergarten-park. Julia vertelde verder en beschreef het terras van een restaurant waar de lekkerste vis van de wereld werd geserveerd, ook al had ze er nauwelijks van geproefd, een nachtelijke wandeling rond een vijver, een hotelkamer waar ze de vorige nacht de liefde bedreven had en tot slot het verhaal van een ontbijt dat nooit had plaatsgevonden. Toen de ober voor de derde keer kwam vragen of alles naar wens was dreigde Stanley hem met zijn vork neer te steken als hij ze nog een keer kwam storen.

'Ik had met je mee moeten gaan,' zei Stanley. 'Als ik had geweten dat het zo zou gaan had ik je nooit alleen laten vertrekken.'

Julia roerde onafgebroken in haar thee. Hij keek haar aandachtig aan en liet haar ophouden.

'Julia, je gebruikt helemaal geen suiker... Je bent een beetje verdrietig, hè?'

'Laat dat "een beetje" maar weg.'

'Hoe dan ook, ik weet zeker dat hij niet naar die Marina teruggaat, geloof me maar, ik heb ervaring met die dingen.'

'Wat voor ervaring?' vroeg Julia glimlachend. 'Hoe dan ook, op dit moment zit Tomas in het vliegtuig naar Mogadishu.'

'En wij in de zeikende regen in New York!' antwoordde Stanley met een blik op de plensbui die tegen de ramen sloeg.

Een paar voorbijgangers stonden te schuilen onder de luifel van het terras. Een oude man drukte zijn vrouw tegen zich aan, alsof hij haar extra wilde beschermen.

'Ik ga mijn leven weer zo goed mogelijk op orde brengen,' vervolgde Julia. 'Ik denk dat er niks anders op zit.'

'Je had inderdaad gelijk, ik zit hier te pimpelen met een belachelijke idioot. Heb je eindelijk de fantastische kans om voor één keer een puinhoop van je leven te maken, wil jij de boel weer op orde brengen! Je bent compleet gestoord, arme schat van me. En alsjeblieft, stop onmiddellijk met huilen, het is buiten al nat genoeg. Dit is echt niet het moment om te huilen, ik heb nog veel te veel vragen.'

Julia streek met de rug van haar hand over haar ogen en glimlachte opnieuw naar haar vriend.

'Wat ben je van plan tegen Adam te gaan zeggen?' vervolgde Stanley. 'Ik was al bang dat ik hem vol pension moest gaan aanbieden als jij niet terugkwam. Hij heeft me voor morgen uitgenodigd in het buitenhuis bij zijn ouders. Maar pas op, je houdt je mond hoor, ik heb gezegd dat ik buikpijn heb.'

'Ik zal hem het deel van de waarheid vertellen dat niet kwetsend is.'

'In de liefde lijd je het meest onder lafheid. Wil je nog met hem verder, of niet?'

'Misschien is het lullig om te zeggen, maar ik durf niet meer alleen te zijn.'

'Daar zal hij kapot aan gaan. Niet nu meteen, maar vroeg of laat gaat hij daaraan kapot!'

'Ik zal hem beschermen.'

'Mag ik je iets nogal persoonlijks vragen?'

'Je weet dat ik geen geheimen voor je heb…'

'Hoe was die nacht met Tomas?'

'Teder, zacht, betoverend en verdrietig in de ochtend.'

'Ik heb het over de seks, schat.'

'Teder, zacht, betoverend…'

'En jij wilt beweren dat je niet weet in welke staat je verkeert?'

'Ik ben in New York, Adam ook en Tomas is inmiddels heel ver weg.'

'Schat, het gaat er niet om te weten in welke staat of uithoek van de wereld de ander is, maar hoe die ligt ten opzichte van de liefde die je voor diegene voelt. Vergissingen tellen niet, Julia, alleen wat je voelt telt.'

∾

Adam stapte in de stromende regen uit de taxi. De goten liepen over. Hij sprong op de stoep en drukte aanhoudend op de bel van de intercom. Anthony Walsh stond op uit zijn stoel.

'Ja, ja, ja, ik kom al!' mopperde hij terwijl hij op de buzzer drukte.

Hij hoorde de voetstappen op de trap en ontving zijn gast met een brede glimlach.

'Meneer Walsh?' riep die laatste verschrikt uit. Hij deed een pas naar achteren.

'Adam, wat brengt jou hier?'

Adam bleef sprakeloos op de overloop staan.

'Ben je je tong verloren, jongen?'

'Maar u bent toch dood?' stamelde hij.

'Nou, nou, je hoeft niet zo onaardig te doen. Ik weet dat we niet heel dol zijn op elkaar, maar om me dan maar het graf in te sturen, er zijn grenzen!'

'Maar dat is het 'm juist, ik stond aan uw graf de dag dat u begraven werd,' stotterde Adam.

'Zo is het genoeg, je wordt nu echt onbeschoft, knul! Goed, we blijven hier niet de hele avond staan, kom maar binnen, je ziet hartstikke bleek.'

Adam liep naar de woonkamer. Anthony gebaarde hem zijn druipende regenjas uit te doen.

'Het spijt me dat ik erover doorga,' zei hij terwijl hij zijn jas aan de kapstok hing, 'u zult mijn verbazing begrijpen, maar mijn huwelijk is afgezegd vanwege uw begrafenis…'

'Het was toch ook een beetje het huwelijk van mijn dochter, hè?'

'Maar, ze heeft dit toch niet allemaal verzonnen om…'

'Om bij je weg te gaan? Maak jezelf niet belangrijker dan je bent. We zijn in de familie weliswaar zeer vindingrijk, maar je kent haar slecht als je denkt dat ze zoiets absurds zou verzinnen. Er is ongetwijfeld een andere verklaring, en als jij even twee tellen je mond houdt dan kan ik je er een paar geven.'

'Waar is Julia?'

'Het is al bijna twintig jaar geleden dat mijn dochter me op de hoogte hield van haar bezigheden. Eerlijk gezegd dacht ik dat ze bij jou was. We zijn pas drie uur geleden in New York aangekomen.'

'Was u met haar op reis?'

'Natuurlijk, heeft ze je dat niet verteld?'

'Ik denk dat dat een beetje moeilijk was, aangezien ik met haar op het vliegtuig stond te wachten dat uw stoffelijk overschot vanuit Europa kwam brengen en met haar in de lijkwagen zat die ons naar de begraafplaats bracht.'

'Nou, het wordt steeds mooier! Wat verder nog? Heb je soms ook eigenhandig de verbrandingsoven in werking gesteld?'

'Nee, maar ik heb wel een hand aarde op uw kist gegooid!'

'Dank je, heel attent van je.'

'Ik voel me geloof ik niet zo lekker,' zei Adam, die langzaam groen werd.

'Nou, ga zitten dan, in plaats van daar zo stom te blijven staan.'

Hij wees naar de bank.

'Daar ja, je weet toch nog wel hoe een plek eruitziet waar je met je kont op kunt gaan zitten of ben je al je hersencellen verloren toen je mij zag?'

Adam ging zitten. Hij liet zich op het kussen vallen en ging daarbij ongelukkigerwijs op de knop van de afstandsbediening zitten.

Anthony deed er meteen het zwijgen toe, zijn ogen gingen dicht en hij viel languit op het kleed voor de voeten van Adam, die verstijfd van schrik toekeek.

∾

'Je hebt zeker geen foto van hem?' vroeg Stanley. 'Ik zou zo graag weten hoe hij eruitziet. Ik ouwehoer maar wat hoor, maar ik vind het vreselijk als je zo stil bent.'

'Waarom?'

'Omdat ik geen idee heb wat er allemaal in je hoofd omgaat.'

Hun gesprek werd onderbroken door Gloria Gaynor met haar nummer 'I Will Survive', dat uit de tas van Julia opklonk.

Ze pakte haar telefoon en liet Stanley het schermpje zien waarop de naam van Adam zichtbaar was. Stanley haalde zijn schouders op en Julia nam op. Ze hoorde de doodsbange stem van haar verloofde.

'We hebben elkaar heel wat te vertellen, jij en ik, nou ja, jij vooral, maar dat kan wel even wachten, je vader is zojuist flauwgevallen.'

'In een andere situatie zou ik dat best grappig gevonden hebben, maar nu getuigt het vooral van slechte smaak.'

'Ik ben bij je thuis, Julia…'

'Wat doe je daar? We hadden toch pas over een uur afgesproken?' zei ze verstijfd van schrik.

'Je assistent belde om te zeggen dat je eerder wilde afspreken.'

'Mijn assistent? Welke assistent?'

'Wat doet dat ertoe? Ik probeer je te vertellen dat je vader hier languit op de grond ligt, midden in de kamer, bewegingloos! Kom zo snel mogelijk hierheen, ik bel de ambulance!'

Stanley schrok op toen zijn vriendin schreeuwde: 'Nee, niet doen! Ik kom er nu aan!'

'Ben je niet goed wijs, of zo? Julia, wat ik ook doe, hij reageert nergens meer op, ik bel nu 911!'

'Je belt helemaal niemand, begrepen? Ik ben er over vijf minuten,' antwoordde Julia terwijl ze opstond.

'Waar ben je?'

'Aan de overkant, bij Pastis. Ik steek de straat over en kom naar boven. Jij doet ondertussen niets, raak niks aan en vooral hem niet!'

Stanley, die niet begreep wat er precies aan de hand was, fluisterde dat hij de rekening wel zou betalen. Terwijl ze door de brasserie rende riep hij haar achterna dat ze hem moest bellen zodra de brand geblust was.

∾

Ze vloog de trap op en zag bij binnenkomst het lichaam van haar vader languit midden in de kamer liggen.

'Waar is de afstandsbediening?' zei ze terwijl ze met een hoop misbaar naar binnen stormde.

'Wat?' vroeg Adam, volkomen van zijn stuk gebracht.

'Zo'n kastje met knoppen erop, één, in dit geval, een afstandsbediening, weet je wel?' antwoordde ze terwijl ze de kamer rondkeek.

'Je vader is bewusteloos en jij wilt tv kijken? Ik bel 911 en vraag om twee ambulances.'

'Heb je iets aangeraakt? Wat is er gebeurd?' vroeg Julia. Ze trok een voor een alle laatjes open.

'Ik heb niks bijzonders gedaan, behalve met je vader gepraat die we vorige week begraven hebben, wat op zich al bijzonder genoeg is.'

'Straks mag je grapjes maken, Adam, maar nu hebben we een noodgeval.'

'Ik probeerde helemaal niet grappig te zijn. Ga je me nog uitleggen wat er aan de hand is? Of zeg me anders dat ik zo wakker word en in mijn eentje heel hard zal kunnen lachen om de nachtmerrie waar ik nu in zit…'

'Dat zei ik in het begin ook tegen mezelf! Waar is dat ding nou toch?'

'Waar heb je het over?'

'Over de afstandsbediening van papa.'

'Nu ga ik echt bellen!' Adam liep naar de telefoon in de keuken.

Julia strekte haar armen uit en versperde hem de doorgang.

'Je verzet geen stap meer, en je gaat me nu precies uitleggen hoe dit gebeurd is.'

'Dat heb ik je al gezegd,' foeterde Adam. 'Je vader deed de deur open – vergeef me mijn verbazing toen ik hem zag – hij liet me binnen met de belofte me uit te leggen waarom hij hier was. Vervolgens zei hij dat ik moest gaan zitten, en toen ik op de bank plaatsnam zakte hij halverwege een zin in elkaar.'

'De bank! Opzij!' schreeuwde Julia terwijl ze Adam omver liep.

Ze begon als een gek de kussens op te tillen en slaakte een zucht van verlichting toen ze eindelijk het begeerde apparaat vond.

'Dat zei ik dus, je bent knettergek geworden,' bromde Adam terwijl hij overeind kwam.

'Please, doe het,' zei Julia smekend. Ze pakte het witte kastje.

'Julia!' brulde Adam. 'Ga je me nu eindelijk uitleggen wat er aan de hand is!'

'Hou je mond,' antwoordde ze bijna in tranen. 'Ik bespaar ons een hoop nutteloze woorden, je zult het binnen twee minuten begrijpen. En om het te begrijpen moet dit ding het wel doen…'

Ze wierp een smekende blik door het raam naar de hemel, sloot haar ogen en drukte op de knop.

'Zie je, Adam, de dingen zijn niet altijd wat ze lijken…' zei Anthony terwijl hij zijn ogen weer open deed. Toen hij Julia midden in de kamer zag staan, onderbrak hij zichzelf.

Hij kuchte en stond op. Adam liet zich slap in de stoel vallen die uitnodigend voor hem klaar stond.

'Verhip,' vervolgde Anthony, 'hoe laat is het? Acht uur al? Ik had niet door dat het al zo laat was.' Hij klopte zijn mouwen af.

Julia wierp hem een dodelijke blik toe.

'Ik denk dat ik jullie beter even alleen kan laten,' zei hij ongemakkelijk. 'Jullie hebben elkaar ongetwijfeld veel te vertellen. Luister goed naar wat Julia je te zeggen heeft, beste Adam, heel goed opletten en haar niet onderbreken. In het begin zal het wat moeilijk te aanvaarden zijn, maar met enige concentratie zul je zien dat alles duidelijk wordt. Oké, even mijn overjas zoeken en dan ben ik weg...'

Anthony pakte de regenjas van Adam van de kapstok, liep op zijn tenen terug de kamer in om zijn paraplu te pakken die hij bij het raam had laten liggen en verliet het huis.

∽

Julia had eerst naar de kist gewezen die midden in de kamer stond, en vervolgens geprobeerd het ongelooflijke uit te leggen. Ze plofte op haar beurt in de stoel neer terwijl Adam door het appartement begon te ijsberen.

'Wat zou jij in mijn plaats doen?'

'Ik heb geen idee, ik weet niet eens meer wat mijn plaats is. Je hebt een week lang tegen me gelogen, en nu moet ik dit verhaal geloven?'

'Adam, als jouw vader de dag na zijn dood bij jou zou aanbellen, als je de kans kreeg nog een paar dagen met hem door te brengen, zes dagen om alle onuitgesproken dingen tegen elkaar te zeggen, alle vergeten herinneringen uit je jeugd naar boven te halen, zou je die kans dan niet grijpen, die reis niet maken, hoe absurd het ook allemaal is?'

'Ik dacht dat je je vader haatte.'

'Dat dacht ik ook, maar weet je, nu zou ik graag nog wat extra tijd met hem hebben. Ik heb hem alleen maar over mij laten praten, maar er zijn nog zo veel dingen die ik van hem, van zijn leven, zou willen weten. Voor het eerst heb ik met volwassen ogen naar hem kunnen kijken, los van elk egoïsme. Ik moet toegeven dat mijn vader zijn tekortkomingen had, en ik ook, maar dat wil nog niet zeggen dat ik niet van hem hou. Op weg naar huis bedacht ik dat als ik zeker wist dat mijn kinderen op een dag net zo tolerant naar mij toe zouden zijn, dat ik het dan misschien minder eng zou vinden om zelf kinderen te krijgen, dat ik het meer waard was.'

'Wat ben je toch heerlijk naïef. Je vader heeft vanaf je geboorte je leven bepaald, dat zei je toch altijd, die paar keer dat je het over hem had? Stel dat dit absurde verhaal waar is, dan is hij er zelfs in geslaagd zijn werk na zijn dood voort te zetten. Je hebt helemaal niks met hem gedeeld, Julia, het is een machine! Alles wat hij je gezegd heeft was voorgeprogrammeerd. Hoe heb je daar in kunnen trappen? Het was geen gesprek tussen jullie tweeën, het was een monoloog. Jij bedenkt fictieve personages, kunnen kinderen echt met ze praten? Natuurlijk niet, je voorziet alleen in een behoefte, verzint zinnen om ze op te vrolijken, gerust te stellen. Je vader heeft op zijn manier hetzelfde trucje gebruikt. Hij heeft je voor de zoveelste keer gemanipuleerd. Dat korte weekje samen van jullie was een nepweerzien, zijn aanwezigheid een illusie, hoe het altijd was is gewoon nog een paar dagen voortgezet. En jij, omdat je smachtte naar de liefde die hij je nooit gegeven heeft, bent er met open ogen ingetrapt. Je hebt hem zelfs onze huwelijksplannen kapot laten maken, en dat was niet zijn eerste geslaagde poging.'

'Doe niet zo belachelijk, Adam, mijn vader heeft niet besloten om dood te gaan om ons uit elkaar te drijven.'

'Waar waren jullie de afgelopen week met zijn tweeën?'

'Wat doet dat ertoe?'

'Maak je geen zorgen: als je het zelf niet wilt zeggen, Stanley heeft het al voor je gedaan. Maar je hoeft hem niks kwalijk te nemen, hoor, hij was straalbezopen. Je hebt me zelf verteld dat hij de verleiding van een goede wijn niet kon weerstaan, en ik heb een van de beste uitgekozen. Ik zou die wijn desnoods uit Frankrijk hebben laten komen om je te vinden, om te begrijpen waarom je afstand van me nam, of het nog de moeite was om van je te houden. Ik zou honderd jaar gewacht hebben om met je te kunnen trouwen, Julia. Nu voel ik alleen nog maar een enorme leegte.'

'Ik kan het uitleggen, Adam.'

'O, nu wel? En toen je bij mij op kantoor langskwam om te zeggen dat je op reis ging dan, of de dag daarna, dat we elkaar net misliepen in Montréal, en die daarna, en al die andere dagen dat ik je belde zonder dat je ooit opnam of mijn berichten beantwoordde? Je hebt besloten om naar Berlijn te gaan om die man te vinden die in je verleden rondspookte en je hebt me helemaal niks verteld. Wat was ik eigenlijk voor jou? Een tussendoortje, tussen twee fases in je leven? Een geruststellend iemand aan wie je je kon vastklampen in de hoop dat degene van wie je altijd was blijven houden op een dag terug zou keren?'

'Zo mag je niet denken,' zei Julia smekend.

'En als hij hier zou aankloppen, nu, op dit moment, wat zou jij dan doen?'

Julia zei niks.

'Hoe zou ik het dan moeten weten als je het zelf niet eens weet?'

Adam liep naar de gang. 'Zeg maar tegen je vader, of tegen zijn robot, dat hij mijn regenjas mag houden.'

Adam vertrok. Julia telde zijn voetstappen op de trap en hoorde hoe de deur op de begane grond achter hem dichtsloeg.

Anthony klopte zachtjes op de deur voordat hij de kamer binnen kwam. Julia stond tegen het raam geleund naar buiten te staren.

'Waarom heb je dat gedaan?' mompelde ze.

'Ik heb helemaal niks gedaan, het was een ongelukje,' antwoordde Anthony.

'Adam komt per ongeluk een uur te vroeg, jij doet per ongeluk de deur voor hem open, hij gaat per ongeluk op de afstandsbediening zitten en heel per ongeluk lig jij opeens languit midden in de kamer.'

'Ik moet toegeven dat het een logische opeenvolging van tekenen is... Misschien moeten we samen proberen te begrijpen wat daar de betekenis van kan zijn...'

'Hou op met je ironische opmerkingen! Ik heb helemaal geen zin meer om te lachen, ik stel je mijn vraag nog een keer: waarom heb je dat gedaan?'

'Om je te helpen hem de waarheid te vertellen, om je met jouw waarheid te confronteren. Durf me maar te zeggen dat je je niet opgelucht voelt. Vermoedelijk eenzamer dan ooit, maar wel met een gerust geweten.'

'Ik bedoelde niet alleen je optreden van vanavond...'

Anthony haalde diep adem.

'Door haar ziekte wist je moeder niet meer wie ik was toen ze stierf, maar ik weet zeker dat ze diep in haar hart niet vergeten was hoeveel we van elkaar gehouden hadden. Ik zal het in ieder geval niet vergeten. We waren geen perfect stel en ook geen modelouders, verre van dat. We hadden ook zo momenten van onzekerheid, van ruzies, maar nooit, hoor je me, nooit hebben we getwijfeld aan onze keus voor elkaar, aan onze liefde. Haar veroveren, liefhebben, een kind van haar krijgen, het zijn de belangrijkste, de mooiste keuzes in mijn leven geweest, ook al heeft het eindeloos geduurd om de juiste woorden te vinden om je dit te vertellen.'

'En vanwege die fantastische liefde heb je zo'n puinhoop van mijn leven gemaakt?'

'Weet je nog dat ik je tijdens onze reis vertelde over dat befaamde stukje papier? Je weet wel, wat je altijd ergens bij je draagt, in je portemonnee, in een zak, in je hoofd. Voor mij was het dat briefje dat je moeder voor me had achtergelaten in een brasserie aan de Champs-Elysées, die avond dat ik de rekening niet kon betalen – je zult nu ook beter begrijpen waarom ik mijn leven graag in Parijs wilde eindigen. Maar wat was het voor jou? Die oude Duitse mark die altijd in je tas zit, of de brieven van Tomas die je op je kamer had opgeborgen?'

'Heb je die gelezen?'

'Zoiets zou ik nooit doen. Maar ik heb ze wel gezien toen ik zijn laatste brief ging opbergen. Toen ik je huwelijksaankondiging ontving, ben ik naar je kamer gegaan. In die ruimte, die me terugbracht bij jou, bij alles wat ik niet vergeten ben en ook nooit vergeten zal, bleef ik me maar afvragen wat jij zou doen op het moment dat je van het bestaan van die brief van Tomas zou horen, of ik hem moest weggooien of aan je geven, of het wel een goed idee was om hem je op je trouwdag te geven. Ik had niet veel tijd meer om een besluit te nemen. Maar je ziet, zoals je zelf al zei, dat het leven ons geweldige tekens geeft als je er een beetje op let. In Montréal kreeg ik gedeeltelijk antwoord op de vraag die ik me stelde, maar slechts gedeeltelijk: de rest weet je. Ik had de brief van Tomas gewoon naar je op kunnen sturen, maar je was er zo goed in geslaagd de banden te verbreken dat ik, totdat ik werd uitgenodigd voor je huwelijk, niet eens je adres had. En zou je überhaupt een envelop openmaken die van mij afkomstig was? Bovendien wist ik natuurlijk niet dat ik zou doodgaan!'

'Jij hebt altijd overal een antwoord op, hè?'

'Nee, Julia, jij kunt zelf keuzes maken, en al veel langer dan je denkt. Je kon me uitzetten, weet je nog? Je hoefde alleen maar op een knop te drukken. Je had de vrijheid om niet naar Berlijn te gaan. Ik was er niet bij toen je besloot Tomas op te wachten op het vliegveld; ik was er ook niet bij toen je terugging naar de plek waar jullie elkaar voor het eerst ontmoet hadden, en al helemaal niet toen je hem meenam naar het hotel. Je kunt het aan je jeugd wijten, je ouders tot in het oneindige de schuld geven van al het kwaad dat je overkomt, ze verantwoordelijk stellen voor alle beproevingen van het leven, voor je zwakheden, je gebrek aan wilskracht, maar uiteindelijk ben je verantwoordelijk voor je eigen leven. Je wordt wat je besloten hebt te worden. En verder moet je leren om aangrijpende gebeurtenissen te relativeren. Je kunt het altijd slechter treffen.'

'Zoals?'

'Zoals Tomas, die verraden werd door zijn oma, bijvoorbeeld!'

'Hoe weet jij dat nou?'

'Ik heb je al gezegd dat geen enkele ouder het leven voor zijn kinderen kan leven, maar dat neemt niet weg dat we ons af en toe zorgen maken en dat we eronder lijden als jullie ongelukkig zijn. Soms worden we daardoor geprikkeld om iets te doen, om de weg die jullie gaan te verlichten, misschien is het beter om een stommiteit te begaan, uit een overdaad aan liefde, dan om niets te doen en toe te kijken.'

'Als het jouw bedoeling was om mij de weg te wijzen dan is dat mislukt, ik begrijp er helemaal niks meer van, het is pikkedonker in mijn hoofd.'

'Maar je ziet wel, je bent niet langer blind!'

'Adam had gelijk, deze week samen is er nooit sprake geweest van een dialoog.'

'Ja, misschien had hij gelijk, ik ben niet helemaal je vader, alleen wat er van over is. Maar het is deze machine toch maar mooi gelukt om voor elk van je problemen een oplossing te vinden? Is er ook maar één keer geweest de afgelopen dagen dat ik geen antwoord op je vragen had? Dat komt ongetwijfeld omdat ik je beter kende dan jij dacht en misschien, misschien dat het daardoor ooit tot je doordringt dat ik veel meer van je hield dan jij dacht. Nu je dit allemaal weet kan ik echt sterven.'

Julia keek haar vader lang aan en ging naast hem zitten. Zo bleven ze samen een tijd zwijgend zitten.

'Meende je wat je over mij zei?' vroeg Anthony.

'Tegen Adam? Want je luistert ook nog eens aan de deur?'

'Door de vloer, om precies te zijn! Ik ben naar je zolder gegaan, met deze regen kon ik toch niet buiten wachten, dan had ik wel kortsluiting kunnen krijgen,' zei hij glimlachend.

'Waarom heb ik je niet eerder leren kennen?' vroeg ze.

'Ouders en kinderen hebben vaak jaren nodig om elkaar te leren kennen.'

'Ik wilde dat we nog een paar dagen extra hadden.'

'Volgens mij hebben we die al gehad, lieverd.'

'Hoe gaat dat morgen dan in zijn werk?'

'Maak je geen zorgen, je hebt geluk, de dood van een vader is altijd een rotmoment, maar voor jou is dat in ieder geval al achter de rug.'

'Ik heb geen zin meer in grapjes.'

'Dat zien we morgen wel, komt tijd, komt raad.'

Terwijl de nacht vorderde liet Anthony zijn hand naar die van zijn dochter glijden, en pakte hem eindelijk vast. Hun vingers verstrengelden zich. Later, toen Julia in slaap gevallen was, zakte haar hoofd tegen de schouder van haar vader.

Het was nog niet licht. Anthony Walsh deed uiterst zachtjes om zijn dochter niet wakker te maken toen hij opstond. Hij legde haar voorzichtig op de bank en trok een deken over haar heen. Julia bromde wat in haar slaap en draaide zich om.

Nadat hij zich ervan verzekerd had dat ze nog diep in slaap was ging hij aan de keukentafel zitten, pakte pen en papier en begon te schrijven.

Toen de brief af was legde hij hem duidelijk zichtbaar op de tafel. Toen deed hij zijn attachékoffer open, haalde er een pakketje van zo'n honderd andere brieven uit die met een rood lint bijeengehouden werden en liep naar de slaapkamer van zijn dochter. Hij legde ze voorzichtig in het ladekastje, om de vergeelde foto van Tomas die erbij zat niet te kreuken, en schoof de la glimlachend dicht.

Terug in de woonkamer liep hij naar de bank, pakte de witte afstandsbediening, stak die in het borstzakje van zijn colbert en boog zich over Julia om een kus op haar voorhoofd te drukken.

'Slaap maar lekker, mijn schat, ik hou van je.'

XXII

*J*ulia deed haar ogen open en rekte zich traag uit. Er was niemand in de kamer, en de deur van de kist zat dicht.

'Papa?'

Er kwam geen antwoord. De ontbijttafel in de keuken was gedekt. Tegen de pot honing stond een envelop, tussen het pak muesli en de melk. Julia ging zitten en herkende het handschrift.

Lieve dochter van me,
Als je deze brief leest zijn mijn accu's op; ik hoop dat je het me niet kwalijk neemt, ik wilde je een nutteloos afscheid besparen. Het is genoeg om je vader één keer te begraven. Als je deze laatste woorden gelezen hebt, ga dan een paar uur de deur uit. Ze komen me ophalen, en ik heb liever dat jij er dan niet bent. Maak de kist niet meer open, ik lig erin te slapen, heel rustig, dankzij jou. Lieve Julia, dank je wel voor de dagen die je me gegeven hebt. Ik heb daar zo lang naar uitgekeken, ik heb er zo lang van gedroomd die geweldige vrouw te leren kennen die je geworden bent. Dat is een van de grote mysteries van het leven van een ouder, en daar ben ik de afgelopen dagen achter gekomen. Je moet geduld hebben om de volwassene te ontmoeten die je kind geworden is, accepteren dat het een individu is. Het spijt me van alle tekortkomingen in je jeugd waar ik verantwoordelijk voor

ben. Ik heb gedaan wat ik kon. Ik was er niet genoeg voor je, niet zo vaak als jij had gewild; ik had je vriend, je bondgenoot, je vertrouweling willen zijn,en ik was slechts je vader. Maar dat zal ik altijd blijven. Waar ik ook naartoe ga, ik neem de herinnering aan een grenzeloze liefde voor jou mee. Herinner je je die Chinese legende nog, dat mooie verhaal over de kracht van de weerspiegeling van de maan in het water? Ik had ongelijk door er niet in te geloven, ook daar was het een kwestie van geduld; mijn wens kwam uiteindelijk in vervulling, want de vrouw die ik zo graag terug in mijn leven wilde, dat was jij.

Ik zie je nog voor me als klein meisje, als je in mijn armen rende. Het is idioot om te zeggen, maar het is het mooiste wat ik in mijn leven heb meegemaakt. Niets zou me gelukkiger gemaakt hebben dan jouw schaterlachen, jouw knuffels als ik 's avonds thuiskwam. Ik weet dat de herinneringen op een dag, als je verdriet voorbij is, zullen terugkomen. Ik weet ook dat je nooit de dromen zult vergeten die je me vertelde als ik aan het voeteneind van je bed kwam zitten. Zelfs als ik er niet was, was ik nooit zo ver weg als jij dacht. Ik hou van je, hoe onhandig en onbeholpen ook. Ik heb je nog maar één ding te vragen: beloof me dat je gelukkig zult zijn.

Je vader

Julia vouwde de brief dicht. Ze liep naar de kist in de woonkamer. Ze streek met haar hand over het hout en fluisterde tegen haar vader dat ze van hem hield. Bedrukt voldeed ze aan het laatste verzoek van haar vader. Toen ze de trap afliep bedacht ze dat ze de sleutel aan haar buurman moest geven. Ze liet meneer Zimoure weten dat er die ochtend een vrachtwagen zou voorrijden om een pakket bij haar af te halen en of hij zo vriendelijk wilde zijn om open te doen. Nog voordat hij iets kon zeggen had ze al koers gezet in de richting van een antiekwinkeltje.

XXIII

*E*r was een kwartier verstreken, het was weer doodstil in het appartement van Julia. Er klonk een kleine klik, gevolgd door een gepiep, en de klep van de kist ging open. Anthony stapte eruit, klopte zijn schouders af en liep naar de spiegel om zijn stropdas recht te trekken. Hij zette het fotolijstje met zijn foto op zijn plek in de kast en keek de ruimte rond.

Hij verliet het appartement en liep de straat op. Voor het pand stond een auto op hem te wachten.

'Dag Wallace,' zei hij terwijl hij achterin ging zitten.

'Fijn u weer te zien, meneer!' antwoordde zijn privésecretaris.

'Is het transportbedrijf gewaarschuwd?'

'De vrachtauto rijdt recht achter ons.'

'Perfect,' antwoordde Anthony.

'Breng ik u naar het ziekenhuis terug, meneer?'

'Nee, ik heb al genoeg tijd verloren. We gaan naar het vliegveld, maar eerst even langs huis, want ik moet een andere koffer pakken. Pak ook maar een koffer voor jezelf in, je gaat mee, ik heb geen zin meer om alleen te reizen.'

'Mag ik vragen waar we naartoe gaan, meneer?'

'Dat leg ik onderweg wel uit. Vergeet niet je paspoort mee te nemen.'

De auto draaide Greenwich Street in. Bij het volgende kruispunt ging het raampje omlaag en een witte afstandsbediening belandde in de goot.

XXIV

*D*e New Yorkers konden zich niet herinneren wanneer het voor het laatst zo zacht was geweest in de maand oktober. De nazomer was een van de mooiste die de stad ooit had meegemaakt. Zoals alle weekends de afgelopen drie maanden had Stanley met Julia afgesproken om samen te brunchen. Vandaag zou het tafeltje dat voor hen gereserveerd was bij Pastis even moeten wachten. Het was een bijzondere zondag, want meneer Zimoure begon met zijn uitverkoop en voor de eerste keer dat Julia bij hem aanklopte zonder hem op de hoogte te hoeven stellen van een ramp had hij erin toegestemd zijn winkel twee uur voor de officiële openingstijd voor haar open te doen.

'Nou, hoe zie ik eruit?'

'Draai je eens om, dan kan ik kijken.'

'Stanley, je bent al een halfuur naar mijn voeten aan het kijken, ik heb het nu wel gezien op dit podium.'

'Je wilde toch mijn mening, schat, of niet soms? Draai je nog eens om, zodat ik je van voren zie? Dat dacht ik al, dat is helemaal niet de hakhoogte die jij moet hebben.'

'Stanley!'

'Ik erger me dood aan die obsessie om in de uitverkoop te moeten kopen.'

'Heb je de prijzen hier gezien? Sorry dat ik geen andere keuze heb met mijn salaris als computeranimatrice,' fluisterde ze.

'O, niet weer hè!'

'Goed, u neemt ze?' vroeg meneer Zimoure vermoeid. 'Ik geloof dat u ze nu allemaal wel gepast heeft, jullie zijn er met zijn tweeën in geslaagd om mijn hele winkel overhoop te halen.'

'Nee,' zei Stanley, we hebben die prachtige pumps nog niet geprobeerd die ik daar in de kast zie staan, ja, die ja, op de bovenste plank.'

'Die heb ik niet meer in de maat van mevrouw.'

'En in het magazijn?' vroeg Stanley smekend.

'Dan moet ik naar beneden om te kijken,' zuchtte meneer Zimoure terwijl hij wegliep.

'Hij moet het echt van zijn goede smaak hebben, want dat karakter van hem…'

'Vind jij dat hij een goede smaak heeft?' vroeg Julia lachend.

'Ja, van het begin af aan, we zouden hem best een keertje bij jou te eten kunnen uitnodigen.'

'Meen je dat nou?'

'Ik ben toch niet degene die de hele tijd roept dat hij de mooiste schoenen van New York verkoopt, of wel soms?'

'En daarom wil je hem…'

'Ik wil niet mijn hele leven weduwnaar blijven, als je het niet erg vindt.'

'Nee, helemaal niet, maar meneer Zimoure…?'

'Vergeet Zimoure!' zei Stanley met een blik op de etalage.

'Zo snel al weer?'

'Draai je vooral niet om, maar de man die door de etalage naar ons staat te kijken is werkelijk onweerstaanbaar!'

'Wat voor type?' vroeg Julia zonder zich te durven bewegen.

'Degene die al tien minuten met zijn neus tegen de ruit gedrukt staat en die naar je kijkt alsof je de heilige Maagd bent… Maar vol-

gens mij droeg die geen pumps van driehonderd dollar, en al helemaal niet uit de uitverkoop! Nee, niet omdraaien zei ik, ik heb hem
het eerst gezien!'

Julia keek op en haar lippen begonnen te trillen.

'O, nee hoor,' zei ze zachtjes. 'Die heb ik veel eerder gezien…'

Ze liet haar schoenen op de verhoging achter, deed de deur van
de winkel van het slot en rende naar buiten.

⟶

Toen meneer Zimoure weer in de winkel kwam trof hij Stanley alleen aan, zittend op de verhoging, een paar pumps in zijn handen.

'Is mevrouw Walsh vertrokken?' vroeg hij ontdaan.

'Ja,' antwoordde Stanley. 'Maar geen zorgen, ze komt wel weer
terug. Waarschijnlijk niet vandaag, maar ze komt terug.'

Meneer Zimoure liet de doos die hij vasthad uit zijn handen vallen. Stanley raapte hem op en gaf hem terug.

'U ziet er zo wanhopig uit, kom, ik help u even alles op te ruimen
en dan gaan we even ergens koffie drinken, of thee als u dat liever
heeft.'

⟶

Tomas streek met zijn vingertoppen over Julia's lippen en drukte
een kus op haar oogleden.

'Ik heb geprobeerd mezelf ervan te overtuigen dat ik zonder je
kon leven, maar je ziet: het lukt niet.'

'En Afrika dan, je reportages, wat zal Knapp zeggen?'

'Wat heeft het voor zin om over de wereld te trekken om te berichten over de waarheid van anderen terwijl ik mezelf voor de gek
hou? Wat heeft het voor zin om van het ene land naar het andere

land te reizen als degene van wie ik hou daar niet is?'

'Stel jezelf dan maar geen vragen meer, dit was de mooiste manier om me gedag te zeggen,' zei Julia terwijl ze op haar tenen ging staan.

Ze kusten elkaar, en ze bleven met elkaar versmolten als twee mensen die zo verliefd zijn dat ze de wereld om zich heen vergeten.

'Hoe heb je me gevonden?' vroeg Julia, weggedoken in de armen van Tomas.

'Ik heb je twintig jaar lang lopen zoeken. Voor de deur van je huis was nou niet het moeilijkste,' antwoordde hij.

'Achttien, en geloof me, dat was lang genoeg!'

Julia kuste hem opnieuw.

'Maar jij dan Julia, wat had je doen besluiten om naar Berlijn te komen?'

'Dat zei ik je al, een teken van het lot... Ik zag een portret van jou, bij een straattekenares.'

'Ik heb nooit mijn portret laten tekenen.'

'Natuurlijk wel, het was jouw gezicht, jouw ogen, jouw mond, zelfs het kuiltje in je kin zat er.'

'En waar was die tekening dan die zo op me leek?'

'In de oude haven van Montréal.'

'Ik ben nooit in Montréal geweest...'

Julia keek omhoog, er gleed een wolk langs de hemel boven New York. Ze glimlachte bij het zien van de vorm die hij aannam.

'Ik ga hem vreselijk missen.'

'Wie?'

'Mijn vader. Kom mee, we gaan wandelen, ik moet je mijn stad laten zien.'

'Je loopt op blote voeten!'

'Dat geeft echt helemaal niks,' antwoordde Julia.

Met dank aan

Emmanuelle Hardouin,
Pauline Lévêque,
Raymond en Danièle Levy,
Louis Levy,
Lorraine.

Susanna Lea en Antoine Audouard.

Nicole Lattès, Leonello Brandolini, Brigitte Lannaud, Antoine Caro, Anne-Marie Lenfant, Élisabeth Villeneuve, Sylvie Bardeau, Tine Gerber, Lydie Leroy, Aude de Margerie, Joël Renaudat, Arié Sberro en alle medewerkers van Éditions Robert Laffont.

Katrin Hodapp, Mark Kessler, Marie Garnero, Marion Millet.
Pauline Normand, Marie-Ève Provost.
Brigitte Forissier, Sarah Forissier.
Léonard Anthony en zijn hele team.
Christine Steffen-Reimann.
Philippe Guez, Eric Brame en Miguel Courtois.
Yves en Martyn Lévêque, Charles Veillet-Lavallée.